編集復刻版／編・解題＝河原　功

資料集　終戦直後の台湾

第1巻

不二出版

復刻にあたって

一、復刻にあたっては、斎藤毅氏にご理解とご協力をいただきました。記して深く感謝いたします。
一、原本を適宜縮小・拡大して収録しました。
一、原本の破損や汚れ、印刷不良により、判読できない箇所があります。
一、原本において、人権の視点からみて不適切な語句・表現・論がある場合でも、歴史的資料の復刻という性質上、そのまま収録しました。
一、解題（河原 功）は第1巻巻頭に収録しました。

（不二出版）

『資料集　終戦直後の台湾』第1巻目次

終戦後ニ於ケル新竹州ノ諸状況概要報告ニ関スル件 [写] 昭和二十一年四月二日
　新竹州属河野格　台湾総督府東京出張所長西村徳一殿 …… 212
　終戦後ニ於ケル新竹州状況報告書　（昭和二一年三月？）
終戦後台湾ニ於ケル刑務所収容者ノ処置ニ関スル件　（昭和二一年四月下旬）村上法務部長 …… 237
台湾統治終末報告書　一九四六年四月　台湾総督府残務整理事務所 …… 246
終戦後在台邦人ノ蒙リタル迫害状況　議会説明資料（昭和二十一年五月十三日）台湾総督府残務整理事務所 …… 269
計画輸送終了後ノ台湾ノ近況報告　昭和二十一年七月三十一日　前台湾総督府属（鉱工局工業課）浦山公明 …… 279

2　布告・通牒・覚書・要望・検討事項

文官同待遇者ノ定員ノ臨時特例ニ関スル件　昭和二十年八月十六日　勅令第四七四号 …… 309
終戦処理ニ伴フ在外地邦人権益ノ保持存続ニ関スル件（官文第五〇一九号）総務長官通牒 …… 316
　終戦処理ニ伴フ在外地邦人権益ノ保持存続ニ関スル件（管殖第二五一号）[極秘]
　内務次官　台湾総督府総務長官殿　昭和二十年八月三十一日
聯合国陸海軍最高司令官ニ提供スベキ資料調製ニ関スル件 [極秘] 九・一〇　部局長打合会 …… 324
職業輔導並ニ現地自治計画　九・一〇　幹事会 …… 331
委員接遇案　昭和二十年九月ごろ？ …… 343
中央要望事項［講和条約締結時期に関する見通し、領土割譲に伴う事項、ほか］総務長官携行 [極秘]
　昭和二十年九月中旬 …… 347
中央要望事項［講和条約締結時期に関する見通し、領土割譲に伴う事項、ほか］[極秘] 昭和二十年九月中旬 …… 358
軍復員ニ依リ召集解除トナリタル外地（樺太ヲ含ム）巡査ノ内地巡査採用方ニ関スル件通牒（甲第一一五号）
　内務省警保局長　昭和二十年九月二十九日　各庁府県長官・各地方総監府第一部長殿 …… 372
管理局案　朝鮮総督府、台湾総督府及樺太庁廃止ニ関スル件、他 …… 374

斎藤茂氏旧蔵

『資料集　終戦直後の台湾』解題

河原　功

終戦直後の台湾の様子

終戦直後の台湾は、朝鮮、樺太、中国大陸、南方地域と比較すると安泰だったと言われる。だが、空襲の恐怖や臨戦体制の抑圧から解放されはしたものの、支配と被支配の関係が逆転し、総督府行政が空洞化したわけだから、台湾在住の日本人の間でも混乱がなかったわけではない。

在台日本人と台湾人との信頼関係の乖離、警察力の弱体化、治安状況の悪化、集団的掠奪・窃盗・襲撃・脅迫・暴行等の被害、物流の停滞による品不足、諸物価の高騰、貨幣価値の低下、流言蜚語による民心の動揺、職業不安、居住問題、子弟の教育、私有財産の行方、日本への引揚げ、引揚げ後の生活の見通し……など、様々な問題が一気に沸き起こってきたのである。

それでも、一一月頃までの台湾は意外と落ち着いていて、在台日本人で日本帰還を希望する者は必ずしも多くはなかった。ところが、一二月頃からフィリピンや日本に在留する台湾人が日本人によって虐待されたという新聞報道があり、これが反日感情をそそった。治安が乱れて強盗事件が頻発した。食料品の価格が軒並みに急騰し、台湾での生活が厳しくなった。二ヵ月間という短期間のうちに台湾に在留する軍人及び一般邦人の日本への還送を完了する旨の新聞発表があり、群集心理により更なる帰国熱を煽られることとなった。その結果、在台日本人はほとんど帰国を希望するに至った。

中国大陸から国府軍や憲兵・特務・警察官が続々と台湾に上陸し、台湾省行政長官公署による日本人資産の接収が次々と進み、警備総司令部による締め付けが厳しくなるに従って、台湾はさらに大きく変貌していったのだった。

変貌した台湾の様子を塩見俊二は、一九四六年一月一七日の日記で次のように記している。

「台湾省行政長官公署及警備総司令部、即チ行政、軍ノ両面ニ亙リ未ダ政治力ノ強化ヲ期待シ得ズ。（略）本省人ノ不満日ニ多シ。（略）物価騰貴ニ基ク生活困難ハ今ヤ甚ダシ。日籍人ハ街頭ニ列ヲ為シテ家財道具、餅、菓子等ヲ売リ、或ハ転落シテ脂粉ノ巷ヲ彷徨シ、本省人亦生活苦ニ喘ギテ遂ニ強盗横行ヲ見ルニ至リタリ。（略）治安漸次悪シ。」（『秘録・終戦直後の台湾』高知新聞社、一九七九年一二月）

このように、終戦から数ヵ月間で、台湾は大きく変わった。

数少ない終戦直後の台湾資料／史料

台湾研究をするうえで原資料／史料は欠かせない。だが、戦前期の台湾で編まれた「秘」「部外秘」の類、そうでなくても日本側に不利と思われそうな雑誌や出版物や報告書の類も、終戦と同時に焼却処分されたものが多く、現存するものは極めて少ない。また、終戦直後の台湾の様子を具体的に知ることのできる資料は、邦人（在台日本人）の台湾引揚げでの混乱期であったことも原因して、日本国内に現存しているものはそう多くはない。

そういう中で、終戦直後の台湾を知る資料／史料で現在目にすることのできるものは次となる。

1　河原功監修・編集『台湾引揚・留用記録』全一〇巻（ゆまに書房、一九九七年九月～一九九八年一月）

2　加藤聖文監修・編集『海外引揚関係史料集成　第三一巻台湾篇』（ゆまに書房、二〇〇二年六月）

3　蘇瑤崇主編『最後的台湾総督府　一九四四－一九四六年終戦資料集』（台中・晨星出版社、二〇〇四年六月）

4　蘇瑤崇主編『台湾終戦事務処理資料集』（台北・台湾古籍出版、二〇〇七年五月）

5　河原功解題『台湾引揚者関係資料集』全七巻・付録二（不二出版、二〇一一年一一月～二〇一二年四月）

6　回想録

　a　森田俊介『内台五十年　回想と随想』（伸共社、一九七九年四月）

　b　塩見俊二『秘録・終戦直後の台湾―私の終戦日記』（高知新聞社、一九七九年一二月）

　c　台湾協会編『台湾引揚史』（財団法人台湾協会、一九八二年一二月）

　d　台湾会（代表・安藤正）編『あゝ台湾軍―その想い出と記録』（台湾会、一九八三年五月）

　e　台湾引揚記編集委員会編『琉球官兵顚末記』（台湾引揚記刊行期成会、一九八六年一二月）

1は留台日僑世話役速水国彦（台湾省行政長官公署日僑管理委員会服務員）による、東京の台湾総督府残務整理事務所（内

務省内、のち外務省所管に移行）宛の『留台日僑会報告書』第一報（一九四六年四月二一日）～第一四報（一九四七年四月二〇日）、それに「留用者名簿」等を復刻したものである。邦人の台湾引揚げ、留用された邦人とその家族の様子、子弟の教育、さらに留置されている戦犯や犯罪者、施設に収容されている病人や老人、孤児の処遇、そしてその時々の台湾情報もあり、その資料的価値は極めて高い。これをもとにして、台湾引揚研究会編『歴史としての台湾引揚』（樺山小学校33期同期会、二〇〇八年一〇月）も編まれた。

2は『海外引揚関係史料集成』全三五巻のうちの一冊で、史料としてはガリ板刷りの小冊子「台湾統治終末報告書」（5の『琉球官兵顚末記』に翻刻あり）、「台湾ノ現況」、「事務引継報告書」（欠頁あり）、「台湾省接収委員会日産処理委員会結束総報告書」（中国語）等が収録されている復刻版である。分量的にかなり少ない。

3は鈴木茂夫（著書に『台湾処分一九四五年』同時代社、二〇〇二年四月）の提供によるもので、次の資料／史料を復刻している。①安藤利吉から妻宛の「遺書」、②安藤利吉と松尾少佐の自殺に関する駐華米軍総司令部法務部戦犯班による報告（英文と日本語訳写）、③台湾軍参謀長等発信の「特別緊急電報」「防空放送」など二二通（二通に欠頁あり）、④「降書」（写）、⑤駐華日本最高指揮官陸軍大将岡村寧次宛の「中国戦区最高統帥命令第一号」（写）、⑥台湾総督府警務局「大詔渙発後ニ於ケル島内治安状況並警察措置」（第一報から第三報）、⑦外務省管理局総務部南方課「台湾ノ現況」、⑧外務省管理局総務部「台湾関係」（正しくは『外地概況調査』の一部「台湾関係」）、⑨台湾総督府残務整理事務所「台湾統治終末報告書」。それに、鈴木茂夫の手記「終戦後あれこれ」、蘇瑤崇記録「鈴木茂夫先生訪問記録」もあり、参考になる。

4は台湾協会所蔵の「台湾空襲概況」「大詔渙発後ニ於ケル島内経済情勢」、防衛省防衛研究所図書館所蔵の「台湾方面ノ状況」その他、外務省外交史料館所蔵の「ポツダム宣言受諾関係一件　善後措置および各地状況関係（台湾、樺太、沖縄）」諸史料、それに鈴木茂夫資料として「台湾関係調査事項」を収めた復刻版である。興味深い資料／史料（全て日本語）を収めているが、収録されている「第十方面軍復員史資料」の「復員」を「復原」と編者も出版社側も終始読み違えて混乱を与えているばかりか、考えられないほどに編集が粗雑である。

5は財団法人台湾協会が原本を提供しての編集復刻版である。台湾協会所蔵の『全国引揚者新聞』、旧『台湾協会報』、『日台通信』、『台湾同盟会報』、『台湾同盟通信』、『愛光新聞』、『台湾協会報』（現在も継続発行中。復刻は一九七二年まで）には、戦後の日台関係、在外私有財産の補償問題、日本統治時代の台湾等を知る貴重な記録が満載している。付録として、6cの台湾協会編『台湾引揚史』、6eの『琉球官兵顚末記』も復刻されている。『台湾引揚史』『琉球官兵顚末記』ともに非売品だったため、図書館での所蔵がほとんどなかった書物である。

6aの著者森田俊介（一八九九年生れ）は、霧社事件勃発時の台湾総督府警務局理蕃課長、その後多くの官職を歴任後、台中州知事、総督府文教局長、鉱工局長に就き、戦後は台湾省行政長官公署に留用された。引揚げ後は内閣復員庁官房長、厚生事務官を務めた。退官後は、日本遺族厚生連盟（現在の日本遺族会）の事務局長、台湾協会の理事にも就いた。著書に『台湾の霧社事件―真相と背景』（伸共社、一九七六年三月）もある。

bの著者塩見俊二（一九〇七年生れ）は、終戦時は台湾総督府財務局主計課長。引揚げ後は東京財務局直税部長、熊本財務局長、広島国税局長を経て、大阪国税局長を一九五五年に退職。衆議院議員となり、防衛政務次官、自治大臣、衆議院予算委員長、厚生大臣を歴任する。

cは、台湾引揚者一六〇名による、台湾での生活、台湾からの引揚げの回想集。引揚者自身の体験や当時見聞した生々しい記録で、有用な資料である。

dは、台湾軍参謀だった安藤正による「大東亜戦争に於ける台湾軍」のほか、二〇数名の台湾軍兵士の回想を収めている。終戦前後の台湾軍の様子、そして台湾軍の目に映った台湾社会を知るに数少ない記録である。

eは、沖縄籍民である官兵（将兵）四一名、一般人六名による、台湾生活、台湾引揚げの回想集。一般邦人の「内地」への引揚げをサポートしたことを知るうえでの貴重な手記である。それに、資料として「沖縄籍民調査書」「台湾統治終末報告書」「台北集中営内誌」「人名簿」「宵月乗船者名簿」が翻刻されている。

資料集『終戦直後の台湾』復刻経緯－斎藤茂の貢献

この資料集『終戦直後の台湾』は、斎藤茂（一九〇四－一九八〇）が収集あるいは記録した膨大な台湾関連の資料（史料）を復刻したものである。斎藤茂の収集・記録は、台湾総督府の総督官房秘書官時代、外務省管理局総務部南方課長時代に集中している。時期的には一九四五年八月～四六年一二月の台湾資料となる。終戦直後の台湾をめぐる状況を知ることの出来る、希少にして貴重な台湾資料群である。

斎藤茂は一九〇四年一〇月、台湾で生まれる（本籍は宮城県仙台市）。一九二四年に台北第一中学校を卒業、そして「内地」に渡って二七年に第三高等学校（京都）を卒業、三〇年に東京帝国大学法学部法律学科を卒業した。さらに大学院に進学して、同年一〇月に高等試験行政科、一一月に司法科に合格した。三一年二月に入営（歩兵第二九連隊）、一二月に除隊。除隊となるや両親の住む台湾に戻って、台湾総督府文教局に勤務。その後、嘉義市助役（三五年九月）、新竹州警務部警務課長（三六年六月）、同高等警察課長（三七年九月）、台湾総督府企画部事務官（三九年一二月）、同企画部物資課長（四一年七月）、同警務局経済警察課長（四二年三月）、台北州警察部長（四二年一一月）、総督官房人事課長兼秘書官（四五年五月）と、台湾で官僚としてのキャリアを積んでいく。一九四五年八月に終戦。その翌九月には日本政府との連絡・打合せのために成田総務長官に随行して東京に来たが、要務を終えて台湾に戻るつもりのところ、すでに異国となった台湾へ一行が戻ることをＧＨＱ（連合国軍最高司令官総司令部）は許可しなかった。程なくして四六年二月、斎藤は外務省管理局総務部南方課長に就いた。

斎藤茂の外務省在職期間は一年弱に過ぎない。同年一二月に岩手県に移り、岩手県の教育民生部長（四六年一二月）、総務部長（四七年三月）、出納長（四八年一月）を歴任。五二年一〇月には岩手県副知事となるが、五五年五月に弁護士に転ずる。以来弁護士業のかたわら、岩手県人事委員長、岩手県弁護士会長、岩手県保護司連盟会長、岩手県体育協会会長等を歴任した。この間に、紺綬褒章（六四年二月）、勲三等瑞宝章（七六年四月）を受章している。一九八〇年一〇月、七六歳で没。

斎藤茂は、終戦直後の台湾状況等の整理と記録を行うつもりでこれらの台湾資料を積極的に収集、また記録した。その一部は外務省管理局総務部南方課長に就いた四六年二月の「台湾ノ現況」、及び翌三月の「外地概況調査」中の「台湾関係」ページとしてある程度纏まっているものの、その後に執筆を完成させるには至らなかった。

斎藤茂が収集また筆録した数々の台湾資料は、子息の斎藤毅（元住友重機械工業取締役・監査役、一般財団法人台湾協会前理事長）に引き継がれて大切に保存されてきた。

斎藤茂所蔵の台湾資料（史料）、その概要と資料的価値

斎藤茂所蔵資料には、孔版印刷された資料や、カーボン紙でタイプ印刷された資料のほかに、手書きのものも少なくない。

斎藤茂は多忙のなか、小まめに入手に努め、入手できないものは筆写していったのである。斎藤茂の几帳面さがよく伺える。

その台湾資料は袋分けされていたが、系統だって分類されていたわけではない。そこで、今回の復刻にあたっては、便宜的に次の七項目に分類することにした。

1　台湾情報
2　布告・通牒・覚書・要望・検討事項
3　中華民国（台湾省行政長官公署）からの通告・通達・命令
4　成田一郎総務長官の帰台に関する件
5　非日本人の台湾への帰還、邦人の台湾引揚げ
6　関係機関
7　名簿

以下、個々の資料について、概要と資料的価値を記す。

1　台湾情報

終戦直後の台湾情報は、旧台湾総督府警務局によって纏められたものが最初だった。「台湾空襲概況」、「大詔渙発後ニ於ケル島内経済情勢」、「大詔渙発後ニ於ケル島内治安状況並警察措置」がそれである。

「台湾空襲概況」（台湾総督府警務局）は、一九四四年一〇月一二日から四五年八月一〇日までの期間に、米軍機からの爆弾や焼夷弾による都市被害、死傷者、建造物等について、その概数をまとめた小冊子。都市被害では、基隆、新竹、嘉義、台南、高雄の五都市が機能喪失、台北、彰化、屏東、宜蘭、花蓮港の五都市が機能半減、僅かに保持しているのは台中だけ、とある。また、死傷者一万五千人、罹災者二七万七千人、建造物被害四万五千棟とある。さらに、船舶や鉄道車両の被害数、工場被害状況も記されている。台湾空襲被害に関する公式記録としては、この「台湾空襲概況」くらいしか現存していない。

「大詔渙発後ニ於ケル島内経済情勢」（台湾総督府警務局、一九四五年八月二二日）は、「極秘」文書である。米穀供出の低下、塩の高騰、預貯金の引き出し増加等に触れ、金融異変の発生を抑えるべく通牒「戦局ノ急転ニ伴フ金融措置ニ関スル件」も

掲載している。

「大詔渙発後ニ於ケル島内治安状況並警察措置」(台湾総督府警務局)は三報まで発行された(「第三報」では、「大詔渙発後」を「終戦後」と変更)。「第一報」(一九四五年八月)には、台湾人による在台日本人への「横柄」「脅迫行為」の実例、台湾人自身が中華民国の国籍になることでの苦痛や恐怖が記されているが、台湾全島は概ね平穏であるという。今後の警察措置として、「内地人及保護ヲ要スル本島人ノ保全ニ努力ヲ傾注スル所存ナリ」と結んでいる。「第二報」(同年八月)には、台湾島内は「漸次沈静」「治安状況モ良好」となってきたが、経済面では土地価格の暴騰、流言蜚語による民心の動揺ぶりが記されている。また、憂慮すべきこととして思想要注意人物及び濃厚なる民族意識保有者の動向があり、思想要注意人物として「楊貴(台中州下在住作家、人民戦線派)」(楊逵)の名があげられていることは興味深い。そして、不良分子の発生、在台日本人に対する感傷的気分の退化、警察力の弱体化などから「爾後ノ治安維持ハ相当困難ノ度ヲ加フルモノト思料セラル」と結んでいる。「第三報」(同年九月)には、陳儀(台湾省行政長官兼台湾警備総司令)の着台前での混乱、治安状況の漸次悪化の傾向、警察力の低下、集団的掠奪や窃盗の増加、警察官に対する暴行傷害事件の散発等が記されている。そこで、治安警備力を強化し、「警備力ノ保持ニ努メツツアリ」と結んでいる。この報告書「大詔渙発後ニ於ケル島内治安状況並警察措置」からは、二ヵ月にも満たない短期間に台湾社会が激しく変容していることが読み取れる。

終戦直後の混乱のなか、日本政府としても在外邦人の把握に努めるとともに、関係する省庁や機関で認識を共有する必要があった。そこで編まれた小冊子が「終戦後に於ける在外同胞の概況」である。

「終戦後に於ける在外同胞の概況」(外務省管理局・内務省管理局、一九四五年一二月一日)は、在外邦人に関する政府側の活字印刷物としては最初期のものと思われる。中華民国、朝鮮、台湾、樺太、南方地域、旧軍政地区に在留する邦人の動向を記したもので、台湾に関しての記述は五〇〇字ほどしかない。だが、終戦直後に海外に在留していた/在留している邦人の全体像を知るうえで得難い資料である。

翌四六年になって、外務省から次の二編が編まれた。外務省管理局総務部南方課「台湾ノ現況」と外務省管理局総務部「外地概況調査(台湾関係)」は、終戦時並びに終戦直後の台湾を知るによき手引書と言える。

「台湾ノ現況」(外務省管理局総務部南方課、一九四六年二月一〇日)は斎藤茂が南方課長に就任して一〇日経っての報告書で、

「部外秘」となっている。台湾接収にあたっての中華民国側の対応が、台湾省行政長官公署（行政長官は陳儀上将）からの通告や布告等から重みをもって伝わってくる。また、終戦後の台湾の一般状況、邦人の台湾引揚げも要領よく纏められている。日台間の通信が限定され、台湾との往来、台湾からの資料送付が禁止されたなかで、外務省が最初に纏めた台湾の現状報告書として、貴重なものと言えよう。

「外地概況調査」（外務省管理局総務部、一九四六年三月）は、旧植民地（朝鮮、台湾）や樺太、南洋群島、関東州の終戦時からの概況を、様式を統一して纏め上げたものである。このうち台湾関係は六〇ページ近くあり、「終戦時ニ於ケル行政機構」、「官別員数」、「既帰還者数」、「残留官吏ノ現状」、「幹部ノ消息」、「予算関係」、閣議決定「外地（含樺太）官庁職員等ノ措置ニ関スル件」、「マッカーサー司令部ノ指令事項」七件、「台湾ニ於テ終戦時及終戦後採リタル措置」、「台湾ノ経済的対日寄与」、「台湾総督府外郭団体」、「内地在住台湾関係有力者調」から成っている。

この前後期には、「最近ノ台湾事情」（鹿児島駐在員吉田・永井、一九四六年一月二四日）、「台湾の現情」（成沢纏、一九四六年二月五日）、「台湾事情」（青柳報告ノ分取纏、一九四六年二月一〇日）といった内輪の台湾報告もある。

「最近ノ台湾事情」は、復員事務打ち合わせで台湾から戻ってきた第一復員省（旧「陸軍省」）の緒方大尉の台湾見聞を、鹿児島駐在員吉田・永井両名が安井所長宛に報告したもの。「本島人ノ支那政府並ニ軍部ニ対スル感情ハ一般的ニ悪」いことなどが、断片的に述べられている。

「台湾の現情」は、管理局総務部南方課雇の成沢が纏めたもの。「台湾省政府に対する島民の信頼感は極めて薄」いこと、金融の悪化、物価の高騰などが書かれている。

「台湾事情」は同じく南方課の青柳報告で、それを斎藤茂がメモ書きしたもの。引揚げ関係、現地の生活、官吏の動向、治安状況、日僑管理委員会、接収、金融、産業、教育、雑誌の発刊、中華民国側の態度などに触れている。特に治安については、「警察ノ威信ナシ」の状態で、襲撃、脅迫、強盗、暴行等が横行しているという。青柳報告が文書であったのか、口頭であったのか解らないが、その報告内容は濃厚である。

この間の資料としては、鹿児島派遣員奥山官補による、終戦後の台中状況に関する「報告二号」（一九四六年三月七日）、石垣島状況に関する「報告三号」（三月八日）、邦人の台湾引揚げ状況に関する「報告第四号」（三月一一日）もある。

また、外務省発表の直後には、台湾総督府側の資料として「終戦後ニ於ケル新竹州状況報告書」（新竹州属河野格、一九四六年三月?-）、「終戦後台湾ニ於ケル刑務所収容者ノ処置ニ関スル件」（一九四六年四月下旬）、「台湾統治終末報告書」（台湾総督府残務整理事務所、一九四六年四月）、「終戦後在台邦人ノ蒙リタル迫害状況（議会説明資料）」（台湾総督府残務整理事務所、一九四六年五月一三日）、「計画輸送終了後ノ台湾ノ近況報告」（前台湾総督府属浦山公明、一九四六年七月三一日）がある。

このうち、台湾総督府残務整理事務所が纏めた「台湾統治終末報告書」には、終戦前後の台湾状況、日本資産の接収、台湾人や在台日本人の動向、日本人の台湾引揚げ、一部日本人の留用などが、簡潔に纏められている。しかも本文中には、①台湾の領土、人民、治権が「中国の一方的宣言」で接収されて「陳儀長官に依る直接統治」となったこと、②中華民国の接収が「専ら物的接収に重きを置き懸案事項、緊急要務等重要なる行政事務の引継には殆んど関心を示さぬ」状態だったこと、③接収資産は「中国側の一方的評価に依る」もので「私有財産清冊及び企業財産清冊と称する証明書の交付」で片づけられたこと、④中国側の留用方針が徹底を欠いていたため「局部的には妥当ならざる留用を強要する向」もあったことなど、中華民国（台湾省行政長官公署）への不満や批判も織り込まれている。

2　布告・通牒・覚書・要望・検討事項

終戦となると、台湾在住の一般邦人の間で、治安の悪化、生活不安、物価の上昇、失職、預貯金や私有財産の行方、生命の危険など、多くの問題が一気に起る。接収にあたる中華民国官僚が来ることでの緊張も走る。

「文官同待遇者ノ定員ノ臨時特例ニ関スル件」（勅令）は、ポツダム宣言受諾の翌一六日に公布された。「時局ノ急変ニ応ズル各庁事務ノ増加ニ伴ヒ緊急増員ヲ要スル事情ニ即応スル」ための制定であった。これを受けての内務大臣の通報（各省庁宛?-）では、一般邦人の引揚者をまったく視野に入れておらず、専ら陸海軍所属の文官、同待遇者、その他軍属を「定員ニ拘ラズ出来得ル限リ該当者ノ受入ヲ考慮スルコト」を要望している。

「終戦処理ニ伴フ在外地邦人権益ノ保持存続ニ関スル件」（極秘）は、「相手国ト折衝上ノ資料トシテ必要」なため、農業、畜産業、林業、工業、鉱業、電力及ガス事業、金融業、商業、交通業、特殊会社、統制会社といった全産業を対象に、内務大臣が台湾総督府総務長官宛に、邦人権益現状調査を求めた文書である。

いっぽう、ＧＨＱ（連合国軍最高司令官総司令部）から台湾の軍備等に関する現状報告の提出命令が発せられたことで、九月一〇日の部局長打合会で、その報告書作成要領が検討された。「聯合国陸海軍最高司令官ニ提供スベキ資料調製ニ関スル件」（極秘）がそれで、命令された報告内容は居留民、被抑留者、金属材料、塗料、木材、生産能力にまで及んでいた。

「職業輔導並ニ現地自治計画」は、内地より派遣の将兵が終戦後の台湾でどう生活するか、九月一〇日の幹事会で検討されたその計画書である。将兵一〇万一五〇〇人を農業等に配当した「職業区分別人員配当表」、「各部隊別職業割当表」、「現地自活人員配当表」、「種苗等配当基準」、「軍現地自活職業輔導委員編成表」、「台北附近軍直部隊指揮関係表」、「現地自活地調」の諸資料から、日本軍将兵を台湾に長期土着させることを本気になって計画したことが解る。

「委員接遇案」は、台湾接収のために来台する委員を迎えるための、総務長官を委員長とする役割分担表（総務、設営、接遇、食品、嗜好品、護衛、医療の各係）、それに準備する物品や事項として国旗、レコード、トランプ、接待婦、通訳等に至るまでが細々と挙げられている。この「委員接遇案」が計画されたのは、台湾省行政長官公署と台湾省警備総司令部の合同機関「前進指揮処（所）」が重慶に設立された九月五日以降、成田一郎総務長官が日本政府と連絡・打合せで上京した九月二〇日以前、この二週間の間と思われる。そして、台湾省行政長官公署秘書長葛敬恩、台湾省警備総司令部副参謀長范誦堯が第一陣の接収委員（アメリカ軍人を含む）を率いて台湾入りしたのは一〇月五日であった。

「中央要望事項」（極秘）は、上京する総務長官の携行文書で、㈠外交交渉ノ段取（講和条約締結ノ時期ニ関スル見透）ニ関スル事項、㈡保障占領ニ関連スル事項、㈢領土割譲ニ伴フ事項、㈣総督府部内官庁及公共団体、外郭団体処理ニ関スル事項、から成る。㈢の「領土割譲ニ伴フ事項」は要望内容が具体的で、例えば在台日本人の中華民国国籍取得の自由、「本島人及高砂族」の日本国籍保留の自由、幣制転換への慎重な配慮、邦字新聞や雑誌の発行許可、日本語放送の継続、「高砂族」指導のための日本人警察官の活用、在台日本人の居住移転の自由、同じく営業及投資の自由、同じく私有財産権の認容保護など、多岐にわたっている。

「軍復員ニ依リ召集解除トナリタル外地（樺太ヲ含ム）巡査ノ内地巡査採用方ニ関スル件通牒」は、「外地」で巡査だった者が日本に戻って巡査を希望した場合、採用の便宜をはかれという指示。一九四五年九月二九日付けで、内務省警保局長が各庁、各地方に広く通告したことがわかる。

「管理局案　朝鮮総督府、台湾総督府及樺太庁廃止ニ関スル件、他」は、「外地」で官吏だった者については当分の間官吏としての身分の保有を認める、退官者には退職給与を支給する、優秀な人材は「内地」各官庁に収容する、「外地」で有効だった勅令は廃止、法律は削除するという内容である。

「昭和二十年律令第七号ノ規定ニ基キ公私有財産ノ処分等ノ制限ニ関スル件」では、当分の間、公私有財産の売買や移譲の禁止、また公債や社債の募集を禁止している。邦人の公私財産の移動や転売を重ねて厳禁した行政長官公署の命令「台進字第二号」（一〇月一三日）を受けての伝達であることは言うまでもない。

「本府各局部接収ノ件」は、一一月一日九時に総督府の各部局、さらに高等法院、図書館、博物館、気象台、糖業試験所、林業試験所、台湾新報社、台北放送局、同盟通信及び「内地」新聞社支局が中華民国側接収委員に接収されたことを、総務長官代理の須田一二三が、在京の成田一郎長官宛に電信した写しである。台湾省行政長官公署が一一月一日を各種行政機関接収開始と決定したのは、一〇月二七日の「第一回行政接収委員会」であった。

「日本人官公吏ニシテ台湾ニ残留スル者ノ身分取扱ニ関スル件」は、留台者を㈠留用者、㈡残務整理従事者、㈢前一二項に該当しない残留者に分かち、それぞれ留台者の身分上の取扱いを明確にしたものである。一九四六年三月五日に台湾地区日本官兵善後連絡部人事課長代理鈴木信太郎が各官衙長宛に通知したものである。

「台湾総督府関係引揚職員ノ終戦措置ニ関スル件」（台湾総督安藤利吉、一九四六年三月一五日）には、別紙一と別紙二が付いている。別紙一「外地（含樺太）官庁職員等ノ措置ニ関スル件」では、留用者や残務処理者はそのまま勤務を継続、引揚者のうち優秀な人材には転職や就職を斡旋、それ以外は退官者とするという身分の明確化、そして給与及び恩給に触れている。別紙二「台湾総督府職員ノ転官職及整理ニ関スル措置」には、台湾総督府職員の総数約四万二〇〇〇人、うち引揚帰還見込数（九割）は約三万七八〇〇人、その四割つまり約一万五一二〇人を優秀分子として各省又は各省所管官署に転官職せしめ、残り六割は整理すると、ショッキングな内容が「参考資料」と共に記載されている。

台湾総督府職員等の身分・処遇・俸給、恩給に関しては、他にも次の資料がある。

「台湾に於ける有給吏員恩給に関する資料／外地関係恩給（台湾総督府）」、「外地官庁所属の職員の身分に関する勅令」、「外地官署所属の職員に対する俸給其の他の給与」（部内打合、五月二七日）、「外地（含樺太以下同シ）職員ノ処遇ニ関スル件措置要綱案」（外務省、五月五日）、「朝鮮総督府判事又は台湾総督府判官の身分について」、「内地ニ於テ復員セル本府職員処理方針」、「各庁高等官ニ対スル昭和二十年末賞与支給方針ニ関スル件」、「昭和二十年末賞与ニ関スル件（内務省）」。

「総参電第一二四号（台総電第二〇六号転電）」（一九四六年四月二四日）は、支那派遣軍総参謀長（南京）の発信した電報で、主として「在台軍民ノ輸送」の状況を伝えている。

さらに、台湾総督府専売局としては、「台湾引渡後ニ於ケル台湾製塩業ヲ邦人参加経営トシテ確保スル件」を起案した。中華民国側には接収と同時に塩専売事業の邦人参加を認めてもらう協定を結び、また大蔵省には台湾塩の輸入を認めさせようとするものであった。どちらも実現性の低い要求だけに、提出には至らなかったと思われる。

3　中華民国（台湾省行政長官公署）からの通告・通達・命令

日本が東京湾停泊のミズーリ艦上で降伏文書に署名したのが一九四五年九月二日。日本国天皇及び日本国政府はポツダム宣言の条項を誠実に履行することを約した。

「降書」（一九四五年九月九日）は、「中華民国（東三省ヲ除ク）台湾及仏印北緯十六度以北ノ地区内ノ日本全陸海空軍並附部隊」が蒋介石に無条件降伏することを、日本政府の代理人岡村寧次（中国派遣軍総司令・陸軍大将）と蒋介石特派代表の何応欽（中国陸軍総司令・一級上将）との間で正式に確認しあった降伏文書。南京で調印された、その写しである。以後、「日本陸海軍ハ蒋委員長ノ統制ニ服従シ且蒋委員長及其代表タル何応欽上将ノ発スル命令ヲ接受」することになる。

一〇月五日、台湾省行政長官公署秘書長葛敬恩、台湾省警備総司令部副参謀長范誦堯は、接収委員を率いて重慶から台湾に空路到着した。そして、台北に台湾省行政長官公署・台湾省警備総司令部の合同機関「前進指揮処（所）」を開設した。

執務は翌一〇月六日から開始となり、その第一号の通告が主任葛敬恩から安藤利吉総督に手交された。「台湾省行政長官公署警備総司令部前進指揮所通告」（進字一号、一〇月六日）がそれで、「行政司法事務は従来の如く台湾総督府以下原有各機関に依りて現状を維持継続」「現行の貨幣は引き続き流通を允許」等、七項目であった。

この「進字一号」とともに、台湾省行政長官陸軍上将陳儀から安藤利吉総督宛の「備忘録」二通（「秘」文書）も手交された。「台政字第一号」（一〇月五日）では「台湾ノ一切ノ法定領土、人民、治権、政治、経済、文化等ノ施設及資産ヲ接収」

する、ついてはこの命令を所轄機関に下達せよ、そして「下列各項ヲ忠誠確実ニ調製整備シ十日内ニ之ヲ完成シ前進指揮所ニ送附スベシ」という内容。「台政字第二号」（一〇月五日）は、台湾省行政長官公署及び警備総司令部前進指揮所は台湾銀行の紙幣を必要とするので、「即時台幣三千万円ヲ呈出」せよ、という内容。この「台政字第一号」「台政字第二号」は「中華民国台湾省行政長官公署備忘録ノ件（官文第五〇四三号）」（一〇月八日）として、終戦連絡事務局長官成田一郎の名で官房各課長・各局部長・東京出張所長宛に送られた。

行政長官公署としては邦人の公私財産の移動や転売を厳禁したが、密売や、台湾人への名義変更が発生したため、その防衛策として「台進字第二号」（一〇月一三日）を発して、公私財産の流失を阻止する強化に乗り出した。

さらに、「台進字第三号」（一〇月一七日）を発した。「財物の強奪」「森林の盗伐」「婦女子の強姦」「交通通信の妨害」「公共物の毀損」「物資の窃盗」など、秩序の乱れが発生し始めたため、犯罪者を厳罰に処すという内容であった。

また、「台進字第四号」（一〇月一九日）を発して、納税義務の遵守を通告している。

このころ、台湾には一〇月一七日に国府軍が米軍輸送船四〇隻に分乗して基隆に上陸、それ以降国府軍や行政長官公署官員が続々と台湾入りする。二四日には第二次国府軍が二七隻の艦艇に分乗して基隆に到着、別に憲兵三〇〇名、警備司令部特務団一三〇〇名、警察官一〇〇〇名も到着した。陳儀（台湾省行政長官兼台湾警備総司令）ら首脳陣も、米軍機で上海から台北・松山空港に飛来した。いずれも、沿道では台湾住民（日本人も含む）が青天白日旗を掲げて出迎えた。

一〇月二五日、台湾地区受降式典が台北公会堂（後の中山堂）で持たれた。日本側からすると「投降式」となる。式典で、陳儀から安藤総督に、中国台湾省行政長官公署警備総司令部命令「署部字第一号」（一〇月二五日）が直接手交された。安藤利吉の台湾総督及び第十方面軍（通称「台湾軍」）司令官等の職権を一律に取り消し、「台湾地区日本官兵善後連絡部長」と改称し、いかなる命令も発することを許さず、陳儀の指揮下に置く、という内容であった。

受降式典後、台湾行政長官公署が正式に成立した（前進指揮所は廃止）。陳儀は「署秘第一号」（一〇月二五日）を発して、国民政府の命で自分が台湾省行政長官に正式に就任したこと、そして公印の使用を開始することになったことを台湾全省に通告した。

追って二八日、陳儀は安藤利吉に対して「台湾行政長官公署訓令」（処接字第一号、一〇月二八日）で、接収に当たっての日本側責任者の指名を要請した。台湾省行政長官公署が前日の第一回行政接収委員会で、一一月一日から接収開始することを決定したからであった。それに対して安藤は、総務長官成田一郎を日本側責任者に指名したが、成田が上京中のため、その不在中は農商局長須田一二三を代理人とする旨の返答をした。

陳儀は安藤利吉の返答を受けて、「行政長官公署通達」（一〇月三〇日）で、成田一郎を台湾地区日本官兵善後連絡副部長とし、台湾に帰任するまでは須田一二三を折衝事務責任者の代理副部長とすると、回答した。

ここ一連の資料としては、一九四五年九月九日の南京での「降書」調印に始まり、一〇月二五日の台北での台湾地区受降式典、安藤利吉の職権の剥奪、一一月一日からの接収開始に至るまでの、中華民国（台湾省行政長官公署）からの通告・通達・命令が収められている。台湾接収に関しては、すでに秦孝儀主編『光復台湾之籌画与受降接収』（中国国民党中央委員会党史委員会、一九九〇年六月）や何鳳嬌編『政府接収台湾史料彙編』上下（国史館、一九九〇年六月）などが台湾で出版されたが、その前史に当たる資料はほとんどない。その意味でも、斎藤茂の収集した中華民国（台湾省行政長官公署）側からのこれら命令文書等は資料的価値が高い。

4　成田一郎総務長官の帰台に関する件

一九四五年九月二〇日、総務長官成田一郎、文教局長西村徳一、秘書官斎藤茂、長官附属三浦司、台湾銀行頭取上山英三の五名は、台湾終戦に伴う引揚げ配船、人事問題等の善後措置、連合国側への引渡し事務の円滑を期すべく中央との打合せ要務を帯びて上京した。翌日には逓信部に四名（上山英三を除く）帰路の飛行機搭乗を申込んだが返答なし、さらに二三日に長官帰台用飛行機特別申込みをしたところ、GHQ（連合国軍最高司令官総司令部）による「軍人及官吏の内外地往復禁止令」で不許可（二六日）となり、中華民国からも帰台を禁止された。そこで、斎藤茂秘書官が中心となって、外務省や台湾総督府を通じてGHQや中華民国と交渉を重ねていった。二ヵ月後の一一月一九日になって、やっとGHQの許可は得られたが、中華民国側との連絡がうまくいかず、結局総督府の四名が台湾に戻ることは不可能となってしまった。事が不首尾に終ったことで、一一月二九日、斎藤茂は安藤利吉台湾総督宛に「進退伺」を出す。

この二ヵ月間の交渉経緯（一九四五年九月二〇日から一二月八日）が、斎藤茂秘書官の綴った「総務長官一行帰台ニ関スル件綴」、「Flight of Four Japanese Officials to Formosa.（総務長官一行帰台ニ関スル件）」である。

この経緯を要約した斎藤茂のメモもあり、整理された一連の「綴」からも、彼がこの「総務長官一行帰台ニ関スル件」を纏め上げたいという意志を強くしていたことが伝わってくる。

また、「総務長官在京中往復文書写綴」（一九四五年九月二六日から一二月一八日）もあり、成田総務長官と安藤総督、須田農商局長（総務長官代理）、各部局の局長や課長との電信や電話でのやりとりが、事細かに筆録されている。内容は、成田一郎総務長官一行の帰台に触れた記事もあるが、総督府業務、台湾島内の一般情報、在台日本人の安否、中華民国側（台湾省行政長官公署）の動向・命令、国府軍の台湾上陸、接収、在日台湾人の帰還輸送など、多岐にわたっている。

5　非日本人の台湾への帰還、邦人の台湾引揚げ

「Repatriation of Non-Japanese from Japan.」（一九四五年一一月一日）は、GHQ（副官付き陸軍大佐 H.W.ALLEN）が日本政府に命じた文書である。仮訳「非日本人ノ日本ヨリノ帰還ニ関スル件」も綴られている。朝鮮人と中国人の故国への送還が述べられており、「台湾、琉球及南支居住者ノ帰還計画ハ追ツテ通告アルマデ延期セラルベシ」とある。在日台湾人の台湾への帰還は後回しにされたのだった。伊原吉之助編『台湾の政治改革年表・覚書』（『帝塚山大学教養学部紀要』一九九二年七月）によれば、在日台湾人の台湾への帰還は、一九四五年一二月五日に始まり、総数三万人（軍人軍属約一万人、学生五五〇〇人、残りは商人）とある。

「Formosans Shipped to Japan from the Philippine Islands.」（一九四五年一一月一三日）もGHQ（H.W.ALLEN）の発信で、七七〇〇名の台湾人がフィリピンから鹿児島に向けて出航、鹿児島入港は「エトロフ」は一一月五日、「ハギ」「ツル」は一二日、「キリ」は一三日とある。

「台湾人輸送艦船運航表」は、台湾人帰還の船舶情報の一部を示す資料である。

「在日台湾人分布表（厚生省調）」は、都道府県別の在日台湾人分布表である。集計の年月日はわからないが、合計二万三八七名、「他ニ海軍工廠東京地区ニ七〇〇〇名アリ」という記述から判断して、一九四五年一一月ごろと思われる。在日台湾人は東京と神奈川に多く、合わせると約一万七〇〇〇名が滞在していたことになる。

「台湾人調査」（一九四六年三月一八日現在）では、在日台湾人の登録者数は一万五九〇六名、うち帰還希望者数一万二七八四名、残留希望者数三一二二名とある。四ヵ月で、約半数の在日台湾人が台湾に帰還したことになる。いっぽう、朝鮮人の帰還は早くから実施されていたにもかかわらず、この時期でも登録者数六四万七〇〇六名、帰還希望者数五一万四〇六〇名、残留希望者数一三万二九四六名と、帰還がスムーズに進んでいないことがわかる。

「台湾配船予定表（一九四六年一月二六日現在）」、一部変更後の「台湾配船予定表（一九四六年一月二八日現在）」は、台湾に帰還する在日台湾人、台湾からの軍人軍属の復員者への配船予定表である。船舶が絶対的に不足していて、送還も帰還も困難な状況にあった。

「台湾ヨリノ引揚状況其ノ他調査（一九四六年一月三一日現在）」（清川属調査）は、情報不足の初期段階での調査。この時期では、軍人軍属の復員が約一万六〇〇〇人と一割にも満たない少数であり、一般邦人五〇万人（実際は三〇数万人）の引揚げにはまったく着手されていない。

「台中州下日人還送情況（一九四六年四月五日）」は、一般邦人の第一次引揚げ（二月二一日〜四月二九日で二八万四一〇五人が台湾引揚げ）が順調に進んでいる段階での台中州下の記録である。台中州下では、すでに四万一五九一名の引揚げがほぼ完了して、残留者は徴用家族一五八二名、一般残留者一五五名とある。

「定着地ニ於ケル海外引揚者援護要綱（一九四六年四月二五日　次官会議決定）」は、引揚者への援護の方法を示した指針である。宿泊施設の優先的斡旋、就労の便宜、生業資金の融通、家財等生活必需品の優先的配給、子弟の就学や転学の優先的取扱い、医療公課の減費などが掲げられている。しかし、援護計画を具体的に表示しているものではなかった。

6　関係機関

「台湾総督府内地出先機関」は、それぞれの設置規定等とともに、台湾総督府の東京出張所、農商局食糧部食糧事務所、経済事務所、専売局神戸出張所の四機関を簡略に紹介したもの。

「台湾関係事業会社在京事務所所在地、名録」は、台湾製糖や台湾銀行など八五社の「内地」事務所の住所録。

関連する機関の資料として、台湾引揚民会、日僑互助会、台湾事業協会の各綴り、それと台湾金融協議会がある。

「台湾引揚民会（綴）」は、「台湾引揚民会、本部支部連絡全体会議（請願決議）」（一九四六年七月一二日）、「台湾引揚民に対する緊急措置に就ての陳情─台湾引揚民はなぜ黙し得ずして起ったか」、「台湾引揚民会規約」から成る。台湾引揚民会は、総督府側三二〇万円、台湾関係大企業一八〇万円の拠出をもって、「台湾引揚民ノ生活ノ確立ヲ期スル」目的で、一九四六年一一月に東京で設立されたが、ここにある資料はその前段階のものである。なお、「台湾引揚民会」では台湾引揚者のために、引揚寮三棟（二九〇世帯）の新設、農林省から海産干物の特別割当（年二万八〇〇〇貫）を得ての行商販売、神戸税関の保税倉庫に眠っていた台湾向けの繊維品の無償配布（一人二着）、といった援護活動を展開して一定の成果をあげた。そして、一九五〇年九月に「財団法人台湾協会」が認可されるにあわせて解散した。

「日僑互助会（綴）」は、執行委員長堀内次雄「日僑互助会の発足についての御挨拶」（一九四六年二月）、「日僑互助会資金委員名簿」、「事務分担」、「厚生館運営機構図（古屋委員案）」、「生活相談所所員内定分」、「日僑互助会医療部診療要項」から成る。日僑互助会は、台湾在住の邦人引揚げへの協力、医療・託児・宿泊所の世話、授産・就職・労務の斡旋、生活の援護その他に当たるために、一九四六年二月、台北で設立された。同年二月二一日から四月二九日までの約二ヵ月間で、一般邦人約三二万人のうち二八万人が台湾を引揚げたことで活動は急速に収縮、そのため細かい活動内容等を知る資料は少ない。その後の建て直しに関しては、塩見俊二『秘録・終戦直後の台湾』（高知新聞社、一九七九年一二月）が参考になる。それによると、留用邦人名簿の作成、潜伏している邦人の調査とその処理、邦人子弟の教育への協力などで、留台日僑世話役（台湾省行政長官公署日僑管理委員会の傘下）と協同して多忙だったようだ。

「台湾事業協会（綴）」は、「台湾事業協会会則」、「台湾事業協会設立経過ト趣意」、「彙報臨時号」一九四六年一月、「台湾事業協会理事会附議事項要旨」（一九四六年）等から成る。台湾事業協会は、台湾残置財産の調査研究そして適切なる措置を講ずることを目的として、一九四五年一一月に東京で設立された。加入者は加入金（法人は投資額や利害関係の程度に応じて千円以上、個人経営者は二百円以上、普通会員は百円）を納付する必要があった。台湾情報の報告は参考になるが、加入金に見合うだけの会員への還元は薄かったと思われる。

「台湾金融協議会」には、設立に至る経緯、法的基礎、目的及び組織、付録として国家総動員法（一部）、全国金融統制会の組織図、財政金融基本方策要項（一部）が載っている。「台湾金融協議会」は戦局の推移に伴う金融業の統制の必要から、国家総動員法にのっとって、総督府財務局長の指示で一九四三年七月、台北で設立された。「意見を台湾総督府に上申し、若は総督府の諮問に答ふることを以て目的とす」とあるが、金融機関が台湾総督府の支配下に置かれてしまったことになる。会員は台湾銀行、台湾商工銀行、彰化銀行、華南銀行、台湾貯蓄銀行、日本勧業銀行台北支店、三和銀行台北支店、台湾産業組合協会となっている。

7　名簿

「行政官名簿　昭和二十年十月現在」（台湾総督府）には、総督府の部局の局長、理事、部長、書記官、課長、事務官、州知事、州部長、庁長、地方理事官、地方警視などの高級官僚（勅任官から七等官まで）の、学歴、高文合格年、官等俸給、経過年月、在官年数、就職年月日、官職、氏名、年齢、略歴が一覧できる詳細な編集となっている。高度な個人情報である。

「行政官（特進者）名簿　昭和二十年十月現在」（台湾総督府）には、総督府の事務官、理事官、統計官、社会教育官、税務官、調査官、翻訳官、工務官、部局の課長、所長、支局長、駅長、郵便局長、通訳から、法院・検察局、図書館、青年特別錬成所、国民精神研修所、拓士道場、台北帝国大学、各種試験所、気象台、療養所、警察官及司獄官練習所、刑務所等に勤務する行政官、さらに地方理事官、地方警視、地方視学官、優遇奏任官など多種の行政官が取り上げられ、彼らの学歴、略歴、現官職、官等俸給、氏名、年齢、本籍が一覧できる編集となっている。

「技術官名簿　昭和二十年十月現在」（台湾総督府）には、総督府技師、各研究所、試験所、気象台、医院、療養所、精神病院、刑務所、交通局、港務局、専売局、地方庁に勤務する技術官、優遇奏任官などの、学歴、略歴、現官職、官等俸給、氏名、年齢、本籍が一覧できる編集となっている。

「官公吏台湾留台者名簿（昭和二十一年十二月二十八日現在）」には、元勤務所、官職、等給、氏名、帰国家族の有無、が記されている。三六九名のうち、その大部を占めたのは技師や技手、それに教育関係者（教授・助教授・講師・助手、教諭、訓導）だった。

台湾総督府東京出張所の「職員名簿　昭和二十年十二月一日現在」には、総督府の総督官房人事課を始めとする各部局、さらに経済事務所、食糧事務所の職員が、「傭」「小使」に至るまで八〇数名が勤務していた。所属先、身分、官等俸給、氏名、年齢、学歴がわかる。

「台湾総督府ヨリ南方ニ派遣シタル司政長官司政官名簿」（第一復員省人事課）は、管理局総務部南方課の斎藤茂課長宛に提出された。登載されているのは五〇数名で、その中には岡出幸生（総督府糖業試験所所長）、石川定俊（台北州警務部長を経て交通局鉄道部長）、川添修平（専売局参事を経て澎湖庁長）、楽満金次（総督府会計課長）、宮本延人（台北帝国大学文政学部助手、文教局調査官を経て皇民奉公会生活部厚生委員）の名も見える。

終戦直後の台湾資料／史料で、これだけ大量の、しかも良質のものはそう簡単に出てくるものではない。今後これに優る資料／史料が出てくる可能性も極めて低い。終戦直後台湾の空白期を理解する好資料して、斎藤茂収集の文書類は貴重なものと言える。

河原　功（かわはら・いさお）

一九四八年　東京都に生まれる
一九七四年　成蹊大学大学院（日本文学専攻）修了
現　在　日本大学非常勤講師　一般財団法人台湾協会理事
著　書　『台湾新文学運動の展開―日本文学との接点』（研文出版、一九九七年）
『翻弄された台湾文学―検閲と抵抗の系譜』（研文出版、二〇〇九年）
共　著　『台湾の「大東亜」戦争』（東京大学出版会、二〇〇二年）
『講座　台湾文学』（国書刊行会、二〇〇三年）
『台湾近現代文学史』（研文出版、二〇一四年）
監　修　『台湾引揚・留用記録』全一〇巻（ゆまに書房、一九九七－一九九八年）
『台湾引揚者関係資料集』全七巻・付録二（不二出版、二〇一一－二〇一二年）
解　説　『台湾出版警察報』全五巻（不二出版、二〇〇一年）
共　編　『日本統治期台湾文学　日本人作家作品集』全六巻（緑陰書房、一九九八年）
『日本統治期台湾文学　台湾人作家作品集』全六巻（緑陰書房、一九九九年）
『日本植民地文学精選集・台湾編』全一四巻（ゆまに書房、二〇〇〇－二〇〇一年）
『日本統治期台湾文学集成』全三〇巻（緑陰書房、二〇〇二－二〇〇七年）

『資料集　終戦直後の台湾』収録資料一覧

1　台湾情報

台湾空襲概況　自昭和十九年十月十二日至昭和二十年八月十日　台湾総督府警務局

大詔渙発後ニ於ケル島内経済情勢　[極秘]　台湾総督府警務局（昭和二十年八月二十二日）

大詔渙発後ニ於ケル島内治安状況並警察措置（第一報）　昭和二十年八月　台湾総督府警務局

大詔渙発後ニ於ケル島内治安状況並警察措置（第二報）　昭和二十年八月　台湾総督府警務局

終戦後ニ於ケル島内治安状況並警察措置（第三報）　昭和二十年九月　台湾総督府警務局

終戦後に於ける在外同胞の概況　昭和二十年十二月一日　外務省管理局・内務省管理局

最近ノ台湾事情　昭和二十一年一月二十四日　鹿児島駐在員吉田・永井　安井所長殿

台湾の現情　二一・二・五　成沢纏

台湾事情　二一・二・一〇　青柳報告ノ分取纏

台湾ノ現況　[部外秘]　外務省管理局総務部南方課（斎藤）　昭和二十一年二月十日

報告二号（終戦後ノ台中状況）　[写]　昭二一・三・七　鹿児島派遣員奥山官補　中川大陸課長宛

報告三号（石垣島状況）　[写]　昭二一・三・八　同人（鹿児島派遣員奥山官補）

報告第四号（台湾邦人引揚状況）　昭二一・三・一一　鹿児島派遣員奥山官補　中川大陸課長宛

外地概況調査（外務省管理局総務部）〈台湾関係〉　昭和二十一年三月

終戦後ニ於ケル新竹州ノ諸状況概要報告ニ関スル件　[写]　昭和二十一年四月二日

　　新竹州属河野格　台湾総督府東京出張所長西村徳一殿

　終戦後ニ於ケル新竹州状況報告書　（昭和二一年三月？）

終戦後台湾ニ於ケル刑務所収容者ノ処置ニ関スル件　（昭和二一年四月下旬）　村上法務部長

台湾統治終末報告書　一九四六年四月　台湾総督府残務整理事務所

終戦後在台邦人ノ蒙リタル迫害状況　議会説明資料（昭和二十一年五月十三日）台湾総督府残務整理事務所
計画輸送終了後ノ台湾ノ近況報告　昭和二十一年七月三十一日　前台湾総督府属（鉱工局工業課）浦山公明

2　布告・通牒・覚書・要望・検討事項

文官同待遇者ノ定員ノ臨時特例ニ関スル件　昭和二十年八月十六日　勅令第四七四号
終戦処理ニ伴フ在外地邦人権益ノ保持存続ニ関スル件（官文第五〇一九号）　総務長官通牒
終戦処理ニ伴フ在外地邦人権益ノ保持存続ニ関スル件（管殖第二五一号）　極秘
内務次官　台湾総督府総務長官殿　昭和二十年八月三十一日
聯合国陸海軍最高司令官ニ提供スベキ資料調製ニ関スル件　極秘　九・一〇　部局長打合会
職業輔導並ニ現地自治計画　九・一〇　幹事会
委員接遇案　昭和二十年九月ごろ？
中央要望事項［講和条約締結時期に関する見通し、領土割譲に伴う事項、ほか］　総務長官携行　極秘
中央要望事項［講和条約締結時期に関する見通し、領土割譲に伴う事項、ほか］　極秘　昭和二十年九月中旬
昭和二十年九月中旬
軍復員ニ依リ召集解除トナリタル外地（樺太ヲ含ム）巡査ノ内地巡査採用方ニ関スル件通牒（甲第一一五号）
内務省警保局長　昭和二十年九月二十九日　各庁府県長官・各地方総監府第一部長殿
管理局案　朝鮮総督府、台湾総督府及樺太庁廃止ニ関スル件、他
昭和二十年律令第七号ノ規定ニ基キ公私有財産ノ処分等ノ制限ニ関スル件　昭和二十年十月十五日　台湾総督安藤利吉
本府各局部接収ノ件　電報写　須田長官代理　長官宛
日本人官公吏ニシテ台湾ニ残留スル者ノ身分取扱ニ関スル件（連人第七号）　昭和二十一年三月五日
台湾地区日本官兵善後連絡部人事課長代理鈴木信太郎　各官衙長殿
台湾総督府関係引揚職員ノ措置ニ関スル件　昭和二十一年三月十五日　台湾総督安藤利吉

台湾総督府関係引揚職員ノ終戦措置ニ関スル件　昭和二十一年三月十五日　台湾総督安藤利吉
外地（含樺太）官庁職員等ノ措置ニ関スル件（昭二一・一・二二閣議決定）（別紙一）　外務省・内務省・大蔵省
台湾総督府職員ノ転官職及整理ニ関スル措置（別紙二）
台湾に於ける有給吏員恩給に関する資料／外地関係恩給（台湾総督府）
［外地官署所属の職員の身分・処遇・俸給等］
外地官庁所属の職員の身分に関する勅令　法律〇号
外地官署所属の職員に対する俸給其の他の給与　五・二七　部内打合
外地（含樺太以下同シ）職員ノ処遇ニ関スル件措置要綱案　外務省　昭二一・五・五
朝鮮総督府判事又は台湾総督府判官の身分について
内地ニ於テ復員セル本府職員処理方針　写
各庁高等官ニ対スル昭和二十年末賞与支給方針ニ関スル件
昭和二十年末賞与ニ関スル件（内務省）
総参電第一二四号（台総電第二〇六号転電）［在台軍民輸送の件］　写　昭二一・四・二四　支那派遣軍総参謀長（南京）
台湾引渡後ニ於ケル台湾製塩業ヲ邦人参加経営トシテ確保スル件　台湾総督府専売局

3　中華民国（台湾省行政長官公署）からの通告・通達・命令

降書　中華民国三十四年九月九日　中華民国南京にて接受
台湾省行政長官公署警備総司令部前進指揮所通告［台湾の現状維持］　進字一号　主任葛敬恩　中華民国三十四年十月六日
中華民国台湾省行政長官公署備忘録ノ件（官文第五〇四三号）
昭和二十年十月八日　終戦連絡事務局長官成田一郎　官房各課長・各局部長・東京出張所長殿
中華民国台湾省行政長官公署備忘録　台政字第一号［施設・資本の接収］　秘　写
中華民国三十四年十月五日　中華民国台湾省行政長官陸軍上将陳儀　日本台湾総督安藤利吉将軍宛

中華民国台湾省行政長官公署備忘録　台政字第二号［台湾銀行券の提出］　秘　写

中華民国三十四年十月五日　中国台湾省行政長官陸軍上将陳儀　日本台湾総督安藤利吉将軍宛

台進字第二号［公私財産の売買、移動の厳禁］　中華民国三四年十月十三日　主任葛敬恩

台進字第三号［財物強奪等の犯罪者への厳罰］（中華民国三四年十月十七日）

台進字第四号［納税義務の遵守］　中華民国三四年十月十九日　主任葛敬恩

中国台湾省行政長官公署警備総司令部命令　署部字第一号［安藤利吉を陳儀の指揮下に］

中国台湾省行政長官兼警備総司令陸軍上将陳儀

日本台湾総督兼第十方面軍司令官安藤利吉将軍宛　中華民国三十四年十月二十五日

台湾行政長官公署　署秘第一号［公印使用開始］　中華民国三十四年十月二十五日　台湾省行政長官陳儀

台湾行政長官公署訓令　処接字第一号［接収にあたる日本側責任者指名の要請］

行政長官公署長官陳儀　一〇月二八日　台湾地区日本官兵善後連絡部長宛

行政長官公署通達［須田一二三を折衝事務責任者の代理副部長とする］　十月三十日

4　成田一郎総務長官の帰台に関する件

総務長官一行帰台ニ関スル件綴　自昭和二十年九月二十日至（昭和二十年十二月八日）　斎藤茂

総務長官在京中往復文書写綴　自昭和二十年九月二十日至（昭和二十年十二月十八日）　斎藤茂

電報案［進退伺］　斎藤秘書官　総督宛　（一一月）二九日

Flight of Four Japanese Officials to Formosa.（総務長官一行帰台ニ関スル件）

Central Liason Office, Tokyo　1945.10.5~12.31

［要約（総務長官一行帰台ニ関スル件）］　九月二十日~十一月二十四日　斎藤茂

5　非日本人の台湾への帰還・邦人の台湾引揚げ

Repatriation of Non-Japanese from Japan.　H. W. ALLEN.　1945. 11. 1

非日本人ノ日本ヨリノ帰還ニ関スル件　聯合国総司令部発、日本帝國政府宛覚書（仮訳）

　一九四五年十一月一日（十一月五日接受）

Formosans Shipped to Japan from the Philippine Islands.　H. W. ALLEN.　1945. 11. 13

台湾人輸送艦船運航表

在日台湾人分布表（厚生省調）

台湾人調査　二一・三・一八現在

台湾配船予定表（二一・一・二六現在）／台湾配船予定表（二一・一・二八現在）

台湾ヨリノ引揚状況其ノ他調査（一月三十一日現在）　第二復員省ニ付調査（清川属調査）

台中州下日人還送情況（二一・四・五）

定着地ニ於ケル海外引揚者援護要綱（昭二一・四・二五　次官会議決定）

6　関係機関

台湾総督府内地出先機関

台湾関係事業会社在京事務所所在地、名録

台湾引揚民会（綴）

　台湾引揚民会、本部支部連絡全体会議（請願決議）　二一・七・一二（築地本願寺）

　台湾引揚民に対する緊急措置に就ての陳情―台湾引揚民はなぜ黙し得ずして起ったか

　台湾引揚民会規約

日僑互助会（綴）

　日僑互助会の発足についての御挨拶　執行委員長堀内次雄　中華民国三十五年二月

日僑互助会資金委員名簿
事務分担　日僑互助会
厚生館運営機構図（古屋委員案）
生活相談所所員内定分
日僑互助会医療部診療要項

台湾事業協会（綴）

台湾事業協会会則
台湾事業協会設立経過ト趣意
彙報　臨時号　台湾事業協会　昭和二一年一月四日
台湾事業協会第七回理事会附議事項要旨　昭和二一年二月七日
台湾事業協会第八回理事会附議事項要旨　昭和二一年二月一八日
中央協議会第六回理事会附議事項要旨（昭和二一年二月十五日）
台湾事業協会第九回理事会報告　昭和二一年三月五日
中央協議会第七回理事会附議事項報告（昭和二一年三月一日）
大蔵省告示第三十七号
中央協議会第八回理事会附議事項報告（昭和二一年三月十五日）

台湾金融協議会

7　名簿

行政官名簿　昭和二十年十月現在　台湾総督府
行政官（特進者）名簿　昭和二十年十月現在　台湾総督府
技術官名簿　昭和二十年十月現在　台湾総督府

官公吏台湾留台者名簿（昭和二十一年十二月二十八日現在）
職員名簿　昭和二十年十二月一日現在　台湾総督府東京出張所
台湾総督府ヨリ南方ニ派遣シタル司政長官司政官名簿　第一復員省人事課　管理局総務部南方課斎藤課長殿
※資料番号1、2は第1巻、資料番号3、4、5は第2巻、資料番号6、7は第3巻に収録した。

自昭和十九年十月十二日
至昭和二十年八月十日

臺灣空襲概況

臺灣總督府警務局

概況

本島ニ對スル空襲ハ昭和十九年十月十二日米機動部隊及在支米空軍ニ依リ一週間ニ亘リ反覆敢行サレタルガ本二十年ニ入リテハ一月三日ヨリ八月十日ニ至ル間機動部隊比島基地ヨリ連續重要都市部落ニ侵入シ主トシテ飛行場軍事施設、船舶、港灣、其ノ他重要施設ニ對シ爆彈焼夷彈ニ依ル攻撃ヲ加ヘ全島十一市制施行地中都市ノ機能ヲ喪失セルハ基隆、新竹、嘉義、台南、高雄ノ五市 同半減セルハ台北、彰化

屏東、宜蘭、花蓮港ノ五市ニシテ僅ニ保持シ得タルハ台中市ノミニ過ギズ被害ハ軍関係ヲ除キ

第一　死傷

死者　五、五八二　　　行衛不明　四一九

重傷　三、六六七　　　軽　傷　五、〇九三

計　一四、七六一名　　罹災者　二七七、三八三名

（内譯第一表）

第二、建造物

全壊　一〇、二四一　半壊　一七、九七二
全焼　一六、〇八〇　半焼　一、〇四七
計　四五、三四〇棟（内譯第二表）

第三　船舶

鐵船　六七　木造船　五四一
計　六〇八隻（内譯第三表）

第四　鐵道車輛

機関車　一八〇　客車　二三六

貨車　九七六　計　一、三九二輛
（内譯第四表）

第五　重要施設

高雄港ハ岸壁及附属倉庫全滅　基隆港ハ同半壊シ重要工場事業場ニシテ機能ノ喪失半減セルモノ七四個所ニ達セリ
（内譯第五表）

以上ノ援護復旧ニ関シテハ鋭意努力中ニアリ

第一表　自昭和十九年十月十二日 至昭和二十年八月十日　死傷者及罹災者数

州廳別／区分	死者	行衛不明	重傷	軽傷	計	罹災者
臺北州	一、四二〇	一六九	八〇六	一、二一四	三、六〇九	七〇、二三一
新竹州	四〇五	一	三一七	三八一	一、一〇三	二〇、〇四〇
臺中州	六六一	一一二	四二三	五八七	一、六八三	三〇、三五八
臺南州	一、三〇二	二一七	九二〇	一、三五七	三、七九六	六六、一四一
高雄州	一、五八六	一五	九八四	一、三五〇	三、九三五	八一、六五二
臺東廳	六八	一	六六	八五	二一九	二、八三一
花蓮港廳	八八	一	一〇八	八〇	二七六	三、〇八九
澎湖廳	五二	六	四三	三九	一四〇	二、〇四一
計	五、五八二	四一九	三、六六七	五、〇九三	一四、七六一	三七七、三八三

第二表　自昭和十九年十月十二日　至昭和二十年八月十日　建物被害数

州廳別＼區分	全壊	半壊	全焼	半焼	計	摘要
臺北州	二、三八〇	四、二三一	八八一	三九	七、五三一	
新竹州	八一三	一、九九一	一九二	九六	三、〇九二	
臺中州	一、二〇一	一、七六九	一、〇六八	九八	四、一三六	
臺南州	二、〇四七	三、三七七	九、二五二	四〇〇	一五、〇七六	
高雄州	三、二二八	五、二五四	三、六四六	三四七	一二、四七五	
臺東廳	一〇四	二六七	六三六	二九	一、〇三六	
花蓮港廳	三三	八二五	四〇四	三二	一、五八四	
澎湖廳	一四五	二五八	一	六	四一〇	
計	一〇、二四一	二七、九七二	一六、〇八〇	一、〇四七	四五、三四〇	

第三表　自昭和十九年十月十二日 至昭和二十年八月十日　船舶被害数

区分＼月別	十月	一月	二月	三月	四月	五月	六月	七月	八月	計
鉄船	二〇	三五	二	五	二	、	三	、	、	六七
木造船	一一五	一二〇	二一	一〇九	四〇	四五	三〇	六一	、	五四一
計	一三五	一五五	二三	一一四	四二	四五	三三	六一	、	六〇八

第四表　自昭和十九年十月十二日 至昭和二十年八月十日　鉄道車輌被害数

区分＼月別	十月	一月	二月	三月	四月	五月	六月	七月	八月	計
機関車	一一	三九	五七	一三	二七	一四	一八	、	一	一八〇
客車	七六	三二	五四	一四	一六	二三	二〇	、	一	二三六
貨車	一九三	一六二	一〇四	四八	二一九	一六九	八〇	一	、	九七六
計	二八〇	二三三	二一五	七五	二六二	二〇六	一一八	一	二	一三九二

第五表 工場被害状況

自昭和十九年十月十二日
至昭和二十年八月十日

被害程度／州廳別	機能								
臺北州	台湾船渠基隆工場	台湾興業羅東工場	蘇澳造船所	台湾化成工業蘇澳工場	専賣局台北煙草工場	台湾肥料基隆工場	台湾繊維台北工場	台湾電化基隆工場	報国造船基隆工場
新竹州	新竹紡績會社工場	帝国石油錦水工場	日糖苗栗製糖所	日糖新竹製糖所					
臺中州	南方繊維工業會社工場	台湾電力日月潭發電所	合同鳳梨南投工場	台湾パルプ大肚工場	明糖溪湖 テックス工場	日糖月眉製糖所	塩糖渓洲製糖所	帝國繊維豊原亜麻工場	花王有機台中工場
臺南州	鐘ヶ淵曹達台南工場	台南製麻會社工場	塩水港パルプ新営工場	専賣局嘉義酒工場	専賣局番子田酒精工場	明糖南靖工場	日糖虎尾製糖所	塩糖新営工場	同新営酒精工場
高雄州	日本アルミ高雄工場	高雄製鉄工場	旭電化高雄工場	台湾製鉄東西両工場	台湾船渠高雄工場	台湾肥料高雄工場	浅野セメント高雄工場	南日本化学工業高雄工場	高雄造船工場
花蓮港廳	日本アルミ花蓮港工場	東邦金属花蓮港工場	専賣局花蓮港酒工場	塩糖壽製糖所		—			
臺東廳	明糖台東製糖所								

喪失				明糖 蒜頭製糖所	湾糖酒精 第一、二工場
喪失				明糖 蕭壠製糖所	湾糖 橋子頭製糖所
喪失				湾糖 三崁店製糖所	湾糖 後壁林製糖所
喪失				湾糖 湾裡製糖所	湾糖 東港製糖所
喪失				明糖 總爺工場	湾糖 旗尾製糖所
喪失				帝國纖維 嘉義工場	湾糖 恒春製糖所
喪失				台拓嘉義 化学工場	
機能半減	興亜製鉄 會社工場	日石台湾 製油所	帝國纖維 台中工場	南日本化学 漢安平工場	東亜製紙 工場
機能半減	台湾精機工業會社工場	台湾高級ガラス工場	日糖 彰化製糖所	明糖 岸内製糖所	
機能半減	南海興業會社工場		日糖 台中製糖所	明糖 烏樹林製糖所	
機能半減			日糖 烏日製糖所	日糖 大林製糖所	
機能半減			明糖 渓湖製糖所	日糖 龍巌製糖所	

極秘

（[illegible]）

大詔渙発後ニ於ケル島内経済情勢

台湾総督府警務局

（昭和二十年八月二十二日）

一、概況

八月十五日和平ノ大詔ヲ拝セル島民ハ沈痛悲嘆ノ極ニ達シテ呆然為ス所ヲ知ラズ又地方ニ依リテハ既往ノ空襲ニ因ルラジオ受信不能ノコトモアリテ周知セラレズ為ニ全島的ニ格別重大ナル経済界変ノ事態惹起セズ極ク一部ニ於テ預金引出ノ事実発生セルニ止マレリ　爾後　大詔渙発ノ事実並ニ今後本島ガ支那ニ還付セラルルコトニ依ル経済生活ノ不安危惧ハ漸次全島民ニ浸潤シ且ツ街庄、農業会等職員ノ執行務弛緩トモ関聯シ預金ノ引出、内地送金ノ漸増並ニ米穀供出ノ一時的鈍化ヲ招来スルノ兆候察知セラルルニ至リタリ　依テ本社ニ於テハ別紙(一)(二)ノ如ク金融並ニ国民生活ノ保持ニ関スル指示ヲ発シ特ニ米穀ノ供出、食糧及生活必需物資ノ配給、金融異変、疎開地ニ於ケル生活推移ノ状況並ニ輸送ノ現況ニ対スル査察ヲ励行セシムルノ措置ヲ採リタリ此ノ間総督諭告發セラレ食糧ノ増産、経済秩序ノ確保ニ付テ特ニ島民ニ示ス所アリ且ツ國民義勇隊ニ於テモ職任ノ精進ヲ強ク指示シ一方軍作業労務者ノ解除、空襲危険感ヨリノ解放ニ因リ戦局急轉後散發セル衝動的経済事象ハ概ネ沈静ニ帰シツツアリ

然レ共一面日ヲ経ルニ従ヒ敗戦ニ伴フ経済不安ハ内台人双方ニ亘リ漸ク深刻ニ意識セラレ食糧、企業等ヲ繞リ事態深ク警戒ヲ要スルモノト認メラル

二、米穀供出ノ状況並ニ農民ノ動向

第一期作供出状況ニ就テハ実収ノ激減ト戦局ノ帰趨ヲ案ズル農民ノ潜在的消極気運アリタルモ國民義勇隊等ノ活動ニ依リ全島ヲ通ジ大体ニ於テ順調ニ推移シ居リタル処

大詔渙発ト共ニ一部地方職員ノ活動萎微セルヤニ認メラレ、又流言ヲ盲信シ又ハ前途ニ不安ヲ抱キ一部ニ於テハ数日間集荷ヲ停止シ又ハ小量分割供出ヲ策シ或ハ供出ト同時ニ即時代金ヲ請求スル等ノ事象アリ　地域ニ依リテハ集荷ノ進捗不振ノ傾向ヲ示セルモ農務、警察同調シ円滑ナル供出ノ督励指導ニ努メツツアリ　之ガ成績左ノ如シ

台北州	十八日現在	四五％
新竹州	十五日現在	二八％
	二十日現在	四〇％
台中州	十六日現在	四四％
	十九日現在	六〇％

三、食糧塩其ノ他生活必需物資ノ配給状況

米穀其ノ他主要食糧等生活必需物資ノ配給状況ハ食糧

営団等ノ努力ニ依リ現在ノ處何等ノ異変ナク順調ニ行ハレ居レリ　蔬菜類等ハ一部特殊地域（基隆市ニ於テ十六日以降入荷杜絶シ州産業部ニ於テ対策中）ヲ除キ夏季蔬菜ノ最盛期ニシテ目下ノ處格別憂慮スベキ現象ヲ認メザルモ之ガ出廻ヒト共ニ急激ナル蔬菜饑饉ヲ招来スル虞多分ニ在ルヲ以テ今後ノ対策指導ニハ一段ノ留意ヲ要ス
尚全島的ニ漬物ノ最盛期ニ在ルモ食塩ノ配分充分ナラズ北部ニ於テハ十五日以前塩一斤五円ニ上昇セル状況ニ鑑ミ之ガ早急確保ヲ期スルハ民生ノ安定上極メテ緊要ナリ

四、金融関係

貨幣ニ対スル執着殊ニ強キ島民ノ本性ハ今次戦局ノ急転ニ

敏感ニ反映シ既ニ十六日ニ於テハ平素ノ二倍以上ノ引出増ノ現象ヲ呈シ斯ル傾向ハ都市ヨリ漸次農村ニ波及シ引出ノ増加傾向ヲ辿リツツアルモ金融機関ノ手持資金ノ限度ニ止メラレ特ニ取付等ノ混乱現象ナシ

預金引出者ニ付特ニ注意スベキハ内地人ガ内地引上ゲヲ見越シテノ内地送金及内地人財産没収等ノ危惧ニ基因シ引出ヲ焦慮シ居ル事実ニシテ之ニ対シテハ八月十五日附通牒ヲ敷衍シ之ガ円満ナル処理ヲ促セリ

尚一部本島人間ニ於テハ紙幣無価値化ヲ内容トスル流言行ハレ居リ紙幣ヲ軽視スル傾向生ジ一部ニ於テハ換物思想殊ニ土地ヲ購入セントスル動向濃化シアルハ注意ヲ要スル処ナリ

五　物價ノ状況

物價面ニ於ケル顯著ナル影響ハ現在ノ處認メラレス情勢待チノ浮動状況ニアリ　特殊ノ物資ニ就キ　一部騰落アルモ地方的特殊事象ニ止リ　寧ラ今後ノ事態ニ左右セラルルモノト認メラル

六、工、鑛生産其他労務ノ状況

工場、鑛山等ニ於テハ大詔渙発ニ依リ一大衝撃ヲ受ケ十六日[redacted]ハ一時休転状態ニアリタルモ其後當局ノ指示アル迄生業ヲ継続スヘシトノ指示ニ依リ漸ク生気ヲ取戻シ操業ヲ継続シ居レルカ労務者ノ出勤モ事態発生前ト殆ト大差ナク一部ニ於テハ空襲ノ危険去リタルト将来ノ職場確保ノ為欣勤労務者ニシテ復歸セントスルモノ漸増ノ傾向ニアリ　現在ノ處憂慮スヘキ事態ナシ

七、疎開者ノ動向

空襲危険去レリトシ疎開者ハ皇国ノ悲運ヲ浩嘆シツヽモ身辺ノ安堵感ヲ抱キ都市近郊ノ疎開者ハ漸次復帰シツヽアル現状ニシテ之ニ対シテ特ニ阻止スルガ如キ措置ヲ採ルコトナク懇切ナル善後措置ヲ採リツヽアリ　之ガ生活面ニ於テモ現在ノ処特殊事態ノ発生ヲ見ズ

八、輸送関係

輸送関係ニ就テハ従前ト大差ナク概ネ平静ニ運行セラレツヽアリ而シテ輸送機関ニ就テハ軍部ノ使用スルモノニ就テハ未ダ全面的ニ解除セラレサルモ官民所有ノモノニ就テハ極力手持資材ノ活用ニ依リ之ガ実動数ノ強化ヲ期シツヽアリ尚疎開者ノ復帰等ヲ繞リ運賃ノ高騰ヲ来シ居ルモノ局地的ニ発生シツヽアルモ一応已ムヲ得サル現象トシテ之ガ解消ニ就テハ各地方ニ於テ積極的措置ヲ考究シアリ

別記(一)

戰局ノ急轉ニ伴フ金融措置ニ関スル件(二〇、八、一五通牒)

今次戰局ノ急轉ニ伴ヒ金融機関ニ對スル預金引出激化スルモノト豫想セラルルニ就テハ之カ取扱ハ左記各項ニ依リ努メテ円滿ナル處理ヲ完フセラルル様特段ノ措置相成度

右通牒ス

記

一、預金ノ引出ニ就テハ政府ニ於テ充分考慮シアル旨ヲ強調シ民心ノ安定ヲ圖ルコト

二、金融異変ニ就テハ手持資金ヲ勘案シ可成現地ニ於テ局地的解決ヲ圖リ之ヲ他地域ニ波及セシメザル様措置スルコト

三、銀行、農業會、市街地信用組合ヲ通ジ當面ノ生活資金其ノ他緊急已ムヲ得ザル事情ニ基キ引出サントスルモノニ就テハ進ンデ

之カ要求ニ應ズルコト
四、四圍ノ情勢上已ムヲ得ザル狀況ニ立到リタルトキハ前号ニ拘ラズ農業會及市街地信用組合ノ如ク本來庶民金融機関タルモノニ限リ引出ノ要求ニ應ズルコト
五、銀行ニ對シテハ特ニ指示スル場合ノ外第三號ノ方針ヲ嚴守セシムルコト
六、金融異変ノ兆候ヲ察知セル場合ハ迅速ニ之ヲ報告スルト共ニ前各號ニ依リ難キ場合ハ本府ノ指示ヲ受クルコト
七、曩ニ決定示達シアル「非常金融措置要綱」ハ本件ノ趣旨ニ則リ之ヲ運用スルコト

昭和二十年八月

大詔渙發後ニ於ケル島内治安狀況竝警察措置

（第一報）

臺灣總督府警務局

治安状況

大東亜戦争終結ノ大詔渙発ノ事実ガ八月十五日正午ヨリラヂオニ依リ其ノ和平條件ノ内容ハ詳カナラザリシモ僅カ國体護持ノ一点ニ交渉ノ餘地ヲ存スルコトノ諒解ノ下ニポツダム宣言ヲ無條件ニ受諾シタルノ報道ニ接シ全島民ハ餘リニモ事ノ意外ニ極メテ深刻ナル衝動ニ駆ラレ一時呆然トシテ其ノ言フ所ヲ知ラズ 其ノ為ス所ヲ忘レタルガ如ク一部ニハ事ノ真偽ヲ疑ヒ斯ル事実ハ帝國トシテ有リ得ベカラザルコトヽシ譲ラザルモノ尠カラザル状況ナリシ

ガ時ノ経過ニ従ヒ屈辱的條件ヲ受諾セルコト判明スルニ至リ斯クテハ國家乃至國民ノ前途ニ対スル希望光明ハ全ク打拉ガレ暗憺タル空氣ニ閉込メラレ　畏多クモ吾等一億ノ力及バズシテ斯クモ御宸襟ヲ悩マセ給フ陛下　ノ御心情ヲ拝察シ臣下トシテノ不甲斐ナサヲ悲憤號泣或ハ悲憤慷慨シ又斯ル屈辱ヲ忍バザルノ餘儀ナキニ立至ラシメタルハ戦爭指導者ノ弱腰ニ基因スルモノトシテ其ノ態度ヲ痛嘆スル者在リタルガ民心漸次平靜ニ歸シ現在ニ於テハ感情ニ激シ靜謐ヲ紊ルガ如

キ事象発生ノ懸念無キ迄ニ至リタルモ敗戦ニ伴フ人心不安ハ覆フベカラザルモノアリ
人心不安ヲ裏付スル事象トシテ最モ敏感ニ現象セラル、ハ金融事情ナルガ目下全島各地ニ於ケル預金ノ引出ハ平常ノ約二倍ニ達シアリ、然ルニ全島ヲ通ジ取付等ノ混乱ヲ生ズルコトナク食糧事情モ平常ト比シタル異變ナク目下本年第一期作籾ノ集荷期ニアリ關係當局ニ於テ供出督励中ナルガ戦爭終結ノ発表ニ依リ稍其ノ勢鈍化セルハ自然ノ数ト言フベキモ本

期ノ作柄等ヨリ考慮スルトキハ其ノ成績稍順調ナリト言ヒ得ベシ

又生活必需物資ノ出廻リ變調ナク價格モ若干ノ騰貴傾向ヲ見タルニ止マリ又一部物々交換ノ現象稍増加セル程度ニシテ現在ニ於ケル民心不安ヨリ見ルトキハ寧ロ當然ノ歸結ト言ヒ得ベク要スルニ經濟諸事情ニ付テモ現在ノ所極メテ平静ニ推移シアリ島民當面ノ生活ニ此ミタル脅威ハ現象シアラズト断ジ得ベシ

在台内地人間ニ於ケル人心不安ハ極メテ深刻ナルモノアリ

第一ニ人心不安ノ因由ハ本島人ノ動向ニ対スル危惧ナルガ戦争終結ノ発表後一部本島人ノ内地人ニ対スル態度ハ極メテ横柄ニシテ脅迫行為ニ出ヅル者モ散発シアリ之ガ事象トシテ

◎本島人出身兵ガ内地人婦女子ニ対シ「早ク内地ニ帰ラナイト殺サレルゾ」ト脅シ

◎彼奴ハ内地人ダ追跡シテ撲ッテヤレ

◎内地婦人一人ノ居宅ニ本島人男二名侵入シ薪及バケツヲ盗ミタルヲ内地婦人ニ注意セラレ

3

〝貴様ナンカ後一ケ月モ生キテ居ナイノダ、死ンデ仕舞フ
者ニ何ガイルカ〟
ト脅シ文句ヲ残シタル侭姿ヲ晦マス

◎本島人児童ガ内地人児童ニ対シ内地人ガ如何ニ威張ッテ
モ駄目ダ　日の丸ノ旗ガ白旗ニナッタデハナイカ　ト暴
行ヲ加ヘントシタル事

又本島人ノ表顕言動ニ

◎空襲ニ散々苦シメラレタ上　食フモノモ食ヘズ生死ノ境
ヲ彷徨シタガ死ナズニ済ンデ良カッタ此ノ後ハ生活モ

樂ニナツテ面白イコトモ有ルダロウ

◎休戦條約ノ結果台湾ガ支那ニ復歸シタ場合吾々ニ國籍ノ選擇权ガ與ヘラレルダラウ 斯ル際本島人ノ大多数ハ支那ヘ復歸スルコトヲ希望スルコトハ火ヲ見ルヨリ瞭ダ

◎カイロ宣言ニモ明ナル如ク台湾ガ支那ヘ返還サレルノダアルカラ本島人ノ進退ハ自ラ明白デアル

等ノ言動ヲ爲ス思想的根據ハ一應論外ニ置クトシテモ事態ノ推移ニ依リ本島人大衆ガ自己保身上ヨリ在台内地人ヲ敬遠白眼視シ更ニ迫害ヲ加ヘ来ルベキヲ豫想スル者

多ク在台内地人ノ不安ノ一因ハ此処ニ発スト認メラル
第二ハ本島ガ重慶政府ニ割譲セラレタル後ニ於テ加ヘラルベキ圧迫々害ハ想像以上ノモノアリ即チ日清戦役後日支間ニ醸リタル感情特ニ満洲事変、支那事変ヲ繞ル彼等ノ日本人ニ対スル憎悪ノ念ハ其ノ極ニ達シアリト言ヒ得ベク之ガ報復ハ日本人トシテ当然覚悟スベキモ特ニ此ノ報復ガ事実上在台内地人ニ向ケラルルハ環境上将又漢民族ノ民族性ヨリシテ火ヲ睹ルヨリ瞭ニシテ国体護持ノ為忍ブベカラザルヲ忍ブトシテモ重慶政権下ニ

於テハ當面生キルコト自体困難ナリトシ内地人間ノ不安ノ
最大ノ要因ハ此ノ一點ニアリト断定セラル
一般本島人ニ在リテハ重慶治下ニ於ケル圧迫、迫害ハ内地
人同様ニシテ寧ロ日本的教育ヲ受ケ皇民化セル者ニ対ス
ル重慶政府ノ處置ハ内地人以上精神的迫害ヲ加ヘラルベシ
尚支那ニ於ケル苛斂誅求、土寇横行、賄賂政治ノ實体
ヲ知ル者ハ重慶治下ニ入ル苦痛ヲ忍ビ難シトシ深刻ナル
恐怖感ニ怖レアル者極メテ多シ
◎ 内地人ト行ヲ共ニシ内地ニ行キ度イガ内地ニハ財産モ知

5

人親戚モ無イ氣候風土モ異ルノデ生活シテ行ケルカ怎ウカ心配デナラヌ

●誰ガ何ト言ッテモ自分ノ親モ自分モ日本デ生レタ日本コソハ我等ノ祖國デアル心配ナノハ今迄苦労ヲ共ニシタ内地人ガ何処迄兄弟トシテ助ケテ呉レルカガ心配デアル我々ハ内地ニ行ッテモ生活ガ出来ヌ一体怎ウシタラ良イカ憂慮ニ堪ヘヌ

●台湾ガ昔ニ歸テ支那ノ治下ニ入レズ又土匪ガ跋扈シテ生命財産ノ安全ガ保障サレヌコトハ自分達ガ既ニ体

験シテ居ル、モウ二度ト支那ノ国民ニナルモノデナイ
今後本島人ノ進退ガ如何ニ決定サレヨウトモ飽ク迄
日本人トシテノ態度ヲ採ル積リダ
真ニ残念デアルノハ東亜民族ノ滅亡デアリ黄色
人種ハ白色人種ノ奴隷トナラネバナラヌダラウ
斯クノ如ク自己ノ日本人タルノ資質ヲ自覚シ再ビ漢民族
ニ復帰シ得ズト感ジ又重慶治下ノ台湾ノ混乱ヲ思フ本
島人有識層及青壮年層ニ在リテハ日本ノ敗戦ノ冷厳ナ
ル事実ノ前ニ日本統治ノ持続ヲ云々シテモ詮ナキガ重慶

6

ノ統治下ニ置カルルヲ潔ヨシトセズ少クモ皇民化セル本島ノ實情ニ即應セル自治ヲ樹立セントセル気運相當濃厚ナルモノアリ、更ニ進デハ本島ノ独立運動ヲ展開セントスル萌芽ガ散見セラレ一應敗戦ノ昂奮ヨリ醒メタル今後此ノ種動向ハ漸次瀰漫スル素地ヲ有スルヲ以テ五十年ノ日本統治ニ育クマレ陶冶サレタル本島ノ皇民的性情ハ割譲後ノ台湾統治ニ於テ適正ナル措置ヲ講ズルニ非ラザレバ不測ノ事態ノ発生ヲ見ルヤモ知レザル実情ナリ

上述ノ如ク現在ニ於ケル島内治安状況ハ概ネ平静

ニシテ本島割譲確定シ法的社會的秩序遵守ノ基礎喪失セル状況下ニアリテ　斯ク静謐ヲ維持シ得ルハ未ダ皇軍嚴トシテ武備ヲ堅メ居ル威力ヲ背景トセルハ論ヲ俟タザル所ナルモ本島大衆ノ日本統治ヘノ思慕愛惜ヲ紐帯トセルモノト認メラレ　領台五十年ノ成果ヲ遺憾ナク発揮セルモノト言ヒ得ベシ

本島治安ノ将来ノ見透シトシテハ日ヲ経ルニ従ヒ現存諸秩序ノ惰性的權威漸ク薄ラギ且本島民ノ民族性ヨリスル自己保身ノ氣風次第ニ驅馳セラレ内台摩擦ノ因

7.

トナリ治安ノ維持ハ漸次困難トナルベキハ自然ノ数ニシテ地方的ニ若干ノ不測ノ事態ノ発生スル虞ナシトセザルモ叙上ノ如キ皇軍ノ威力ト島民ノ心情トヲ併セ考フルトキ概ネ現在ノ平静ヲ維持スルコトヲ得ベシ

尚皇軍武装解除後ノ治安ニ付テハ警察権力ノ現実的根據ヲ喪失セルニ近キヲ以テ本島警察ハ可能ナル限リ其ノ總力ヲ挙ケテ社会秩序ノ保持島民ノ保護ニ挺身スルノ決意ヲ有スルモ恐ラク一國民トシテノ

本島治安ノ様相ハ相当混乱スル

ニ非ラズヤト憂慮セラレ本島接収後ノ治安ハ本島民ノ民族性ヨリシテ更ニ重大ナルベク内地人及戰爭遂行ニ積極的協力ヲ為セル本島人ノ保護ニハ充分ノ配意ヲ要スルモノト認メラル

警察措置

第一 大詔渙発前ノ措置

戰勢ノ不利ノ裡ニモ内台一体戰力ノ増強ニ挺身シ来リタルモ ソ聯ノ対日宣戰布告ノ報傳ハルヤ國難ノ加重ト戰爭遂行ニ関スル政府ノ態度ニ聊カ闡明

8

ヲ缺ク所アリトシテ之ヲ誹謗スルガ如キ現象散見セラレ此ノ間帝国政府ハ聯合國ニ対シ媾和申入レヲ為スニ非サルヤ等ノ臆測論議ヲ為ス者漸増ノ傾向ヲ示セリ、従テ戦争完遂ノ志氣ノ低下乃至民心不安ニ陥ルノ虞著大ナリシヲ以テ八月十三日當面ノ警察措置トシテ次ノ方策ヲ實施セリ

一、現在ノ平静状態ヲ変革スル行動ハ其ノ善悪ニ拘ラズ断乎之ヲ取締ルコト

一、各種事態ノ発生ニ當リ其ノ措置ヲ誤リ徒ニ

流血ノ惨事ヲ招来スルガ如キコトナク慎重適切ナル処置ニ出ヅルコト

一、當面警察ハ凡ユル事務ヲ整理シ警備情報活動ニ全力ヲ傾注スルコト

第二、大詔渙発後ノ措置

戦局ノ急転ニ対処シ沈着冷静民心ヲ刺戟スルガ如キ態度ヲ慎ミ左記各項ニ依リ治安維持ニ全力ヲ傾倒スルノ方途ヲ講ズ

記

9

一、警察官ハ別命アル迄沈着冷静ニ従前ニ変ラザル職務執行ヲ為シ治安ノ維持ニ任ズルコト

一、混乱防止、生活維持ニ重点ヲ置キ取締ヲ為スコト

一、此ノ際特ニ軽挙妄動ヲ戒メ島内ニ対立ヲ助成スルガ如キ行動ヲ為サシメザルコト

一、特ニ警備ヲ厳ニシ強窃盗、脅迫、殺人、強姦騒擾、器物毀棄等ノ事犯ノ発生ヲ防止スルコト

一、極度ニ内勤事務ヲ圧縮シ特別警備隊ノ強化並ニ派出所勤務ニ之ヲ充当シ警邏、巡察、不

審訊問等ニ従事セシムルコト
一、思想動向、経済治安ニ関スル情報ノ積極的蒐集ヲ為スト共ニ之ガ敏速ナル通報連絡ヲ為スコト
一、本島独立ヲ希望スル気運ニ付テハ厳ニ之ガ査察ヲ為シ独立運動ヲ策スル動向ハ断乎弾圧スルコト

第三、今後ノ警察措置

今後発生スベキ諸事態ニ対処シ既定ノ方針通

飽ク迄沈着冷静ニ治安ノ維持、島民生活ノ保護確保ニ邁進シ本島統治ニ有終ノ美ヲ齎スベク可能ナル限リ身ヲ挺シテ盡瘁スルヲ警察ノ責務トシ且本島接收後ト雖モ在台内地人ノ中核トシテ内地人及保護ヲ要スル本島人ノ保全ニ努力ヲ傾注スル所存ナリ

以上

昭和二十年八月

大詔渙發後ニ於ケル島内治安狀況竝警察措置
（第二報）

臺灣總督府警務局

治安状況

第一報以後ニ於ケル島内ノ治安状況ヲ概観スルニ既報ノ通リ大詔渙發直後ハ敗戰ニ對スル驚駭ト痛憤、日本統治及内地人ニ對スル愛惜ト感傷ニテ昂奮状態ニアリタルガ日時ノ經過ト共ニ漸次鎮靜シ内台人共理性的判断ヲ爲シ得ル心境ヲ取戻シ靜ニ敗戰ノ冷嚴ナル現實ヲ直視シ今後ノ建設復興ヲ考フルニ至リ内地人ニ在リテハ五十年心血ヲ注ギタル台湾ノ精神的經済的地盤ヲ忍從ノ裡ニモ守ルベキ使命ヲ自覺シ内地歸還ノ困難ヲ想到シ飽ク迄台灣ニ踏止マラントスル氣運漸ク漲リ、本島人ニ在リテハ内地人ノ留台ト相俟ッテ重慶治下ニ於テモ台灣ノ現状ヲ保持シ日本統治下ト變ラザル秩序ト繁榮ヲ招来センコトヲ冀望シ内台相携ヘ日本統治ノ良キ傳統ヲ經トシ台灣ノ現實ヲ緯トシ六百七十萬一体一心ノ態勢ヲ維持建設セントシツツアリ　斯クテ治安状況モ良好ニシテ現在迄何等憂慮スベキ事態ノ發生ヲ見ザルモ他面民衆ニ對スル警察力ノ漸次弱化スルハ止ムヲ得ザル所ニシテ之ガ輕視ノ傾向漸ク現レ且一時ノ感傷ヨリ醒メテ内台間ニ稍疎隔傾向ヲ生ジ漸次不穏ナル一部底流ヲ生ジツツアリ

時日ノ經過ト共ニ戰爭終結ニ對スル痛嘆悲憤ハ漸次冷靜ニ歸シ一時的興奮乃至衝動ニ因ル輕擧妄動ヲ敢テ爲ス者無キニ至リタルモポツダム宣言、カイロ宣言ノ内容明確トナリ逐次事實トシテ眼前ニ展開セラ

2

ルルヤ此ノ冷嚴ナル事實ハ如何トモ爲シ難キ民族的運命トシテ諦觀セルガ如キモ國体護持、民族復興ノ前途ニ横ハル難關ノ深刻サニ今更ノ如ク驚嘆深憂シアリ

人心不安ヲ經濟事象ニ就テ觀ルニ

一、金融機關ノ狀況

金融面ニ於ケル頭初ノ拂出増ハ漸次緩和セラレ取付等ノ事象發生ナク順調ニ推移シアリ、只庶民金融機關ニ於ケル拂出増ノ傾向ハ注意ヲ要ス

二、物資出廻状況

米穀及食糧物資其ノ他生活必需物資ノ出廻ハ大詔渙發前ニ比シ些シタル異變認メラレザルモ食糧物資ニ就テハ買溜、賣惜ト認メラルル物資ノ市場出廻ヲ招來シアリ之ガ因由ハ戰爭終結ニ因ル戰爭遂行ニ伴フ食糧不安解消ニ因ルモノト認メラル

三、物價状況

食糧物資ニ在リテハ寧ロ出廻順調トナリ價格面

ニ於テモ二、三割方低落シアルモ一般ノ日本紙幣ノ價値ハ近キ將来ニ於テ著シク低落スルコトヲ豫想シ換物思想ヽ廣範囲ニ醸成セラレ不動産特ニ土地價格ハ俄カニ暴騰シアリ

人心不安ヲ流言ニ就テ観ルニ戦爭終結後ニ於ケル左記流言ハ人心不安ヲ如實ニ露呈シアルモノト認メラル

◎上海ニ於ケル貨幣價値ガ反對ニヨリ日本紙幣一千円ガ支那紙幣百八十円ニナツテヰル、何レ台湾ニモ近イ中ニ斯ル事態ガ必ズ来ルダラウ　金ヲ持ツテモ詰ラヌ品

物ヲ持ツテ居タ方ガヨイ

◎沖縄ニ於テハ邦幣十五円ガ支那ノ一元ニナル支那ノ十五元ガ米國ノ一弗ニ流通シアリ結局米弗トノ比率ハ一弗ニ對シ邦貨百五十円ナリト

◎沖縄デハ十六歳以上ノ男子ニ對シテハ脳ヲ鈍ラセ女ニハ性慾増進ホルモンノ注射ヲ施シテ居リ将来沖縄人ノ滅亡竝ニ混血児ノ繁殖ヲ實施中ダソウダ

◎蘇聯ハ独逸ニ對シ四百万ノ労働者ヲ要求シ復興作業ニ従事セシメテヰル、重慶ハ二百万ヲ日本ニ要

求メテヰルソウダ大陸ニハ百万位居ルダラウカラ台湾ノ内地人モ全部大陸ニ連レテ行カレテ強制勞働ヲサセラレルソウダ

在臺内地人ノ不安ハ國体護持民族再興ノ爲忍ブベカラザルヲ忍ビ堪ユベカラザルヲ堪ユベキモ重慶政権下ニ於テ事實問題トシテ果シテ最小限度ノ生存ガ確保セラルルヤ否ヤ最小限度ノ生存権認メラルル場合ニ於テモ國籍ノ歸属ヲ如何ニスルヤ　中華民國々籍ヲ取得シ中國人トシテ皇國ノ復興ニ寄與シ得ルヤ將来

ニ於ケル内地引揚可能ナルヤ、私有財産ハ如何ナル程度ニ認メラルゝヤ從來經營シ來リタル事業、島内取引ハ何ノ程度ニ認容セラルゝヤ、在台内地人中壓倒的多数ヲ占ムル官公吏及之ニ準ズル者統制會社諸團体等ニ奉職セル者ニ對シ生計ノ途開カルゝヤ、重慶政権ハ内台人ノ接触ニ断圧ヲ以テ臨ムニ非ズヤ、子弟ノ教育ヲ如何ニスルヤ等建設的不安トモ称スベキモノニシテ現下治安問題トシテ観ルトキ内地人ハ時局ノ推移ヲ静観シ當面何等憂慮スベキ事態ナシ本島人側ニ於テハ一般的ニハ重慶政權下ニ於ケル民生今日ノ如キ安居樂業ハ到底望ムベクモナク寧ロ本島ノ實情ニ應ズル自治体ノ樹立ヲ要望更ニ進ンデ本島独立ヲ希求スル者多ク特ニ有産階級皇民化セル青壯年中ニ此ノ氣運濃厚ナリ、之ガ事象トシテ

◎現新竹州會議員資産家黄維生ハ親族友人等數名協議シ重慶軍閥政治ノ結果ヲ豫想シ自己ノ生命財産ノ保全ノ途ハ日本政府認容ノ下ニ現國際情勢ヨリシテ台灣ノ独立必ズシモ不可能ナ

ラズトシ所在行政廳ニ独立運動認容方願出タル
事實

◎又個々ノ表顯言動ニ重慶政権下ニ於ケル本島ノ無秩序混乱ヲ豫想シ台湾ノ独立運動ヲ展開シ又ハ本島ヲ日本ノ租借地タラシムルノ方途ヲ講ズル要アリ

右ノ事實乃至表顯言動ハ五十年ノ治政ニ對スル成果ヲ裏付スル事實トシテ之等ノ心情ハ諒トスベキモ現情勢下ニ於ケル本島治安對策上認容シ得ベカラ

ザルヲ以テ之ガ阻止乃至ハ民心指導ニ就キ格段ノ留意ヲ要ス

次ニ治安確保ノ點ヨリ當面ノ問題トシテ憂慮セラルルハ思想要注意人物及一般本島人中濃厚ナル民族意識保有者ノ動向ナルガ前者ニ於テハ本島接收前後ニ混乱ヲ予想シ此ノ間隙ニ乗ズル不穏策動ノ懸念ナキニ非ザルモ目下憂慮スベキ具体的事象発生ナキモ只楊貴（台中州下在住作家、人民戦線派）ハ接收後ニ於ケル重慶軍閥政権ノ専恣横暴ヲ予想シ之ガ牽制策トシテ同志ノ思想的基盤ノ地固メ工作ヲ爲シ置ク必要アリトノ意圖ノ下ニ些カ動キヲ見セ

タルモ　楊貴単独ノ思想ノ範囲ニ止マリ外部ニ些シタル影響ヲ及スコトナク終息セリ　後者ニ就テハ日本統治ニ対スル不満反感ヨリ内地人ニ対シ反感嫉視シ或ハ内地人個人ニ対スル怨恨報復ヲ企図スル徒輩ノ動向ニシテ重慶政権ニ切替ヘラレタル混乱ニ乗ジ反感怨恨ニ対スル報復乃至ハ重慶政権ニ対スル媚態策トシテ在台内地人ニ対シ迫害ヲ加フベキ気勢ヲ示シアリ特ニ本島治政ノ特殊事情トシテ今日迄恕容セラレ来ノタル警察権ヲ背景トスル行政力ノ滲透

作用ノ逆効果トシテ警察官ニ対スル反感憎悪ハ極メテ深刻ニシテ就中特殊勤務者即チ刑事、高等特務、経済事務、思想犯取調等ニ従事シタル者ニ対シテノ反感憎悪ハ想像以上深刻ナルモノアリ之等ヲ裏付スル事象トシテ

● 恒春郡下部落民蜂起スベシトノ聞込

高雄州鳳山郡勤務巡査宮島俊治（本島人改姓名）ノ父親ハ本籍地恒春ヨリ息子ヲ勤務地ニ訪問シ「現在部落民ハ沈黙ヲ守リ平静ヲ装ッテ居ルガ日本軍ノ

武装解除ト同時ニ一斉ニ蜂起 内台人警察官全部ヲ襲撃スベキ計画アルヤノ風評アル旨ヲ語リタリ」

●彰化郡（台中州下）派遣分室本島人刑事笠野四郎ニ対スル投書

八月二十日笠野刑事ニ対シ

「日本人ノ犬！、貴様ノ最後ノ息ハ俺ガ止メテヤル血モ涙モ無キ残虐ノ日本人ノ犬ヨ！、日本人ラシク行動スルガイイ　悔悟スル勿レ、オオ吾等ガ祖國！、　萬歳

◎紀本高慶ノ台湾刀密造事件

紀本高慶ハ内地人ニ対スル反感ヲ抱蔵シ居タル処敵上陸ノ混乱時ニ内地人殺傷用並護身用トシテ台湾槍ノ製造ヲ企図シ居タルガ八月十五日大詔渙発セラル、ヤ内地人殺傷ノ意図ヲ以テ八月十七日頃 許山脚外六名ト謀リ日本ガ敗退内地人ノ本土引揚ニ際シ殺傷シテ重慶軍ニ対シ誠意ヲ披瀝スベシトシテ 同日頃ヨリ 紀本方（自轉車修繕及荷牛馬車鍛冶）ニ於テ台湾槍三本 小刀二本ヲ作製ヤリ

◎林有福一派ノ不穏動向

元台中市梅ケ枝町住所不定林有福一派八名ハ戦局急轉後豚ノ密屠殺一味張廷傳方ニ於テ祝杯ヲ擧ゲ「日本軍ノ武装解除セバ豫テ恨ヲ抱ク街庄吏員一般官吏ヲ殺害スベシ」ト謀議セル疑ヒアリ

上述ノ如ク一部不良分子ノ動向ニ付テハ現在ニ於ケル治安面ヨリハ勿論皇軍ノ武装解除乃至接收後ニ於ケル内地人及本島出身警察官吏乃至ハ一部内

地人御仕吏員ノ身辺ヲ繞リ極メテ憂慮スベキ事態ノ発生ヲ見ル虞アリ然シ乍ラ右ノ如キハ局部的事象ニシテ一般的ニハ現在ニ於ケル島内治安ハ極メテ平静ヲ保チ何等憂慮スベキ事態ニ非ズト断ジ得ベシ

要スルニ現在マデ治安上特異ナル事案ノ発生皆無ニシテ民衆ハヨリ官ヲ信倚シ居ルハ五十年ノ治績ヲ如実ニ証明スルモノニシテ全島民一心トナリテ戦後台湾ノ復興ニ努メ新状勢下協力一致ノ生

治態勢ヲ建設セントシツツアリ、大局ニ於テハ今後ト雖モ之ガ趨勢ニ大ナル変化ハナキモノト思ハル然ド行政力特ニ警察力ノ浸透ガ漸次稀薄トナリ且ツ内地人ニ対スル感傷的氣分ノ褪化ト共ニ内台間ノ疎隔ヲ露呈シ警察力ノ弱化ト相俟ツテコヽ数日間内台摩擦ノ萌芽ヲ現セルハ注目スベキ現象ニシテ今後地方的不穏事案散発スルヤモ知レズ殊ニ重慶軍ノ進駐センカ本島民衆ノ思想ニ多大ノ影響ヲ與フルコトガ予想セラレ爾後ノ治安維持ハ相当困難ノ度ヲ加フルモノト思料セラル。

昭和二十年九月

終戰後ニ於ケル島内治安状況竝警察措置

（第三報）

台灣總督府警務局

九月上旬ヨリ中旬ニ至ル間ノ治安状況ヲ概観スルニ思想動向ノ推移トシテハ八月末ヨリ勃発セル内台一体台湾ノ安寧福祉ヲ計ラントノ傾向ハ本島人側ノ終戦ノ衝動ヨリ来リタル感傷ノ消滅ト内地人側ノ不徹底ナル現状維持的錯覚ノ反省トニ依リ斯ル面ニ於テ停頓状態ニ入リ一方本島民ニ光復（祖国復帰）意識初メテ明確ニ体得セラレ特ニ壮年層ヲ中心ニ昂揚シテ積極台華僑ノ方向ヘ展開スル虞アリタルモ南京ニ於テ停戦協定成立シ九月十五日陳儀行政長官台湾来北ノ浮説流布サルルニ及ビ民心ハ挙ゲテ之ガ歓迎準備ニ傾到シテ奉祝気分ニ転向シ明朗ナル歓迎風景ヲ展開セリ　一般本島大衆ハ統制ノ羈絆ヨリノ解放ト日用物資ノ潤沢ニ依リ「和平来」ノ歓喜ヲ確實ニシ著シク生活ノ明朗化ヲ来セルガ他面警察力ハ愈々後退シ遵法意識ハ地ヲ拂ヒ社會秩序ハ漸ク紊乱セントスルニ至リ國家權力ノ基礎ヲ失ヒタル警察ハ其ノ執行ニ著シク困難ヲ加ヘ無警察乃至盗及警察的事案次第ニ多キヲ加ヘ来レリ　尚内地人側ニ在リテハ停戦協定ノ内容、本土ニ於ケル其ノ後ノ諸状況ニ接シ益々敗戦國民タルノ現實ヲ諦観シ小乗的ナル興奮ニ趨ルコトナク静カ二台湾ノ来ルベキ姿ヲ考ヘ其ノ間日本人トシテ生キル道ヲ発見スベク地道ナル努力ヲ續ケ居リテ感情的ナル内台摩擦ノ惹起スルコトナク本島人側ノ歡迎準備ヲ靜觀シツツアリ

前報ノ通リ内地人ニ在リテハ内地ノ深刻ナル食糧事情、空襲被害ヲ聞及ビ實際問題トシテ内地帰還ノ不能ヲ知リ且五十年間本島ニ植付ケタル生活地盤ヲ離レ得ザル事實ヲ悟リ假令中國籍ノ取得スルノ已ムナキニ至ルトモ祖國復興ノ為ニ又日華親善東亜将来ノ為本島ニ踏止マラントノ決意ヲ堅メ指導トシテ中日親善思想ノ抬頭ヲ見一面向後ノ生活ノ足場建設ニ努力シツツアルガ國籍、土地所有権、邦系大企業ノ存否、子女ノ教育問題等何等見透ノ曙光ヲモ見出シ得ザル状態ノ儘ニ手近ナル足固メニ努メツツアリ　他面本島人トノ提携ヲ希望スルモ本島人側ハ自己保身的氣分ヨリ之ニ逃避的態度ヲ示シ更ニ本月ニ入リテ急激ニ抬頭セル祖國復帰ノ思想ハ漸次内地人排撃態勢ヲ招来スベキ可能性ヲ包蔵シ又台湾省政府歡迎氣分ノ高揚ト相俟チ斯ル内地人ノ希望ハ殆ド頭打チノ状態ニ在リ　不安焦燥裡ニ情勢ヲ靜觀シ居リ本島人側ニ在リテハ中國治下ニ於ケル自己ノ保全、身ノ榮達工作ニ狂奔シ或ハ國民党台湾支部組織ノ準備會ヲ結成セントシ三民主義同志會等ノ結成ヲ図ル等ノ動向諸地方ニ見受ケラレ或ハ經濟的ニ日本資本凋落ノ機會ヲ摑ミ之ニ取ッテ代ラントシ金融産業面ニ進出ヲ企図スル動キハ台湾省政府人事ノ發表ヲ見現地本島人ノ活躍範囲ノ狭小ナルヲ知ルニ及ビ殊ニ有力層ヲ中心ニ益々活潑化セリ
斯ル傾向ニ即應シ思想的ニハ本島人ノ二重人格的境遇ヨリ敗戰國民ノ如ク戰勝國民ノ如ク不分明ナル観念ノ低迷ヲ存セシガ停戰協定ノ成立及其ノ善後ニ於ケル南京情報ノ閲知等ニ依リ漸次台湾ハ割譲ニアラズシテ復帰ナリトノ観念ニ固マリ内台人ヲ峻別シ己レヲ戰勝國民トスル氣運ヲ馴致シ次第ニ本島ノ雰囲氣ハ転換シツツアリタルガ恰モ十五日陳儀行政長官本島乗込ミ傳ヘラレ一應之ヲ目途トシテ陳炘ヲ中心ニ台北ヲ皮切リニ國民政府歡迎籌備會各地ニ成立國旗ノ製作掲揚、歡迎門ノ建設、歡迎會ノ開催、音楽會芝居ノ上演、獅子舞旗行列ノ實施等多彩ナルプログラムヲ編成シ之ガ準備ニ上下熱中シ大祭騒的雰囲氣ヲ醸成シ為ニ特ニ台北市本島人居住中心タル大稲埕ハ十五日前後ヲ

峠トシテ姿ヲ一変シ軒並ニ中国旗翻リ 所々ニ祝光復ノポスター掲出セラレ統制撤除ト復興気分ト相應ジ 一時閉鎖同様ナリシ各店舗ハ凡ユル物資ヲ店頭ニ掲ゲテ復活シ行人亦絢爛タル衣装ヲ纏ヒ 明朗ナル表情ニテ大路ヲ行キ交ヒ爆竹音ハ終夜連續シテ全ク支那町ノ風貌ヲ呈シタルガ 陳儀ノ十五日来台説浮説ニ終リタルヲ以テ今後ハ漸次鎮静スルモノト認メラル 之ガ過程ヲ通ジ内台人夫々ノ地ノ地位ヲ明確ニ認識シタルコト 本島尖鋭分子ノ鋒先ガ内地人ニ指向サルルコトナク事前ニ転化セルコト 本島大衆ニ和平来ノ観念ヲ徹底セシメ街ノ表情ヲ支那事変前ニ復セシメタルコトハ顕著ナル事實ナリ

華僑ニ在リテハ戦勝感濃厚ニシテ自負的言動多キヲ加ヘ 従来ノ社会的地位ヲ一挙ニ向上セシメントスル足掻ヲ窺知セラルルト共ニ他面内台人ヲ蔑視シ特ニ内地人ヲ排撃セントスル一部尖鋭分子ヲモ生ジタルガ 在台華僑ノ無力ナルコト 華僑有力者ノ動向温健ナルトニ依リ些シタル動揺ナキモノト思料セラル

経済状況ヲ見ルニ概ネ平静ニ推移シ 金融状況ハ依然払出ノ計数ハ低減セザルモ何レモ散発的小口引出ニ止マリ為ニ金融異変ヲ生ズルゴトキハ豫想セラレズ

物資ノ出廻ハ統制廃止ニ依リ益々順調ニシテ和平ヲ謳歌セシメ物價ハ公定價格ノ十倍位ナルモ終戰当時ニ比シ微少乍ラ低落ヲ續ケ経済面ニ因由スル治安状況ハ良好ナリト言ヒ得ベキモ主要食糧タル米穀集荷ノ不昧ニ依ル絶對量ノ不足ハ端境期ノ食糧措置ヲ憂慮セシムルモノアリ

一般民情ニ付テハ接收過程ニ於ケル社會不安ハ豫ツベクモナク之ヲ流言ニ就キ見ルモ接收委員、台領軍ノ進駐、進駐後ノ治安經済等ニ関スル流言臆測乱飛ブ有様ニシテ其ノ一ヲ拾ヘバ

◎九月五日カラ台北新竹宜蘭台中ノ飛行場ニ空挺隊ガ進駐スル

◎陳儀ハ八月二十五日來台目下草山デ日本側ト折衝中

◎内地人ハ九月十五日迄ニ全部引揚ヲ強制サレル

◎台南デハ九月一日ヲ期シ警察派出所ヲ全部撤收スル

◎日本貨幣百円ガ法幣十八元ニ決定シタ

◎九月十五日デ警察ハ解隊スル

◎九月六日重慶軍ハ台北ニ進駐シタ

◎内地デハ五万ノ婦女子ガ聯合軍ノ接待婦ニ徴收サレタ相ダ 台湾デモ進駐軍ノ要
求次第未婚ノ女子十六歳カラ二十五才迄ガ引張ラレル
等ノ如ク児戯ニ類スル流言ノ相当ノ信憑力ヲ以テ伝播シアルハ以テ人心不安ヲ表徴スルモノト見ルヲ得ベシ

島内治安状況ハ漸次悪化ノ傾向ヲ辿リ國家権力ノ背景ヲ失ヘル警察力ハ次第ニ民衆ヲ抑制スルコト困難ニシテ民衆ハ警察権ノ依據ヲ疑ヒ日本治下ノ法秩序ニ対スル遵法精神ヲ喪失シアル状況ニシテ集団的掠奪乃至窃盗相次デ起リ其ノ一二ヲ摘記セバ

◎九月三日台北州下ニ於テ軍倉庫払下軍需品タル蚊帳 蒲団カバー等運搬途中部民ノ為約一五〇梱ヲ掠奪セラル

◎九月十四日台北州下ニ於テ集積中ノ砂糖五千袋ヲ掠奪セントシ附近部民ノ集結セルヲ阻止ス

◎九月九日台北州下ニ於テ請負業者保管中ノ木材約九千円ヲ運搬中附近部民ニ掠奪セラル

◎九月十四日高雄州下ニ於テ運搬中ノ軍需品千余名ノ群衆ニ依リ掠奪セラル其ノ他保安林ノ集団的無断伐採　倉庫保管中ノ軍需物資其ノ他重要物資ノ盗難ハ諸所ニ頻発シ甚シキニ至リテハ国民学校ノ机椅子等一八〇脚ヲ附近部民ノ窃取セルモノヲモ生ゼリ　一方警察官ニ対スル暴行傷害事件散発シ其ノ多クハ個人的怨恨ニ基クモノ乃至多少強力ナル取締ヲ為シタルコトニ対シ反撃ニ出デタルモノニシテ漸増ノ傾向アリ

◎九月七日午後十時半頃新竹州下ニ於テ本島人巡査一路上ニテ四、五人ノ不逞漢ニ待伏殴打セラレ全治三週間ノ打撲傷ヲ負ヘリ

◎九月十二日午後十時台中州下ニ於テ本島人巡査一ハ虚言ヲ以テ自宅ヨリ誘出セラレ袋叩トナル

◎九月十日午後四時頃台南州下ニ於テ内地人巡査一ハ市場ニ於テ経済取締ニ従事中苛酷ナリトテ居合セタル業者及来場者ニ依リ棍棒ニテ殴打サル

猶附言スベキハ本島ニ於ケル内地兵ノ現地除隊セルモノノ動向ニシテ今後ノ生活問題ハ相当困難ナルモノアルベク従ッテ之ガ治安面ニ及ボス影響モ軽視

レ得ザルモノアリ　其ノ就業ニハ軍官民努力中ナルモ成行ハ極メテ注意ヲ要ス

之ヲ要スルニ本島民ハ時日ノ経過ト共ニ日本統治ヲ離脱セントシ之ニ伴ヒ總督府ノ行政力次第ニ稀薄化シ本島治安ハ悪化ノ一途ヲ辿レルモ之ガ経過緩慢ナリシ為概ネ表面的平静ヲ保持シアル状況ニシテ向後ニ於ケル治安ノ維持ハ層一層困難トナルベク　警察力ノ行使ニ依テモ集団的威力ニ依リ多衆行動ヲ威圧スルコトニ依リ辛フジテ警察権ヲ保持シ得ベシト思料セラルル域ニ在リ　特ニ来月中旬以後ニ於テハ死力ヲ盡スモ猶無警察ニ近キ状態ニ陥ルベキヲ憂慮セラル

警察ノ採リタル措置

九月十日付ヲ以テ警務局及各州警察部ニ警備課各廳警務課ニ警備係ヲ新設シ進駐軍ニ関聯セル警備ヲ主管シ警察ノ渉外機関タラシメ各州廳ニ特別警備隊ヲ新設又ハ増加シ集団警備力ノ増強ヲ計リ警備課ニ所属セシメ治安警備力ノ強化ヲ期セリ

民衆ノ指導取締ニ付テハ偶発的小事案ニ対シテハ該事案ノ処理ニ依リ却ツテヨリ大ナル新事案ヲ誘起スルコトナキ様説示シ有力者等ノ活用ヲ高度ニ考慮シ事態ノ平穏ナル収拾ヲ計リ進駐軍歓迎ニ付テハ概ネ民衆ノ自発的意思ハ之ヲ容認スルト共ニ内面的ニ之ヲ指導シテ矯激ニ趨リ治安攪乱ノ因トナラザル如ク注意シ居レリ　而シテ無警察状態ヲ馴致スル虞アルガ如キ事案ニ付テハ主トシテ集団警察力ヲ以テ之ヲ鎮壓シ威力ノ後退ニ耐ヘツツ警備力ノ保持ニ努メツツアリ

昭和二十年十二月一日

終戰後に於ける在外同胞の概況

外務省管理局
内務省管理局

終戰後に於ける在外同胞の狀況に關しては地域に依り或は正確なる報告に接したるものあり或は時に情報を入手し得る程度に過ぎざるものある處此等報告又は情報に基き其の概況を敍述せるものなり

目次

終戰後に於ける在外同胞の概況

第一　中　華　民　國

一、華　北

平津地區に在りては九月中旬より逐次同方面に中央軍並に米軍進出し日本軍の武裝解除せらるゝや中國側の對日措置漸次積極的となり北平在留邦人の一部は西郊に更に十一月十一日より西苑に集結せしめられ又天津に於ても在留邦人は事實上旧日本租界に集結しつゝあり、之が爲め同地區に於ける邦人の住宅問題並に燃料問題は漸く深刻なるものある模樣なり又両地區共十月中旬邦人毆打事件ありしも中、米、両當局の公正なる措置に依り平靜に復歸せり

北平に約七万、天津に約六万九千の蒙疆地區引揚民を含む邦人在り、其の他青島五万、済南三万二千、石門一万三千、開封八千、太原三万一千にして在華北邦人三十万二千余なり　奧地に在る邦人は漸次平津、済南、青島等に集結しつつあるも匪軍に依る鉄道破壞に依り集結意の如くならざるものあり

山海關に於ては八月三十日「ソ」軍並に中共軍の進出あり婦女子は急遽引揚しめたるも爾余の在留民の消息は領事以下不明なり

蒙疆地區は終戰と同時に「ソ」聯軍の進出ありたるため日本軍は急遽撤退を余儀なくせられ張家口方面在住日本人は軍に隨伴平津地區に引揚げたるが爲めに此等邦人二万八千は最少限度の手荷物を持ち天津に二万五千殘余は北平に滯留し内老幼婦女子約九千の大多数は既に内地引揚済なり

蒙疆方面の治安狀況は直接の情報なきため不明なるも中央軍と中共軍とが各地盤獲得のため角逐し居るものの如し

二、華　中

南京上海地區は日本軍の武裝解除前九月末南京は獅子山麓の兵舍に、上海は虹口側に集結を命ぜられ集團生活中なり尚蘇州、杭州等の居留民は大部分上海地區に集結せる處虹口楊樹浦に華側日僑管理所管理の下に十月以降日僑自治會を設立、保甲制度に依り居留民の自治的管理を實施し居り食米は概ね本年末迄の分を保有しあり爾後の分は中國側にて考慮中なり次に燃料は明年一月以後は憂慮すべき狀態なるも住居は目下の處安定しあり治安狀況は集中地區内は平靜を持し居るも商店工場等は中國側に依り一切封印せられ居留民の大多数は徒食の狀態なり又漢口、九江等の奧地は詳細なる情報無きも大体平靜を持し居れり

三、華　南

廣東を除く他の地區は概ね平靜を持し居る模樣なるも廣東は中央軍の進出後日本軍の武裝解除に依り邦人は廣東對岸河南地區の龍潭に集結せしめられたる處收容設備不足のため天幕生活を余儀なくせられ加ふるに濕地帶なる關係上老幼にして抵抗力なき者の中死亡する者續出せる趣なるが其の後黃埔に移り爾來事態は稍改善せられたるものの如し

四、滿　洲

日滿間の通信杜絶し且つ「ソ」聯軍占領地域との交通を禁止せられ居る爲詳細判明せざるも現在迄に入手せる情報を綜合するに滿洲一般の狀況概ね次の通りなり

「ソ」聯參戰と共に各地に攻撃加へられ關東軍司令部及滿洲國政府の首腦部は通化方面に後退し中央平原に於て戰鬪行はるる形勢となり、八月十日頃より新京、奉天等の家族の避難開始せられ又奧地よりの避難民は比較的安全なる鉄道沿線及南滿方面に殺到するに至り一方「ソ」軍部隊の進入に際しその掠奪暴行あり他方各種「デマ」傳播し在留邦人は極度の不安の念に駆られ周章し始めたる際終戰となりたるが早くも青天白日旗掲揚せられ滿軍の脫走、反乱相次いで起り警察は機能を喪失して暴民の暴行、不逞の徒の掠奪盛に行はれ治安極めて不良となりたるを以て各地に治安維持會組織せられ自衛手段講ぜられたる爲掠奪は程なく下火となり「ソ」軍各地に進駐し日滿両軍の武裝を解除し代つ

て治安維持に任することとなりたるが其の轉換期に再び治安紊れたるも其の後漸く落付きを見せ來りたり然る處日本人の列車乘車事実上不可能の為各地間の連絡つかず又危險の為外出も制限を受けつゝあり而して各地共食糧の購入は比較的容易なる模様なるも預金拂出制限と掠奪沒收の為現金少く又物々交換に頼らんとするも掠奪に遭ひ家財道具を喪失せるもの多く困窮漸く甚しく、殊に目前に嚴寒期を控へて燃料の手當つかず正に重大危機に直面し居れり居住地を離れて避難せる者の中には夜具なく板敷の合宿所にごろ寝の者すらありて之が救恤は一日の猶豫を許さゞるものあり

新京、哈爾濱、奉天等大都市に於ては奥地より避難し來りたる者多く邦人々口は急に增大し、殊に南満各都市は治安比較的良好なりしことも原因し奥地より多数集結したる模様なるが関東州への入境は禁止せられ又朝鮮への越境も許されざる為此等の都市に釘付にせられたる状況なり而して「ソ」聯参戦するや直に朝鮮に入りたる者の中一部は日本に帰還するを得たるも大部分は平壌を中心とする一帯に在り全く移動を禁止せられ男子は勞役に服し僅かなる支給を受け居るも婦女子は居喰の形にして金錢は使ひ果し持物は、或は掠奪に遭ひ或は糧食と交換し全くの無一物となり寒さに慄え乍ら救援を一日千秋の思ひにて待ち居る次第なり

次に主要都市に付其の状況を概述せば左の通りなり

（イ）新　京

「ソ」聯参戦と共に爆撃行はれたるも僅か数機にして而も何れも都心部を外れ其の後の爆撃も周辺に対するものなりしを以て大なる被害なかりしが八月十日関東軍、大使館、満洲國政府の首脳部は通化に後退し、在郷軍人の未召集者は殆んど全部々署に就き家族は避退を開始し決戰氣分漲り西部方面を主とする奥地よりの避難民續々入市したるが遂に「ソ」軍の進入を見ざる間に終戰に至れり十五日夕刻より早くも満人街に青天白日旗掲揚され宮中禁衛隊の叛乱、軍官學校及高射砲隊約五中隊の警察署襲撃事件等あり、之か為日本軍出動し其の一部の武装解除を行ひたるが此の頃より漸く政府の機能喪はれ市公署、首都警察廳は十七日解散し、協和會亦解散するに至り市立病院長を團長とする日本人居留民團組織せられ、大使館指導の下に在留民の保護に當ることゝなれり八月十八日皇帝御退位と共に満洲國政府解体し張景惠を首班とする東北地方暫時治安維持委員會組織せられたるも間もなく解消せり満軍の叛乱は終戰後二、三日にして終熄したるも不逞市民の暴行掠奪は依然收まらず日本人或は安全地帶に避難し或は自警團を組織して警戒に當れり

八月二十三日「ソ」軍司令官一行新京に到着し日満両軍の武装解除し代つて「ソ」軍が治安維持に當ることとなり其の要求に依り一時憲兵隊警察隊約二千名を以て保安隊を組織し引續き治安維持に當りたるが九月一日解散せり其の後漸次落付を見せ來りたるが婦人の外出危險なる為買出は凡て男子之を行ひ居る状態にして他の都市との連絡不可能なり而して食糧其の他物資は相當に在るも預金引出の禁止貸出停止の為現金なく而も掠奪に遇ひ家財を喪ひたる為物々交換の方法なく困窮し居るもの多し、奥地よりの避難民は一時十万と云れ全くの着のみ着のまゝにて而も不充分なる施設に合宿し居り冬季に備ふる燃料の手當も皆無の状態なり

（ロ）奉　天

工場地帯たる鉄西地區に騒擾事件あり被害も相當なりし模様にして、其の他に於ても新京同様掠奪暴行頻発し暴徒は毎日数百となく集團をなして日本人住宅を襲ひ徹底的に掠奪を行ひ駅前商店等相當の被害を受けたるを以て各戸厳重に戸締りをなし隣組毎に自警團を結成して警戒に當りたり市中の出歩きは危險にして各地よりの避難民も危險の為駅構内にごろ寝し偶々市中に偵察に出る者は掠奪せらるゝ始末なりしがその後漸く平靜となれる由にして「ソ」軍は日満人の居住區域を區劃し掠奪を豫防し居れり「ソ」軍は概ね鉄西地區の工場施設を取外し「ソ」領に運搬し居る模様なり

（ハ）哈爾濱

八月九日以降北満各地に於ける戰局急となりたる為奥地よりの引揚婦女子満載の列車回

議南下し哈爾賓に難を避くる者亦激増し「ソ」聯軍間もなく進入すべしとの風説頻りにして市民は不安に駆られ市中安全と思はるる場所に避難轉移せり、日本總領事館員は現地に留まり邦人を慰撫し、軍及警察は協力して治安維持に當り又十六日は満系を主体とし日系有力者を加へたる治安維持會組織せられ市民生活の定全を圖りたるが、満人街に騒擾起り青天白日旗を掲げて反日「デモ」に出たるものあり又満軍の大規模逃亡等あり、邦人中死傷者を出したる模様にして避難邦人家屋は徹底的に掠奪せられ、又捜索に名を藉り又は検問の機に押收掠奪を擅にし邦人中丸裸となりたるもの相當数に達したり、その後掠奪暴行一段落を告げ市場も漸次開け來りたるが、手持金少く掠奪暴行に依り家財を喪失したる者は物資出廻あるも購入するを得ず尚ほ奥地よりの避難民は全くの着のみ着のまゝにして放置を許さざるものあり

（二）旅順、大連

終戰前後旅順には殆ど暴動なく若干苦力が騒ぎたる程度なりしが水師營に小規模の暴動あり邦人に多少の損害ありたる模様なり八月二十三日「ソ」軍陸路より旅順に進駐し來りその混乱に乘じ旧市街に於て暴行掠奪三日間位續きたるも、その後平靜となれり新市街は全く平穏なりしが九月に入り「ソ」軍新市街にも進駐し來り、日本人に対し旧市街に立退方命じたり尚十月二日より五日間旅順在住者に対し大連への移住希望者を募集したるが七千名の應募者有りたり而して残留者七千名に対しては居住地域を制限し更に其後全部大連に立退を命せられたる趣なり大連にては八月二十三日頃より家宅侵入及掠奪行はれ婦人に対する暴行も多少ありたる模様にして爲に婦人は丸刈男装したる程なり此の状況は九月末迄續きたるが十月に入り治安維持に力を注がれたる爲漸く改善せられたり「ソ」聯側は日本人居留民團を認めず、爲に邦人の組織的指導は行はれ居らず、奥地よりの避難民相當入り込み徒食を避け勞働奉仕團を組織し居れるが、其の後「ソ」聯は避難民の関東州入境を禁止せり九月初より約二週間に亙り銀行閉鎖されたるが、九月下旬から再開し、一ケ月銀行預金千円迄郵便貯金五百円迄引出を許可せられたるが満人の紙幣退蔵に依り通貨減少したる爲之を三〇〇円に引下げたり其後秩序も漸次回復し邦人の経済活動も或程度は許容せられ居り満洲に於ては最も良好なる状態にあるものの如し

（ホ）奥地

西部方面等にては開戰と同時に婦女子を南方に後退せしめ、残留者も比較的安全なる鉄道沿線都市に集結して自衛手段を採り其の後南下したるものと察せらるるも、其の後の模様全く不明にして安否頗る憂慮せらるゝ次第なり

第二　朝　鮮

一、終戰當時の状況

戰爭終結の大詔渙発は内鮮人に均しく深刻なる衝動を與へたるが八月十六日には早くも京城府において朝鮮人青少年約二百名は朝鮮獨立万歳を唱へて府内行進を行ひたるを始めとし此の種の示威運動は次第に地方各地に波及すると共に悪質なる造流言盛んに流布せられたるのみならず勢の赴く所警察署、郡廳、駐在所、派出所、面事務所、學校等の襲撃、報導機関の占據、警察署又は駐在所の銃器彈藥の强奪、官公吏に対する私怨に基く集團暴行、食糧等物資の强奪、神社神祠等に対する放火等各地に續発し人心の不安動揺著しく憂慮に堪えざる状態に陥り事態は益々悪化の傾向を辿りたるを以て軍隊の出動を求め軍警協力の上断乎制壓の態勢を整へたる結果警備力の充實したる主要都市及其の周辺に於ては間もなく表面上は鎮靜に帰するを得たり

二、其の後の状況

其の後の鮮内状況の推移に付きては北緯三十八度の南北に於て著しく事情を異にするものあり之を分ちて述ぶれば左の通りなり

（イ）南朝鮮

北緯三十八度以南の朝鮮は米軍の占領區域にして九月六日に先遣師一行到着したるが

同月九日米軍司令官京城來着と共に米國軍政の布告発せられ斯くて九月十二日には朝鮮総督の辭任帰國を要求せられ更に十四日には政務総監以下各局長も解職せられ其の後総督府職員亦漸次解職せられ米國将校又は朝鮮人之に代りたるが米軍進駐の機會に朝鮮獨立と自派勢力の伸長を企図する各派政治團体の各種策動漸次活潑化し九月十日皇軍京仁地區より撤退すると共に其の間隙に乘じ各党派に使嗾せられたる所謂保安隊、學徒隊等は夫々小銃、拳銃、日本刀を携帯して警察署、同派出所乃至放送局、新聞社等の報道機關、自動車等の輸送機関其の他會社、工場等を不法占據し或は又内地人住宅に侵入して武器の提供を強要し或は會社工場に対し不當なる退職金等を要求する等再び治安の混乱を見るに至れり

かゝる事態に対處し米軍政當局に於ては或は夜間通行を禁止し、或は治安攪乱者に対する處罰規則を布告し更に政治團体市民等の手に依り警察權の行使せらるゝことを厳禁し且民間に於て武器を所持することを禁止する等の措置を講じて取締に當りたる爲一應テロ行爲は封殺せられたる模様なるが一部朝鮮人の策動は漸次潜行化し邦人に対する壓迫は巧妙執拗を極め邦人を一日も早く朝鮮より追出し朝鮮人の朝鮮を實現せんとするものゝ如し

即ち精神的侮辱は固よりのこと各種の嫌がらせ的行爲に出でたり、或は在留邦人の財産特に不動産の換價處分を極めて困難ならしめ之を放置して引揚げざるを得ざらしめ或は邦人を中傷する悪質流言を傳播せしめて邦人壓迫を煽動し居れり

倚又強盗事件の如きは京城に於てすら今猶跡を絶たず又邦人に対する殺傷事件も散発しつゝあり在留邦人は殆ど浮足立ち引揚を急ぎ居る状態なり

叙上の不法行爲乃至不穏策動は一部朝鮮人乃至之に使嗾せられたるもの等の行爲にして思慮ある一般朝鮮人は必ずしも邦人に対し敵意を懐き居るものにあらず唯四圍の情勢上邦人に対し好意ある行動に出づること困難な状況に在るものと思料せらる

（ロ）北朝鮮

北部朝鮮に於ては「ソ」聯軍が既に終戦前より越境し來たり居り従て其の後の進駐は極めて早く九月初旬迄には北部朝鮮各道に亘りて概ね進駐を了したる模様なり其の間皇軍の武装解除に併せて地方行政權並に主要企業も「ソ」聯軍の強制命令に依り逐次共産主義朝鮮人を以て各道別に組織したる執行委員會、建國準備委員會、政治委員會乃至勞働組合等に接收せられたるのみならず道知事以下各道幹部ならびに警察官は「ソ」聯軍のために抑留せられその混乱に乘じ暴行掠奪等頻発したる模様にして之に対しては朝鮮人側においても尠からず怨嗟の聲あり、しかも朝鮮人の治安隊、赤衛隊等またその間に跳梁して強盗掠奪は固より邦人に対し凡有壓迫を加へつゝあり男子にして強制勞働に従事せしめられ婦女子にして凌辱を受くるもの尠なからざる模様なりしかも迫り來る餓と寒さのため生命の程も憂慮せらるる事態なり

「ソ」聯軍占領下の状況の詳細之を知るを得ざるも各種の情報を綜合するに大体左の通りなり

（一）北　鮮

「ソ」聯参戦後咸鏡北道特に其の北部の住民は會寧、茂山、白岩方面の山地帯に避難したるが其の数は十万を超え其の中には相當数内地人あり其の後逐次徒歩にて移動したるが食糧逼迫せる上寒氣の訪れ早く相當の犠牲者を出したるものと察せらる且咸興、興南に辿り着きたる者も食糧事情等を理由に同地區より追放せられしかも三十八度の線を超ゆることを許されず何等の希望もなく生死の間を彷徨しつゝある状況なり

なほ北鮮在住邦人は目下概ね咸興、興南、元山等の主要都市に各数万移民、清津、城津等にも若干集結し居る模様なるが何分食糧自給困難なる地方のこととてその困窮状態察するに余りある次第にして薪炭の如きも現在炊飯可能なりやも危まれ況んや襲ひ來る寒さを防ぐに由なく且また住宅を追はれ朝鮮人住宅或は倉庫、學校等に監禁收容せしめられたるものもあり何れも餓と寒さに難澁し居る模様にして既に相當の犠牲者を出しつゝあ

ることも想像に難からず而も醫師及藥品は著しく不足し居りなほ婦女子に對する暴行も北鮮において特に著しきものあるもの丶如し

（三）西北鮮

「ソ」聯參戰後滿洲在住の日本人は俄に避難を命ぜられ大詔渙発後内地引揚の爲朝鮮に殺到し來りたる處北緯三十八度の線にて交通を遮斷せられたる結果平壤以北の西北鮮地方に現在約十万が一般民家に分宿し又は學校等に共同收容せられ其の大部分は着のみ着のまゝの狀態に在り

西北鮮の在留邦人は之等滿洲引揚民と共に平壤を主とし其の他の地方に數千乃至數百宛内地への引揚を待機し居る處食糧の配給は北鮮よりは良好なりと想像せらるゝも副食物の配給なく之を購入すること亦極めて困難なる狀況にあり

尙此の方面に於て目下最も難澁し居るは防寒の点にして滿洲引揚者は固より其の他のものも衣服、寢具は掠奪に遭ひ而も一般に薪炭の入手の見込なきもの丶如し、加之婦女子に對する暴行あること北鮮と同樣なり

第三、台　灣

大詔渙発以來大勢は極めて平穩に推移し唯散発的に一部本島人の警察官其の他に對する暴行、物資の強奪等の不法行爲乃至其の策謀を見るに過ぎず、中國軍の進駐は他の地域より遲れ十月五日葛敬恩中將を主任とする前進指揮所員台北に到着し、十五日中國軍の主力が基隆に入港し、次で二十四日陳儀長官が着台し翌二十五日台灣總督及軍司令官職權一切を停止し總務を台灣地區日本官兵善後連絡部長と改め陳長官の指揮を受けて其の命令を部下に傳達する責に任ずべき旨を命ずる所ありたり而て十一月一日を以て台灣總督府各部局は概ね接收せられ一應交替を了したる次第なり但し總督府の各課長以下職員は引續き從來の事務に從事することを命ぜられ居り其の他中國の行政は目下の處從來の政治、經濟各秩序を尊重しつゝ行はれ居り事態は概ね平靜に推移しつゝあり唯最近に至り内地在住台灣人の處遇に關し眞相誤り傳へられたる爲台灣内の一般民家に甚大なる衝擊を與へ在台内地人に對し報復的行爲に出でんとするの風起りたるも時日の經過と眞情の詳知等により逐次鎭靜に向ひつゝあり

尙台灣在留邦人の引揚に關しては配船の關係上目下の處其の時期は不明なり

第四、樺　太

樺太に於ては大詔渙発後も「ソ」聯は停戰命令無きことを理由として攻擊前進を續行し在留邦人にも犧牲者を出したるが八月二十二日に至り漸く停戰協定の成立を見たり

然るに其の後通信は「ソ」聯の管理する所となり八月二十七日以降樺太内地間の通信は全く杜絕し、稚泊連絡船亦同月二十四日以降今日迄引續き停止中にして目下樺太内の狀況を詳にすることを得ざるも情報を綜合するに事態は尙憂慮すべきものあり、即ち行政に付ては大津長官を南樺太長官とし概ね從前の機構を踏襲して軍政を施行しつゝあるも警察官は拘禁せられ皇軍の解除に至らざるものも亦總て拘禁せられ勞役に從事し居りなほ警察官及皇軍の一部は「ソ」聯船にて何れへか拉致せられたりとの情報あり一方一般住民に對する物資の強制買上、金錢・所持品の强奪事件逐次增加し、婦女子に對しても白晝に於てすら暴行はれ之が爲婦女子は男裝して其の災を避けんとしつゝある由なり、又學校、會社、組合等の建物は進駐軍の宿舍、事務所等に充てられ又一般民家に對する掠奪も行はれたる模樣なるも最近に至り漸く減少し一般に平靜に向ひつゝあるもの丶如し

尙「ソ」聯は九月二十六日南樺太長官に對する命令を以て商工業は五日以内に開業すべきこと、勞務者、勤勞者は即刻原職に復歸すべきこと等を命じ而て食糧及燃料に付き夫夫計畫を樹て實施中の趣なるも邦人の内地引揚に付ては目下の所考慮せられ居らざるもの丶如し

第五、南　方　地　域

一、南洋群島

終戰前米軍に依り抑留せられたる「サイパン」及「テニアン」等を除き各島何れも長期

五

に亘る補給杜絶と戦禍の為著しく生活困難となり醫藥の缺乏に依り更に惡化し犠牲者續出の状況なりし為終戰後は比島と共に南方地域中最初に引揚に着手し逐次本土に歸還しつゝあり

二、「フイリツピン」

比島各地區とも米軍上陸せる為本年一月より奥地に於て飢餓疾病に苦しめられつゝ退避生活を續け居りたるが終戰後三々伍々米軍に依り收容せられ「ルソン」地區在留民は「マニラ」東方「カルンバン」に又「ダバオ」地區在留民は「ダバオ」西南方「ダリヤオン」に略々集結を了せり本地域は南方各地中第一に引揚を開始し十月下旬以降日米艦船に依り婦女子、病者を先順位として逐次歸還しつゝあり

三、印度支那

北部地區に於ては終戰直後政情不安定にして混乱狀態に陷り危険ありたるを以て在留邦人に不測の事件発生を避くる為総領事館員指揮の下に在留邦人を安全地帯に集結し引揚の時期を待つ事とし九月中旬より在留老幼婦女子より始めて逐次海防附近の「カンエン」に集結せしめたり集結地に於ける食糧其他の手當に相當困難はありたる模様なるが軍側の協力を得て善處し居る模様なり尚在留邦人の「カンエン」集結と共に河内総領事館員も引揚げて「カンエン」に移り居れり南部地區に於ては「ビルマ」「シャム」方面よりの轉進者も含め邦人数激増し居り西貢に進駐せる英軍司令部より在留邦人は追て一箇所に收容抑留せらるべき旨内示せられ居りたるが最近の新聞報に依れば十一月中旬同方面派遣聯合軍司令官より全員收容所に集結を命ぜられたる模様なり尚西貢総領事館員は十月二十四日以來英軍に依り抑留せられたり西貢地區に於ける食糧事情は不安なしと想像せらる

四、「シャム」

在留邦人数は「ビルマ」よりの轉進及韓國人の身分切替に依り急増し其の世話は漸次困難化し居りたる處、英軍の命令に依り「バンコック」市外三〇キロの「バンフアナン」に在る爆撃避難所に軟禁せらるることとなりたる趣なり同所は飲料水の設備も無き急造の椰子小屋にして相當生活上の條件惡きものと想像せらるるも九月十三日以降は日本との

無電通信断絶し詳細不明なり帝國大使館員は英軍の命令に依り軟禁せられ大使館の機能は停止せられ居るを以て食糧事情其の他に關しても現地との連絡なし尚「シャム」大藏省は聯合軍の命に依り邦人の現金引出しを一ケ月二百銖に制限する旨規定せり

五、「ビルマ」

我軍の「ラングーン」撤退後在留邦人は召集者を除き大部分盤谷及西貢方面に避難し關係會社、銀行其他に收容せられ居る處轉進の途次遭難せる者も相當数に達する模様なるも詳細不明なり

第六、旧軍政地區

旧軍政地區の在留邦人の現況は現地との連絡困難にして情報の入手不可能又は少数の断片的消息を基礎として推測し得るに過ぎざるに付不正確の点多々あるは免れざるべきも今日迄に判明せる概況左の如し

一、「マライ」

「マライ」半島の日本人は英國軍側より「リオー」群島中ノ「レンバン」島に集結を命ぜられ目下移動中なるが集結完了までには相當の期間を要する見込にして集結地における食糧調達は相當困難なるものと豫想せらる

二、「アンダマン」及「ニコバル」

前項「マライ」半島の在留邦人と共に「レンバン」島に集結中なり

三、「ジャワ」

十月以來インドネシヤ獨立問題を廻りてインドネシヤ軍側と英軍側との間に衝突起り、爾來治安混乱を重ね居れり日本人は両者間に巻込まれその結果インドネシヤ過激分子のために虐殺乃至は刑務所工場等に監禁せられまたは英、インドネシヤ交戦の余波を受けて死傷者を出す等事件発生しつゝあり食糧も聯合軍の勢力ある西部地區を除き治安不良なる中部及東部地區に於ては過激分子に依る掠奪又は強制移住等の為に食糧貯蔵を失ひ全体として漸く二箇月程度を保ち得る状況なり、今後早急に治安恢復の見込薄く日本軍

及在留邦人の状況は相当憂慮すべきものあり

四、「スマトラ」

「レンバン」島に集結中なるが治安上差したる問題なく衛生状態も概して良好の模様なり

五、「ボルネオ」「セレベス」小「スンダ」東北地区

情報入手せず状況不明なり

七

在外同胞員数調

（昭和二十年十一月末調）

	終戦當時在留同胞数	引揚済同胞数	在留同胞現在数
華北（含蒙疆）	三一二、〇〇〇	九、〇〇〇	三〇三、〇〇〇
華中	一七二、〇〇〇	〇	一七二、〇〇〇
華南（含香港）	一六、〇〇〇	一、〇〇〇	一五、〇〇〇
満洲（含関東州）	一、一三〇、〇〇〇	〇	一、一三〇、〇〇〇
北部朝鮮	二五七、〇〇〇	〇	二五七、〇〇〇
南部朝鮮	四五一、〇〇〇	二四〇、〇〇〇	二一一、〇〇〇
樺太	三九〇、〇〇〇	七五、〇〇〇	三一五、〇〇〇
台湾	三一〇、〇〇〇	〇	三一〇、〇〇〇
南洋群島	二四、〇〇〇	一、〇〇〇	二三、〇〇〇
シャム	三、〇〇〇	〇	三、〇〇〇
佛領印度支那	七、〇〇〇	〇	七、〇〇〇
ビルマ	二、〇〇〇	〇	二、〇〇〇
フイリピン	一八、〇〇〇	九、〇〇〇	九、〇〇〇
旧軍政地域	四〇、〇〇〇	〇	四〇、〇〇〇
計	三、二四二、〇〇〇	三三五、〇〇〇	二、九〇七、〇〇〇

備考

（一）南部朝鮮よりの引揚者中には満洲及北部朝鮮よりの引揚者を含むも内訳不明なり

（二）終戦當時在留同胞数中には原則として現地召集者を除き居るも実情判明せざるものあるに付正確を期し難し

（三）「ビルマ」在留同胞は終戦時に大部分「シャム」、佛領印度支那「マライ」等に避難し現に「ビルマ」地區に残留する者殆どなし

（参考）

在外同胞員数調（昭和二十年十二月十三日調）

地域　人員	終戦当時在留同胞数	引揚済同胞数	在留同胞現在数
華北（含蒙疆）	三一二、〇〇〇	一四、〇〇〇	二九八、〇〇〇
華中	一七二、〇〇〇	二、〇〇〇	一七〇、〇〇〇
華南（含香港）	一六、〇〇〇	一、〇〇〇	一五、〇〇〇
満洲（含関東州）	一、二三〇、〇〇〇	〇	一、二三〇、〇〇〇
北部朝鮮	二五七、〇〇〇	〇	二五七、〇〇〇
南部朝鮮	四五一、〇〇〇	二八〇、〇〇〇	一七一、〇〇〇
樺太	三九〇、〇〇〇	七五、〇〇〇	三一五、〇〇〇
台湾	三二〇、〇〇〇	〇	三二〇、〇〇〇
南洋群島	二四、〇〇〇	一、〇〇〇	二三、〇〇〇
シヤム	三、〇〇〇	〇	三、〇〇〇
佛領印度支那	七、〇〇〇	〇	七、〇〇〇
ビルマ	二、〇〇〇	〇	二、〇〇〇
フイリピン	一八、〇〇〇	九、〇〇〇	九、〇〇〇
旧軍政地域	四〇、〇〇〇	四、〇〇〇	三六、〇〇〇
計	三、二四二、〇〇〇	三八六、〇〇〇	二、八五六、〇〇〇

備考

(一)南部朝鮮ヨリノ引揚者中ニハ満洲及北部朝鮮ヨリノ引揚者ヲ含ムモ内訳不明ナリ

(二)終戦当時在留同胞数中ニハ原則トシテ現地召集者ヲ除キ居ルモ実情判明セザルモノアルニ付正確ヲ期シ難シ

昭和二十一年一月二十四日

鹿児島駐在員　吉田
平井

安井所長殿

最近ノ臺灣事情

鹿児島第一復員省緒方大尉ハ復員事情打合ノ爲十二月三十日当市発一月十七日帰着セリ
同氏ノ見聞セル台湾事情左ノ如シ尚同氏ハ復員事務ガ主ナル任務ナル爲其ノ臺灣事情モ断片的ナル事ハ止ヲ得ザルモノト思ハル

一、臺灣本島人ノ支那当局ニ対スル感情

本島人ノ支那政府並ニ軍部ニ対スル感情ハ一般的ニ悪ク新聞等ニテ陳儀主席ノ施政方針ニ対スル攻撃ヲナシアル有様ナリ（特ニ物価高ニ対スル一般本島人ノ支那當局ニ對スル怨嗟ノ聲アリ）

嘉義市ニ於テハ本島人ハ或種ノ事件ニ對シ支那當局ハ本島人十三人ヲ銃殺シ、爲ニ市民ハ日本政府統治下ニ於テハカヽル暴政ナシトテ憤慨シ居ル由

二、在留日本人ト支那当局並本島人トノ関係ニ付テ在留一般日本人、軍人ト陳儀側及支那軍トノカクレツ事件ナシ

本島人ノ内地ヨリ第一回帰台者ニヨル当初ハ内地ニ於テ本島人冷遇云々ニ依リ多少ノ動搖アリタルモ目下ノ處内台人間ノ関係ハ概シテ良好ナリ（一般内地人モ大稲程等何ラノ不安ナク居住シオル由）

三、國民學校ノ教育状況ニ付テ

本島人國民學校ニ於テハ北京會話ヲ教ヘラレテ居リ日本人國民學校ニ於テモ教ヘラレ居ルヤ否ヤ不明

四、一般物價ニ付テ

米一升二〇、―　砂糖一斤一円　バナナ一本〇、二〇～〇、三〇

肉一斤三〇、―　ウドン一杯五円　ミー一杯〇、五〇　饅頭一ケ〇、五〇

尚米一升ニ付八円或ハ十円ニテ購入シオル地方モアリ

五、一般内地人ノ引揚ニ付テハ大部分帰国ヲ希望シオレリ
(イ)日本軍引揚後ノ治安維持困難ヲ予想シオレリ
(ロ)子供ノ教育ノ為
(ハ)生活維持困難ナル為
以上ガ主ナル引揚理由ナリ

六、復員者ノ引揚事情ニ付テ
(イ)鹿児島ノ米軍駐屯軍ノ意向ニ依レバ一月末カ或ハ二月中旬迄ニLST四十隻貸与台湾ヨリ復員者並ニ一般日本人ノ輸送ニアテル由ナルモ目下ノ処実現迄ハ尚日数ヲ要スル見込
(ロ)台湾ヨリノ復員者中最初ノ一、二回ハ米、砂糖ナド相当数持参シ、他所ヨリノ復員者ニ比ブレバ甚ダ恵レ居ル様見受ラレシガ一月十八日ノ宗谷丸、夏月丸乗船シオレル復員者ハ米ノ持込ヲ禁止セラレ カタパンノミ持参シオレリ今后モ恐ラク米ノ

持込ハ禁止セラルモノト思考セラル

ハ臺灣本島ニ於テハ復員セル一般日本人ヲ再召集目下内地ニ歸還セシメ居ル由 右ハ陳儀政府ノ要請ニ基キ行ハレタルモノニシテ多分復員者ニヨル本島人ヘノ或ル種煽動的行動ヲ防止スル目的ノ爲ニナシタルモノト思ハル

目下ノ処復員者中ニ右様式ニ依リ歸還セルモノナキモ將来ハ官吏一般人中復員者トシテ家族ヨリ先ニ歸國スル者相当数アルヲ予想セラル

尚他ヨリノ情報ニ依レバ右再召集ハ希望者ノミニ行ハレ其ノ家族ハ一般邦人ヨリ優先的ニ送還セラレル由

台湾の現情

二〇・二・五 →21
（成沢灃）

通信、交通等の連絡遮断下の今日、台湾の實情を把握するは困難なるも現在迄の諸情報を綜合するに大要左の如きものと推測される。

一 政治

(1) 中央行政

台湾省政府に対する島民の信頼感は極めて薄く、その由來するところは、陳儀主席以下政府幹部の行政能力薄弱に在ると云ふべく、昨年十月二十九日孫文追悼禮拝式上陳儀主席の表明せる台湾三大行政策なる民生向上、教育普及、民意表明機関の創立等も實現にほど遠きものと云ふ可きであらう。

台北地區駐在の米軍將校（ギルドレー、コートリ両大佐）等の見解も中國當局の無計畫性と遅々たる施策振りを指適し経済的に新なる混乱に陷入れる危険ありと看做して居り國有財産等の接收すら数年を要するものと観測してゐる。

従って台湾本島民の生活変化（特に物價高等による経済生活の変化）は省政府への非難的態度となり又、進駐中國軍の劣悪な素質は期待を裏切りつゝあるもの、如く日本よりの解放と云ふ興奮は今や現實生活の前に醒めつゝあるものと思はれる

(2) 地方行政

地方行政の詳細も又不明なるも台中州接関（管）委員主任劉存忠に依れば大体、縣（州）市（市）鎮、郷（街、庄）と區別せる行政區劃は未だ判明せず又施政上中國人は台湾本島民を軽視する傾きあり、反って日本側軍官の進言を容るゝ傾向さへある由。

二、對日感情

在留一般日本人、軍人と政府、中國軍との間には憂慮すべき

事態なく、同胞に對する態度不公平ならざる趣、但し新聞及び三民主義青年團等に於ては日本誹謗の論盛なる模樣、又在日省民の窮狀に對する内地人の冷遇に対する反感は存在せるも次第に鎭靜と成りつゝある。

三、經濟

(1) 金融通貨

日銀券は流通禁止せられ唯一の通貨は台銀券のみとし法幣及黄金と台銀券との交換は禁止せられ裏に中國銀行の台灣省進出の報ありたるも設立準備中にして未だ操業せず尚右交換禁止前は交換レートの思惑に依る金融不安もありたるも現在は表面的に不安なく、法幣は戎克に依る支那本土との密貿易に專ら使用され居り大稲埕にては秘かに黄金買行爲の行はるゝ由、十一月頃は米貨一弗四十圓－五十圓に上昇、十二月に入りて大体日米取極めの二倍即ち三十圓に落着き居れる由、次に台銀券と日銀券との

大日本帝國政府

市中取引を觀るに日銀券の流通禁止以前は思惑不安を含み、日銀券一一五圓＝台銀券一〇〇圓、禁止以後強制預入の千円を例に執るに日銀券千圓＝台銀券八〇〇圓乃至六〇〇圓に急落、

(2) 產業

終戰后の產業事情極めて不明確にして一說によれば在台日系事業は全部接收せられ、経営者幹部に止まらず技術勞務者迄も台灣人により運營せらるべしとの論議横行の由なるも現實問題として如何なるものか、事業再建の努力は邦人の力に俟つもの多大と思はれる。

尚十月折江財閥の台灣進出を許さぬ旨の陳儀主席の聲明ありたる由。

(3) 物價並に民生（邦人）

生活必需品配給機構の混乱、休止狀態より物價は闇價格を生じ凹凸ある狀況にして地方により異同あるも最近の食糧價格は次の如し。

（折上リ國定規格B5（一八二×二五七粍））（東京一四九）

大根一斤　、七〇　胡瓜一斤　二、八〇　オレンヂ一斤　二、〇〇

結球白菜一斤　二、五〇　人蔘一斤　八、〇〇　パインアップル一個　四、〇〇

キャベツ一斤　二、五〇　雞卵一個　三、〇〇　トマト　一斤　八、〇〇

ホーレン草一斤　一、〇〇　牛肉一斤　上二五、〇〇　下一四、〇〇　トマトケチャップ一本　六、〇〇

葱　一斤　二、〇〇　豚肉一斤　三七、〇〇　胡椒一斤　八五、〇〇

隠元豆　一斤　二、五〇　車海老一斤　五六、〇〇　酢一本　四、〇〇

丸茄子　一斤　三、二〇　小蝦　一斤　二〇、〇〇　長茄子　一斤　三、二〇

カジキ　一斤　四〇、〇〇　甘藷一斤　、八〇　サワラ一斤　三八、〇〇

花キャベツ一斤　七、〇〇　バナナ一斤　二、〇〇

又別の報告に依れば

米一升　二〇、〇〇（尚米一升地方により八、九、十圓の所もあり）

砂糖一斤　一、〇〇　バナナ一本　〇、二〇－〇、三〇　肉一斤　三〇、〇〇

ウドン一杯　五、〇〇　コヒー　一杯　〇、五〇　饅頭一ケ　〇、五〇

中國軍進駐以來休止状態にありし配給は十二月初旬再開セ

る之南部地区米作不良の為配給難となり續行困難の模様なり従來軍は現地自活の建前にて兵の農耕により自給可能にして右の内より軍に於ては邦人へ横流し配給を試みつゝあり、終戰后も軍農場へ（三人乃至五人↓一甲歩）軍屬の形式にて一般邦人の軍との協力農耕を勧誘せるも之に應ぜず寧ろ新聞へ投書して軍閥打倒を筆にする状況にして、多くは一時的湖塗的に〃おでん屋〃等を営みつゝあり。

四、教育

本島人國民學校に於ては北京會話を教授し居る由、

其の他に就いては不明、

五、引揚

一月三日附重慶放送によれば台灣省政府當局が昨年十月實施せる調査によれば台灣在住日本人廿万名中日本帰還を希望する者は十八万名あり、これ等の日本人は引揚げの準備と

して目下財産を処分中と言はれる
主なる引揚理由は
(イ) 日本軍引揚後の治安維持困難を予想
(ロ) 子弟の教育の為
(ハ) 生活維持困難なる為 であり
(1) 中國側警備總司令部の談によれば本年三月末日迄に日本居
留民中帰國希望者を含む全員を還送し度き由なるも
目下の状況にては米國側では本年六、七月頃迄に帰國希望
者の大半を終了すれば上乗と見る由、
(2) 民船乗客は居留民及び軍の入院患者を主とし、民船に依る
引揚順位は生計困難なる戰死者遺族を先にし、又罷免官
吏は恐らく一般に先行して引揚げるものと予想する向きあり、目
下在台本府官吏の復員艦艇乗込は困難である。
(3) 携行品

復員軍人は初期にありては米、砂糖等相当量持参せるも最近は米の持参禁止せられたる模様、又在台湾軍は一月末を以って給与を支那側に移管せし由なり、従ひ今後の引揚者は食糧等の携行極めて不自由と予想せらる

(4)尚台湾本島に於て復員せる一般日本人を再召集し内地に帰還せしめ居る由、但し目下右により帰還せるもの無きも将来は相当数ある見込、尚他の情報に依れば右再召集は希望者のみにして其の家族は一般邦人より優先的に送還さるる由、

六、結論、

台湾の現情の真相は乏しき情報を以って軽々に判断する事は危険なるも、経済情勢の変化は政治力の薄弱化に伴ひ台湾本島人の民生向上を期待し得ず、又邦人も之が為生計困難なる者少からずと思はれる。

台湾ノ帰

三〇.六.一〇　青柳報告ノ分析整理

一、引揚関係

新持品、　蒲団、服三着、シャツ三着、靴二足、（内地ニテハ中ロ側ヨリ米[illegible]メトレリアリ）[illegible]

米（甲斐）、乾パン、砂糖二斤（飯盒一杯）、羊羹三本ー四本。

現金ハ

一将校　五〇〇円

下士　三〇〇円

兵　二〇〇円

軍属　一〇〇円。

到着地ニテ　退職賞与等ヲ渡ス

将校　八〇〇円ヨリ上アリ

兵　二〇〇円　〃

・引揚ガ強制カガ如人間ヲ論議セラレ居ルトキ、首脳府ハ放置セシメンヤ否カヤハ中国側ニテ決定スルニ於テ協力ヲ必要トスル者ハ意思ニ反シテモ残留セシムルト意思表示セアリタリ。

二、現地ノ生活、

一、公定価格ハ主要食料ニ于設定アルモ実行至難

一、配給制度ハ撤廃セラレ、物価ハ騰貴ノ一途。（米一斤二〇円、）

一、預金引出ハ自由ナリ。（台銀券ノ増発ヲ禁止セラレタルモ一時中止ノ噂アリタルモノ）

但シ企業資金ハ許可ヲ要ス。

日銀券及千円券ハ一年間ノ定期預金トセシメラレタルモ右預金ハ一世帯ニ付月三〇〇円

ハ引出許可サル。

（古着市場、大八車挽キヲナス者多シ。）

一、留用セラレザル官吏ハ退職当時ヨリノ物価暴騰ニ因リ漸ク行詰レリ

米軍機関各所ヘ採用方申出ヅル留守宅夫人アリ（南方在勤）、現在者ニ於テ

説諭シ返ヘスモ再三申出ヅル者アリ。

一、米穀対策不足シ為六月頃ヨリ不足

新聞記事、一月ヨリ発行予定セシモ三月末迄困難ナリ。（上海ニテ印刷中）

一、不動産ハ売買禁止、動産ハ生活ノ資ノタメノ売買ハ認ム。

一、軍ノ自活集団ハ農業従事ヲ求メラレ部隊単位ニ運搬、下請（復興作業）

通信。

郵便切手ハ新シキモノ

三、官吏。

府、課長級、警察官、外事部ヲ除キ全員留用。（日人ハ残留セシメラル）

奏任官ハ全員留用。

属以下ハ約四割留用。

地方ハ、部長以上ハ更迭。

奏任級ハ全員留用、但警察部ハ（警務課長、高等課長ハ更迭）

属以下ハ四割留用、（警部以下幹部ハ去）

地方ノ接収完了、十二月八日。

一般警官ハ全員留用セシモ執行権ヲ与ヘズ。

三部長ハ本島人（台北産業 黄[illegible]）

郡守、街庄長ハ本島人（台北市助役 劉[illegible]）

市ハ、台北警察局ヲモ併合（第一分署（北署）第二分署（南署））

（台北州警務部長 黄[illegible] 十二月一日。）

（陳[illegible]） 当部ノ口カラ（台北市助役 新高新報社長 [illegible]）ナレモ何レモ[illegible]ガ [illegible]

市ノ区長又職員（留任モ本島人 [illegible]）

特別第十六ノ一ノ（宜蘭郡、羅東郡、蘇澳郡、基隆市ヲ除ク）

四、治安

警察ノ威信ナシ

台北北警察署襲撃、一〇月白書デモ一時無頼漢約二〇〇名、死警官二、

〃　営内派出所　全部襲撃ヲ受ク、

〃　南　〃　〃　管内各所ニ襲撃ヲ受ク

内地人商店

襲撃、略奪、立退要求ニ悩マサレツツアリ、栄町ノ目貫ノ大通リハ台湾人ニ替リ
ツツアリ、

会社工場団体ノ指導的立場ニ在ル者ハ職ヲ追ハレ金ヲトラレツツアリ、

各地ニ強盗押入リツツアリ、

・学生勝盟ノ動キ悪シク日本人学生ノ登校ヲ拒ミ、学生悪質、反日、小学生特ニ甚シ、

中国官吏、要職ト下級層ハ高度ニシ中堅層ナシ

大結構ハ見込ニナサケズ

他ハ外来不統

・三民主義青年団ハ一単位ニ中国人

思想的治安維持ノ自治団体

進駐軍ヨリノ組織ヲ申、市政ノ協力行政ニヨリ協力、

・台北市華僑会ノ設置、

日本派出所不在、

（折上リ國定格規B5一八二×二五七粍）　東東一三七

○

五、日僑管理委員会

日本官兵遣送部ノ組織ニツキ論議ヲ戦ハシ居ル内、省政府ヨリ作ラレタリ（十二月下旬）

委員 中国人八名、民政処長ヲ委員長トシ民政処所管

日本人ハ中国人委員ノ下ニ実行ニ当ル、（正副）遣送会ニ発言権ナシ

管理組、中国人組長副組長ノ下ニ、組員、森脇（健一）、鈴木（昆）、備富、……

調査組、〃 委員、鈴木（理）、備富、……

輸送組、〃 服部、菊竹、……

日本側右外ヲ部員五名 属日十名

未ダ航道ニ乗ラズ

在日本人ハ手当ヲ貰ヒツヽアリ

大日本帝國政府

六、接収。

本府　十二月一日

地方庁　十二月八日。

接管委員会ハ中国人ヲ長トシ（並邦智ナラセシム）地方民指導處

日協会館
接護会館
南方会館……（米人用）
南方荘……（米人慰安所）
　接収セル

台湾接護会（台湾省接護会）接収

在台邦人ノ接護ハ中日両方ニテ実施スルト称シテ排除シ少シモヤラズ。

日本人会、民留民会ノ設立ハ好マズ認メズ
本邦人トシテ遺第多少ノ懸念ニヨル方針。
府幹部ノ民衆ニ対スル指導力全無ナシ。

（折上リ國定格規B5一八二×二五七粍）東東一三己

七、擁護、

一、各機地区長会長及幹部、　従事セシ。（中ロ側ガ行ニ下ンカ今ヲ殺ガ）

組織ノ簡素ナルノ立案（鈴木謙氏備急出案）

局部長会議擁護ス、

一、日本ノ行政組織トシ従事ハ大蔵省ニ要求スベトスルモノ（石越、十萱、中平）

二、理論上乱レモ岩（金モ手段ナル今日止ムヲ得ズ中ロ職場トシテ中ロヲ発展ヲ豊富ニ運ブベシト（鶴見、稲葉、又吉兼書）

擁ラズトモ長官時代ヲ待ツコトトシ一応中止ノマヽ。

↑

藍宝実施シテ日僑管理委員会設ムル

一、（日本人会、韓留民団新設ハ手続ノ認メラレズ）

擁護対象ノ概況（各選ニ）　民百ノ在府批難ノ一市府ニ対スル要望感情

従テ、蓋草クラブ抗議ノ表団、（同村、今田、西村、柳山…）

本ヲ書ク所属学生ニ至ル

外ニ日僑互助会…　古屋弁護士…　多数会ヲトリシアリ

民主主義同志会　豊盛ノ集議局　鶴峰

自由主義同志会　鉄村

之等ヲ総合シテ蓋草クラブヘトノ表団ナルモノカナシ

大日本帝國政府

八、見通。

總需要　二九億

日銀、千円券、七億

現在　二三億—二四億

企業経営停止ニ見タル　極度窮迫ニ在リ、一方安定ノ形ナルモ極メテ不安ナル安定。

地方銀行ノ預金ノミ。

九、産業。

、金融、工場　台湾、電力、石炭、精糖、セメントノ如キ一部ノミ繁栄

、其ノ他、　農民貿易ノ衰退ニヨリ操業方針ナホ動カズ

一〇、教育、

丁実阻隔修身ハ中止

日本語ニ三ノ教育、

中日語科新設、

従来校長全部更迭、日系学校 内地人教師大部分退職、本島人之ニ代ル

大学 文政学部 教務ノ一 事実上休校

二、雑誌

○新声、一月刊、一日創刊（中日政策解説）（日本ラヂオニュースノ報導、通常ニュースハ聞エヌ）唯一ノ日本人刊行物

中日（四月）情報委員会職員（元情報課職員ガ個人的ニ発行）

一二、中日ノ紛乱

1. 中日兵機 紹介解 召集 総督訪日、十五 二十六日 部長会議ニテ決意ス

蒋ノ伺言、[illegible]

1. 日支戦争ヲ如何ニスルヤ（未定ナリ）

2. 南京政府ヲ作ル事ニ就テノ意見 如何。

3. 日本ハ鈴木 岡村寧次中将ニ告ゲ。 日本ハ保安五千名ノ兵ニ三十五年ヲ要スト

4. ポツダム会議、支那新、日本ト日民ノ意思ニ任カスベシト蒋主張。

5. 各指導者ノ人選ハ蒋自ラナセリ

官吏ハ、

2. 上層幹部 良　・某某市長 在、一九一一—一九一九（叙勲出身）

中堅層 ナシ　学生時代ノ幹部ヲ呼ビテ新造ノ所ハ、（五十年ノ[illegible] 日本ノ[illegible]）

下層 悪ナリ。　・某某ノ件 進駐当時 出張ノ者ヲ中日将校ガ殺害ス（三名）

銃殺シ鉄路付ケヲ許サズ。

3. 行政ハ備品式

協力ノ余地ナシト日本官吏ハ帳ク。

4. ―日本官吏 軍事顧問ヲ除外。

5. 米人顧問ハ、　エバンス 財政顧問（米人ノ財政）　経済専門（顧問）　陳儀ハ知ラナイト多分アリ

大日本帝國政府

（折上リ國定格規B5一八二×二五七粍）　東東一二三七

昭和二十一年二月十日

臺灣ノ現況

外務省管理局總務部南方課
（外務省四階四〇六号室　齋藤）

(3)

一、緒　言

現在日本ノ内地ト台湾間ノ交通及信ハ在内地ノ台湾人送還及在台湾ノ日本軍人軍属ノ送還並安否向合セノ葉書通信ニノミ限ラレ官吏ノ来往ハ一切論資料ノ送付等ハ嚴重ナル取締下ニ禁止セラレ従テ現在台湾ノ實情ヲ正確ニ把握スルコトハ極メテ困難ニシテ誤ナキヲ保シ難キモ今日迄ノ諸情報ヲ綜合シ一應取纏メタルモノナリ

二、終戰前ノ島内情勢

台湾ハ戰前ノ兵力一万ニ満タザリシ処終戰前ニ於テハ陸軍三〇万（内本島人ヲ含ム島内応召一〇万）海軍四万ニ達シ居リ台湾總督ハ台湾軍司令官ヲ兼ネ軍官民一致ヲ以テ島民ヲ擧ゲテ台湾ヲ死守シ敵ノ進攻アラバ台湾ニ於テ其ノ戰力ヲ消耗セシメ戰勝ニ寄与セントシ台湾全島要塞化ノ目標ノ下ニ軍官民ノ意氣高ク正ニ其ノ最高潮ニ達シアリタリ

總督府ハ台湾軍参謀部、海軍警備府参謀部ト共ニ合同廳舎（法院庁舎）ニ入リ地方庁モ亦各地方軍首脳部所在地ニ代表幹部ヲ駐在セシムル等軍

官相互連絡ヲ密ニシ中央地方ヲ通ジ何レモ軍官連絡會議ヲ常時開催シ間隙ナカラシメツヽアリタリ

島民亦良ク我施策ニ協力シ皇民奉公會ノ精神運動ニヨリ報國ノ氣運盛リ上リ台湾領有以来未ダ曾テナキ皇民化ノ実ヲ挙ゲ敵ノ進攻近接ニ伴ヒ戦闘行為ニ直面スルノ場合ヲ考慮シ従来ノ精神運動団体タル皇民奉公會ヲ發展的解消セシメ実行団体義勇隊ヲ結成シ全島的ニ対敵直接行動ニ移リ得ルノ態勢ヲ整ヘ居タリ

三、終戦時ノ概況

總督府ハ直チニ部局長會議、軍官連絡會議ヲ開催シ治安ノ維持、人心安定ニ最善ノ努力ヲ拂ヒタル処八月十五日突如トシテ終戦ノ御放送ヲ拝ジタル一般島民ハ内地人タルト本島人高砂族ヲ向ハズ一時呆然トシテ為ス所ヲ知ラザル状況ニ在リタリ

内地人ハ勿論本島人ハ高砂族モ共ニ敗戦ヲ悲ミ将来如何ナル状況下ニ置カルヽヤヲ懸念シ只管事態ヲ静観シツヽアリ何等憂フベキ事態ヲ発生セ

ズ

本島人青年ハ慨シテ敗戰ノ悲嘆ニ暮レ日本治下ニ在リテ之ニ協力セル立場上中國ノ処遇芳シカラザルヲ憂ヘ老人層亦曾テノ支那統治時代ノ無警察状態ヲ想起シテ不安ニ戦キ高砂族ノ如キハ純眞ニ敗戰ヲ嘆クト共ニ曾テノ支那領時代ノ圧政ヲ再現セラルヽヲ憂ヘタリ

四、終戰後ノ状況

(甲) 接收状況

(一) 準備行為

(イ) 八月卅日重慶ニ於テ台湾省行政長官公署組織及主要幹部任命発表セラレ陳儀ヲ中國台湾省行政長官兼台湾省警備司令ニ任命

(参考)

○台湾省行政長官公署組織

一、台湾省行政長官隷屬行政院依據法令綜理台湾全省政務

二、行政長官於其職權範圍内得發署令並得制定台湾單行條例及

規程

三、行政長官得受中央依託、弁理中央行政對於在台湾之中央各機関有指揮監督之權

四、台湾省行政長官公署設左列各処

一、秘書処
二、民政処
三、教育処
四、財政処
五、農林処
六、工鉱処
七、交通処
八、警務処
九、會計処

五、行政長官公署必要時得設置専管機関或委員會視其性質隸屬

(7)

於行政長官至各処之組織由行政長官決定之

六、行政長官公署置秘書長一人輔佐行政長官綜理政務並監督各処及其他專設機関事務、秘書長下設機要室、人事室、各設主任一人

七、行政長官公署會計処設會計長一人、各処得設置処長一人承行政長官之命綜理各該処事務並指揮監督所轄機関事務及所屬職員、各処設主任秘書、秘書、科長、技正、技士、視察技佐、科員、弁事処承上官之命分司事務其員額另定之

八、行政長官公署設参事四人至八人

九、行政長官公署得置顧問、参議諮議等聘用人員十本大綱公布日施行

○台湾省行政長官公署主脳部人事

行政長官　陳　儀

行政長官公署秘書長　葛敬恩

秘書処長　銭宗起
民政処長　周一鶚
教育処長　趙廼傳
財政処長　張廷哲
農林処長　張蓮芳
工鉱処長　包可永
交通処長　徐學禹

(2) 八月下旬数名ノ米軍々人及中國軍人非公式ニ来台（状況偵察監視ノ任務？）

(3) 九月九日午前九時南京ニ於テ岡村将軍ハ何應欽トノ間ニ降書ニ調印台湾ヨリハ諫山台湾軍参謀長高雄警備府参謀副長、須田台湾總督府農商局長及民間人林献堂、許丙、辜振甫ノ三名ヲ派ス又南京ヨリノ招聘ニヨリ林献堂（前記）林呈録、羅萬俥、陳炘外三名ノ旧文化協會系統民間人ノ渡支アリ

(9)

(4)
(イ) 十月五日中國台湾省行政長官公署秘書長葛敬恩ハ中國前進指揮処主任トシテ顧問タル米国軍人数名ヲ含ム一行一一五名ヲ率イテ午后四時着台シ前總督官邸ヲ事務所トシ直チニ前進指揮処通告、進字第一号ヲ交付ス

（要旨）

1、陳儀上将着任前ハ一切ノ行政、司法、交通々信、教育ノ維持、継續命令

2、台銀券ハ引継キ流通許可ス

(ロ) 九部門ノ接收専門委員ヲ設ク（民政、教育、財政、農林、鉱工、交通、市政、新聞放送）

(5) 十月七日旧總督官邸ニ於テ台湾總督ニ対シ台湾省行政長官公署備忘録台政字第一号及第二号ヲ軍司令官ニ対シ台湾省警備司令備忘録軍字第一号及第二号ノ交付式ヲ挙行シ夫々手交ス

（要旨）

(一)

政字第一号

一、陳儀行政長官ハ蒋委員長ノ名ニヨリ台湾ノ領土人民其他一切ヲ接收ス

二、總督ハ爾今行政長官ノ一切ノ命令ヲ奉行シ所轄機関ノ履行事項ノ責ヲ負フベシ

三、總督ハ下記事項徹底実施方監督ノ責ヲ負ヒ本長官派遣員ノ接收ニ備フベシ

イ、凡ユル交通々信、生産、貯藏、文献、資料、研究ノ現状維持保存

ロ、現行警察ニヨル治安ノ良好ナル維持、日本官吏ハ現職ヲ保テ行政ヲ継續スベシ商工業ハ廃スベカラズ學校ハ授業ヲ停止スベカラズ

ハ、改姓名ノ許可停止

ニ、公私財産ノ轉移及賣買停止並公債社債ノ募集停止

四、總督ハ下記各項ノ調査書ヲ十日以内ニ完成提出スベシ

(11)

イ、総督府及所属機関ノ二十年度予算及実際収支概況
ロ、公営事業ノ機構分布資産業務状況
ハ、金融機構経営業務及分布
ニ、台湾銀行券発行状況ノ詳細
ホ、物価指示表
ヘ、政府投資事業状況
ト、右以下十八項目ニ亘ル産業行政教育等ニ関スル詳細ナル調査

（二）政字第二号

1、台湾幣制整理前ニ於テハ現行幣制ヲ援用ス
2、行政長官公署及前進指揮処ノ必要トスル資金ニ充テルタメ即時台銀券三千万円ヲ提出シ且ツ主任ノ必要ニ応ジ即時並随時提供スベシ

(16)

十月十一日財政接収専門委員ヨリ左ノ指命アリ

1、台湾銀行券ノ増発停止及貸出抑制
2、公立機関ノ予算外支出制限
3、官営事業ノ収支及専売品保管数量ノ週報提出

(7) 十月十三日前進指揮所布告台進字第二号交付
（要旨）
1、中華人民ハ日本人ノ公私財産ヲ買取ルベカラズ
政字第　号ヲ知ラズシテ八月十五日以後財産ヲ買取リ或ハ改姓名ヲナシ営業ヲナシタル者ハ速ニ申告シ現物ヲ元所有主ニ返還スベシ
2、日籍官民ハ法ヲ遵守シ法ニ抵触スル勿レ若シ犯行アルトキハ本人ノミナラズ累ヲ政府ニ及ボス
3、右遵守セヨコト、ニ布告ス

(8) 十月十六日？行政長官公署々員第二次二〇〇名着台

(9) 十月十七日　中国進駐軍約九〇〇〇人基隆上陸

(13)

(10)

前進指揮処布告台進字第三号

（要旨）

不法行為若発スルモ厳重ニ処置ス

1、台湾ノ主权ハ中国ニ接收セラレタルモ正式事務接收前ハ現存機関ニヨルモノナリ右ハ中国政府ノ命ニヨル執行ナルガ故ニ人民ハ遵守セヨ

2、台湾ニ在ル者互恵互助スベシ　有力者ハ指導ニ任ジ各地方実際ノ必要ニ応ジ必要限度内ノ地方服務隊ヲ編成シ軍警ト協力スベシ

3、日籍官吏ハ確実ニ責任ヲ以テ地方ノ治安維持ニ精励セヨ

4、日籍居留民ハ本処ノ命令布告ヲ遵守奉行セヨ中華軍民ニシテ濫リニ不法ヲ為ス者アルトキハ厳重ニ制裁ス

5、中華官憲ハ責任ヲ重ンジ忠実ニ服務スベシ不法行為ハ厳重処罰ス

(11)

十月十九日前進指揮処台進字第四号「公布」

（要旨）

國籍ノ如何ヲ問ハズ現行税則ニヨリ納税ノ義務アリ

(12) 十月廿二日?、中國進駐軍約八、〇〇〇名着台

(13) 十月廿四日 陳儀行政長官兼警備総司令以下勅任四、奏任四〇、判任一〇〇、警察二、〇〇〇名着台

(二) 接 收

(1) 十月廿五日前總督官邸ニ於テ受降式挙行セラレ陳儀ヨリ總督ニ対シ命令書第一号手交

（要旨）

1、支那派遣軍總司令官岡村大将ハ台湾澎湖島ニ在ル陸海軍ヲモ率ヒ何応欽ニ無條件降伏セリ

2、本官及本官ノ指定スル部隊及行政官ハ台湾澎湖島ノ地区ノ日本陸海空軍及其補助部隊ノ投降ヲ接受シ併セテ台湾澎湖列島

(15)

ノ領土、人民地权、軍政施設及資産ヲ接受ス

3、貴官ハ凡ユル台湾總督及第一〇方面軍司令官等ノ職权ハ一律ニ取消シ台湾地区日本官兵善後連絡部長ト改称シ本官ノ指揮ヲ受ケ属下ノ行政軍事等一切ノ機関部隊人員ニ関シテハ本官ノ命令訓令規定指示ヲ傳達スルノ外如何ナル命令ヲモ発スルヲ得ズ

貴下ノ部下ハ本官ノ指定シタル部隊長官及接收官吏ノ命令規定指示ノ傳達ヲ為シ得ルニ止リ自ラ恣ニ全テヲ処理スルヲ得ズ

4、貴下自身並ニ所属一切ノ行政軍事等ノ機関部隊人員ニ命シ直チニ迅速確実ニ何時ニテモ命ヲ待ツテ交替シ得ル如ク準備ヲ始ムベシ若シ移譲スベキ物件ニツキ不正アラバ必ズ糾明処断ス

5、以前ニ貴官ニ宛テタル各号ノ備忘録及前進指揮処主任葛敬恩

ノ発シタル文献ハ全テ本官ノ発シタル文献トス

(2) 同十月廿五日行政長官公署布告署秘第一号公布

（内容）

陳儀ヲ台湾行政長官ニ轉任ストノ國民政府ノ命ヲ受ケ且ツ同省印章一個ヲ接受セリ依テ十月廿五日ヨリ就任シ該印章ノ使用ヲ開始セリ

右全省人民全部ニ周知セシムル為特ニ通告ス

(3)

(イ) 十月廿八日　行政長官公署訓令処接第一号ニヨリ日本官兵善後連絡部長ニ対シ接收事務折衝責任者一名指定要求アリ

(ロ) 右ニ対シ台湾總督ハ總務長官成田一郎ヲ指定シ但シ内地出張中ニ付不在中須田一二三農商局長ヲシテ代理セシムル旨通報ス

(ハ) 十月三十日右ニ対シ行政長官公署ヨリ成田一郎ヲ日本官兵善後連絡部副部長ニ任命シ不在中須田一二三ヲシテ代理副部長タラシムト通達アリタリ

(4) 十月廿九日孫文追悼礼拝式上陳儀長官ハ台湾三大行政策トシテ民生向上、教育普及民意表明機関ノ創設ヲ言明ス

(5) 十二月一日台湾總督府、台北州、台北市及其他接收

イ、台湾總督府

(イ) 官房秘書官室、人事課、文書課及外事部ヲ除キ他ノ局部課ハ具体的ニ事務引継ノ形ニテ接收サル

(ロ) 接收図示

在来局部（旧日本側） 局部名	課名	新機関（中国側）	備考
官房	秘書官室		未接收
	人事課		
	文書課（審議係ヲ除ク）		
官房	文書課審議係	法制委員會	
法務部			
官房	情報課	宣傳委員會	

官房	地方監察課	民政処
文教局	援護課	民政処
警務局	衛生課	民政処
文教局	教学課	教育処
財務局		財政処 會計処
農商局	商政課	財政処
鉱工局		工鉱処
農商局（商政課ヲ除ク）		農林処
同局食糧部		農林処
警務局（衛生課ヲ除ク）		警務処
交通局		交通処
専売局		台湾省専売局
高等法院		台湾省法院

（ハ）職員ニ付テハ鉱工局長逓信部長鉄道部長、専売局長ヲ除クノ外各局部長ハ出勤ニ及バズト排除シ各課長以下ハ其ノ侭一応徴用使用セラル

2、台北州及台北市

（イ）台北州ハ州知事ヲ排除シ各部長ハ顧問トシ課長（警務課長高等課長ハ排除）以下ヲ使用

（ロ）台北市ハ市長ヲ排除シ助役ハ顧問トシ課長以下ヲ使用

3、其他接收セラレタルモノ

図書館、博物館、氣象台、糖業試験所、林業試験所、台湾新報社、台北放送局、同盟通信社、内地新聞在支局等

（6）十月廿八日従来未接收ナリシ總督官房　秘書官室、人事課、文書課及外事部接收サル

（19）

（乙）終戦後ノ一般概況

（一）政治

（1）中央行政

（イ）組織

國民政府行政院ニ隷屬スル行政長官ヲ長トスル台湾省行政長官公署ヲ中央行政廳トシ其ノ下ニ秘書処、民政処、財政処、農林処、工鉱処、交通処、警務処、會計処ヲ置キ別ニ行政長官ヲ輔佐シテ政務ヲ綜理シ且各処ノ監督ヲナス秘書長ヲ置ク

（ロ）運営

十月廿四日陳儀行政長官以下ノ台湾到着ニ依リ一応態勢ヲ整備シ翌廿五日ヨリ發足シ十一月一日台湾總督府各局部ノ具体的接收ヲ為シ従来ノ總督府課長以下ノ職員ヲ使用シテ（但シ其ノ後續々罷免セラレツヽアリト）運営ヲ開始ス

而シテ其ノ状況ヲ見ルニ十月廿九日孫文追悼礼拜式上陳儀長官ノ表明セル台湾三大行政策ナル民生向上、教育普及、民意

表明機関ノ創立スラモ未ダ其ノ実現ヲ見ズ概シテ行政能力薄弱ニシテ台湾省政府ニ対スル島民ノ信頼感ハ極メテ薄キモノノ如ク、台北地区駐在ノ米軍将校等ノ見解モ中国当局ノ無計画性ト遅々タル施策振リヲ指摘シ経済的ニ新タナル混乱ニ陥レル危険アリト見做シ国有財産等ノ接収スラ数年ヲ要スルモノト観測シ居ルモノヽ如シ

(2) 地方行政

(イ) 組織

従来ノ州、庁、郡、市、街、庄ヲ其ノ区劃ノ侭、県、特別市、郡、鎮、郷ト改称シテ行政ヲ実施ス

(ロ) 運営

台北州　台北市ハ十一月一日、他ハ十二月八日中国人ヲ長トスル接管委員会ニ依テ接収ヲ為シ其ノ長ニハ中国人及台湾民間人ノ登庸セル者ヲ充テ一般職員ハ大部分従来ノ職員ヲ使用

（但シ其ノ後續々罷免セラレツヽアル由）シツヽアリテ其ノ運営状況ハ無計画性ト施策ノ緩漫トニ依リ台湾人ノ信頼ヲ未ダ得ザルモノヽ如シ

（二）経済

(1) 金融通貨

日本銀行券ハ流通禁止セラレ（之ガ所有者ハ一年ノ定期預金ヲ為サシメラル）目下唯一ノ通貨ハ暫定的ナルモ台湾銀行券ノミ（但シ千円券ハ強制預金ヲ為サシメラル）ニシテ台銀券ト法幣及弗トノ交換ハ禁止セラレ曩ニ中国銀行ノ台湾進出ノ報アリタルモ設立準備中ニシテ新通貨モ目下上海ニ於テ印刷中ナリト

右交換禁止前ハ交換レートノ思惑ニ依ル金融不安アリタルモ現在ハ表面的ニ不安ナク法幣ハ戎克ニ依ル支那本土トノ密貿易ニ専ラ使用セラレ台北市大稲程（台湾人町）ニテハ秘カニ弗買ガ行ハレ居ル由ニシテ十一月頃ハ米貨一弗四十円乃至五十円ニ上

（23）

昇・十二月ニ入リテ大体日米取極メノ二倍即チ三十円ニ落付キ居ル由ナリ。又日銀券ト台銀券トノ市中闇取引ヲ見ルニ日銀券ノ流通禁止前ハ思惑不安ヲ含ミ日銀券一一五円＝台銀券一〇〇円ニシテ禁止以後ニ於テハ日銀券一、〇〇〇円＝台銀券八〇〇円乃至六〇〇円ニ下落セリト

而シテ流通々貨数量ハ終戦直後二九億円ナリシモ日銀券及千円券ノ強制定期預金額七億円ヲ差引キ現在通貨ハ二三億乃至二四億ニシテ一般企業停止シアル為梗塞状況ニアリ一応安定ノ体ナルモ極メテ薄弱ナル安定状態ナリ

地方銀行ハ僅カニ預金ノミヲ扱ヒ居レリ

（2）産　業

終戦後ノ産業事情極メテ不明確ニシテ在台日系事業ハ全部接收セラレタルモノノ如ク経営者、幹部ニ止マラズ技術労務者ヲモ台湾人ニ依リ運営セラルベシトノ論議横行ノ由ナルモ現実問題

トシテ事情再建ノ努力ハ邦人ノ力ニ俟ツモノ多大ナリト思料セラル

會社、工場等ハ何レモ中國側専門委員ノ管理ニ依リ操業ノ方針ナルモ現在操業シ居ルハ台湾拓殖、台湾電力、製糖工場、石炭、セメントノ如キ一部ノミナリト

尚十月浙江財閥ノ台湾進出ヲ許サザル旨ノ陳儀長官ノ声明アリタル由ナリ

(3) 物価及物資配給

生活必需物資配給機構ノ混乱、廃止ニ依リ物価ハ主要食糧ニツキ公定価格アルモ警察ノ無力ト相俟チ闇価格ヲ生ジ昇騰ノ一途ヲ辿リツヽアリ而シテ物価指数ハ終戦時ヲ基トシテ左ノ如シ(十一月末現在)

食糧品　一一・八

衣料品　一六・八

(25)

燃料	一一・〇
金属製品	二五・三
雑品	八・九
家賃	一・八

配給制度ハ全部撤廃セラレ米穀ニツキテモ南部地区米作不良ノ為絶対量ニ不足ヲ生ズル予想ニシテ之ガ価格ハ米一升二〇円ナリト

(三) 治安

終戦直後ハ全島民ヲ挙ゲテ呆然トシ只管静観ノ態度ヲ持シ居リタルモ日時ノ経過ニ伴ヒ台湾人ノ対内地人感情漸ク悪化シ新聞及各地ニ於テ結成セラレタル三民主義青年団、学生聯盟等ニ於テハ日本誹謗ノ論盛ニ行ハレ警察ノ無力ト相俟ッテ各地ニ暴行、強盗、強要、立退要求等頻発シ或ハ従来ノ警察署、警察官吏派出所ノ襲撃、或ハ會社工場団体ノ指導者ヲ殴打シ或ハ学生ハ登校セントスル内地人子弟ヲ殴打スル等ノ不詳事件相当発生シ学生々徒ノ登校不可能ト謂ハル。台北市大稲程（台湾人町）ノ邦人往来ハ危険ニシテ他町ニ於テモ一般ニ夜間ハ外出不能ナリト

（四）交通々信

台湾内ニ於ケル交通々信ハ接收セラレタル後従来ノ機関ニ依リテ行ハレ郵便切手等ハ新タニ特殊ノモノヲ印刷使用シ居レリト

但シ各県間ノ日本人ノ来往ハ原則トシテ禁止セラレ居ルト傳ヘラル

（五）教育

大学以下各学校ハ接收後其ノ校長ハ全部罷免セラレ国民学校モ内地人教員ハ殆ンド退職シ台湾人教員之ニ代レリ

文政系統ニ就テハ思ヒ切ッタル教授ノ整理ヲ実施シタル為専門学校ノ如キハ本邦人教師ハ二、三居ルノミニシテ事実上ハ休校同然ノ姿ナリト

各学校ニ於テハ使用語ハ暫定的ナルモ日本語ヲ使用シ居ルモ中國語科ヲ新設シ修身、歴史、地理ノ授業ヲ禁止セリ

（六）報導機関

放送局及從来台湾最大ノ報導機関タル台湾新報ハ十一月一日接收セラレ（新生報ナル名称ノ下ニ中國側報導紙ニ轉ズ）タルヲ初メトシ公私凡テノ報導機関ハ接收セラレ、内地報送ハ戰時中ヨリ輸送難ノ為ラヂオ部分品ノ欠乏ニ依リ聽取不能ニシテ台湾在住ノ本邦人ハ中國側政策下ニ於ケル報導ノミヲ耳ニスルノミニシテ不安焦燥ヲ感ジ居リタルヲ以テ前情報部職員ニヨリ本年一月ヨリ月刊雑誌「新声」ノ発行ヲ見タリ、其ノ掲載内容ハ中國ノ政策解説及日本ラヂオニユースノ轉載ニシテ本邦人唯一ノ日本語ニヨル刊行物ナリ

因ミニ新聞紙新生報ハ四頁ノ中一頁ヲ日本語版トナシ居ルモ内地ニユースヲ掲載セズ又記事内容ハ煽動的ナルモノ多ク反日的民情

ヲ刺戟シツヽアリ

(七) 本邦人ノ生活

(1) 概　況

一般邦人ノ生活ハ終戦後急激ナル変化ナカリシ為平穏ナリシモ其ノ後前述ノ如ク台湾人ノ対内地人感情悪化シ治安ノ乱レルニ伴ヒ生活ニ不安ヲ生ジ来タリ不動産ノ賣買ハ禁止セラレ、動産ノ賣買モ原則トシテ禁止セラレ居リ一方ニ於テハ配給制度廃止セラレ物価ノ昇騰止ル所ヲ知ラザル如キ様相ニ不安感増大シ殊ニ官吏ハ一部中国側ニ使用セラレ居ル者ヲ除キテハ収入ノ途絶エ所持品ノ賣却、労働等ニヨリ辛ウジテ生活シ續ケ居ルモ之亦漸ク行詰リ又商人モ終戦前ヨリ長期間商品ノ内地ヨリノ輸送杜絶シ居リシ為商品ノストック無キノミナラズ現地ノ対日感情悪化ノ結果原料ノ供給思ハシカラズ之亦窮境ニ在リト

(2) 援　護

(イ) 日本側ニ於テハ官公衙ハ勿論従来ノ援護會（前戦時援護會）等何レモ所管資金全部ヲ接收セラレタルヲ以テ公的援護ノ実施不可能ナルヲ以テ日本人會又ハ居留民會等ノ団体新設ニ依リ援護ヲ実施セントシタルモ中國側ニ於テ之ガ新設ヲ認メズ且ツ在台日本人ノ援護ハ中國側ニ於テ実施スレト称シ居ルモ未ダニ之ガ実行ナシト、依ッテ日本側ニ於テハ民間相互扶助的団体ノ統合ニ努メツヽアリト

(ロ) 従ッテ在留邦人ハ各自所持品ノ賣却又ハ古着ノ仲買或ハ他人ヨリノ借用等ニ依ル相互扶助或ハ労力提供等自力ニ依リテ辛ウジテ生活ヲ維持シツヽアル現状ニシテ援護ヲ要スル対象ハ急激ニ増加シツヽアル模様ナリ

(ハ) 本邦人ノ引揚

(1) 本邦人ノ生活前述ノ如クナルヲ以テ当初ノ平穏ナリシ際ニハ在留邦人四〇万（軍人軍属ヲ含マズ）中其ノ過半数ハ現地ニ相当

長期間残留ヲ希望シ居リタルモ漸次内地引揚ノ決意ヲ固メルニ至リ在留邦人殆ンド引揚グルニ至ル見透シナリ
而シテ引揚ニ関シ邦人間ニ論議セラレ居ルモ台湾省政府ハ邦人ヲ帰還セシムルヤ否ヤハ中国ノ問題ニシテ協力ヲ必要トスル者ハ其ノ意思如何ニ不拘之ヲ残留セシメ然ラザル者ニ付テハ其ノ意思如何ニ不拘之ヲ送還ストノ意思表示アリタル由ナリ

(2) 現在ノ引揚状況

(イ) 現在引揚ヲ実施シツヽアルハ中国側ノ軍人、軍属優先主義励行ニヨリ軍人軍属ノミニ限ラレ一月末ニ於ケル其ノ状況左ノ通ニシテ一般邦人ノ引揚ハ未ダ開始スルニ至ラズ（軍人軍属ノ引揚ハ十二月下旬ヨリ開始セラレタリ）

種別	在台数	引揚数	未引揚数
陸軍	約二〇〇、〇〇〇人	一四、三一五人	約一八五、六〇〇人
海軍	〃 三七、五〇〇	一、五二〇	〃 三六、〇〇〇

一般
〃四〇〇、〇〇〇
〃四〇〇、〇〇〇

(ロ) 現在引揚使用船舶（変動アリ）

艦種	隻数	収容力	備考
米艦	二	計四、〇〇〇人	臨時
海軍 軍艦	△三七	〃三九〇〇	△印ハ臨時
海軍 船舶	三	〃四、〇〇〇	
民船	三	〃九、〇〇〇	運営会
計	一八	二〇、九〇〇	

(ハ) 現在実施ノ軍人軍属ノ所持金品

(a) 所持金

軍属　一、〇〇〇円以下

将校（見習士官準士官ヲ含ム）　五〇〇円以下

下士官、兵　二〇〇円以下

(b) 携行品

1、蒲団、服三着、シャツ三着、靴二足、米六升、乾パン、砂糖（飯盒一杯）羊羹三本乃至四本（但シ米ハ最近ニ至リ中止サレ且右ノ許可アルモ事実上全部ハ携行不能ナリ）

2、國債ハ持帰リ金ト通算ノ上制限内ニテ許可

3、郵便貯金通帳

4、簡易生命保険証券、内地保険會社ノ発行シタル保険証券及内地ニ於テ発行サレタル銀行貯金通帳

但シ右ノ内2、3、4ニ就テハ台湾ニ於ケル中國取締軍隊ニ徹底シ居ラサルモノヽ如シ

（ニ）引揚者取締

台湾引揚出発時ニ於ケル中國軍隊ノ取締ハ極メテ厳重ニシテ襟ノ中等凡ソ紙幣、文書等ノ隠匿個所ト思ハルヽ個所ノ探査ハ徹底的ナリ

(3) 引揚ノ見透シ

（33）

現在ノ輸送状況ヲ以テ進行セバ引揚者全部ノ輸送完了ハ少ク共本年末迄ニ実現困難ナリト思料セラル、モ鹿児島駐屯米軍側ノ意嚮ニ依レバ一月末或ハ二月中旬迄ニLST四〇隻ヲ貸与シ台湾ヨリノ引揚用ニ充テ早急ニ之ガ完了ヲ期スル由ニシテ又台湾軍参謀長ヨリノ通報ニ依レバ現地ノ食糧事情漸次逼迫シツ、アル状況ニシテ目下一日九、〇〇〇名（基隆ヨリ五、〇〇〇名、高雄ヨリ四、〇〇〇名）ノ引揚計画ニテ聯合軍司令部及中國政府ニ交渉シツ、アルヲ以テ之ガ実現セバ相当進捗スルモノト予想セラル、由ナリ　尚今後右計画実現ノ暁ハ一般邦人ヲモ併行的ニ引揚実施セラル、予定ナリト

（4）引揚者ニ関スル問題

台湾ハ他地方ト異リ領有五十年以上ノ長期ニ亘リタル為在住者中ニハ其ノ故郷ニ既ニ縁故ナク従ッテ引揚グルモ行先ナキ者相当多数アリ之等ハ他地方ト同一ノ携行金品制限ヲ以テシテハ其

ノ引揚ハ、自殺行為ニ等シク而モ現地ノ情況ハ引揚ゲザルヲ得ザル状況ナル為之等ノ携行金品ノ制限緩和ハ引揚後ノ援護ト共ニ重大ナル問題ナリ

(九) 本邦人ノ処理機関

昭和二十年十二月下旬台湾省政府ニ於テハ本邦人ノ処理機関トシテ日僑管理委員會ヲ設ケ、同委員會ハ民政処所管ニシテ民政処長ヲ委員長トスル中國人官吏九名ノ委員ヲ以テ構成シ其ノ企画運営ヲ為スモ委員會ノ下ニ実行機関トシテ管理組、調査組、輸送組ノ三組ヲ設ケ各組ハ中國人ノ組長、副組長ノ下ニ日系官吏勅任以下事務官、属等二、三十名ヲ入レ実行ニ当ラシムルモノナリ

而シテ本委員會ハ発足後日浅キ為及企画運営ニ対スル日系官吏ノ発言权ナキ為未ダ其ノ活動軌道ニ乗リ居ラズト

(十) 台湾省政府ノ対日態度及状況

(1) 中國蒋介石主席ハ台湾省行政長官公署ノ人事ヲ特ニ重大視シ其

(35)

ノ主要幹部ニ付テハ慎重ナル態度ヲ以テ自ラ之ニ臨ミタリト謂ハレ派遣セラレタル主脳部ハ素質良好ナルモ下級官吏及軍人ニシテ素質ハ劣悪ニシテ主脳部ノ対日態度良好ナルモ下級者ノ実際的措置ハ必ズシモ然ラズ

台湾人スラ其ノ素質及態度ニ対シ落胆シ居レリト言ハル

(2) 右ハ良好ナル上層部ト劣悪ナル下層部トアリテ其ノ中間ニ存スベキ堅実ナル中堅層ナキヲ欠陥トストノ評専ラナル由ナリ

(3) 日系官吏ニシテ台湾省政府ニ使用セラレツヽアル者勘カラザルモ重要事項ニ就テハ勿論参画ヲ許サレズ而モ各行政庁ハ請負式ノモノニシテ全体的統一ナク綜合的行政ハ期待シ得ズ予算ノ如キモ綜合的見地ヨリ之ヲ編成スルコト不能ニシテ如斯状態ニテハ来年度予算ノ如キハ編成困難ニシテ日系官吏ハ協力ノ余地ナシト慨嘆シツヽアル由ナリ

(36)

五、結語

台湾ノ現状ノ真相ハ乏シキ情報（而モ之等情報ハ自己ノ苦心ヲ示サンガ為誇張セラレタルモノアルベク或ハ又反対ニ不必要ナル憂ヲ懸念シテ聴者ヲ楽観セシメントスル意思ノ加ハリタルモノアルベク或ハ又自己ノ周圍ノミノ極一部ノ状況ノミヲ以テ全般的情況ナリト速断セルモノモアルベシ）ヲ以テ軽々ニ判断スル事ハ危険ナルモ経済情勢ノ変化ハ政治力ノ薄弱ト相俟テ治安其ノ他各方面ニ於テ本邦人ノ生活ヲ益々圧迫シツヽアルモノト概観セラレ台湾ハ終戦當時ト著シク其ノ趣ヲ異ニスルニ至リタルコトヲ窺ヒ得ベシ

（終）

外九

1

報告二号　昭二一、三、七　鹿児島派遣員　奥山官補

中川大陸課長宛

三月六日附在外邦人部長宛七尺気電通リ台湾ヨリ邦人引揚ノ第一陣トシテ台中邦人中軍人軍属遺家族及留守家族タル者第二大隊、第一隊第一団二三〇名（男大人五一、小供三二、女大人九五 小人四二 団長石尾）同第二団三〇七名（男大人四二 小人五五 女大人七〇 小人四〇 団長我謝秀丈）ハ三月三日基隆発六日鹿児島入港ノ福江丸及海防艦第一五八号ニ夫々分乗同日直ニ上陸（両船共岸壁ニ横付ケセシメ上陸容易）高島屋宿舎ニ一泊ノ上翌七日中ニ全員引揚先ニ向ヒ出発セリ

尚台中ハ台湾全島中治安状況最モ悪キタメ邦人引揚順位ノ第一位トナリ同隊ヲ先発隊トシテ三月二〇日頃迄ニ約二万ノ邦人全部引揚終了スル予定ナリト云フ

尚我謝第二団長等ヨリ聴取セル終戦後ノ台中概況左ノ如シ

外務省

治安状況ハ終戦直後一時ハ良好ナリシモ、間モナク新聞紙上ニ比島ニ於ケル日本軍ガ台湾出身兵ヲ虐待セリトノ報導セラレ旁々華南ヨリ反日的色彩濃厚ナリシ又蔣渭川及林献堂ノ指導スル三民主義青年団員等ノ活動ニ依リ急速ニ悪化シ十一月中旬ヨリ十二月中旬ニカケ暴行事件特ニ軍人ニ対スルモノ頻発セリ（一般人ニ対スル暴行ハ殆ンド全部台中市ノ学生聯盟ニ依ル、此ノタメ各学校日本人生徒ノ登校不能トナリ現在辛ウジテ授業ヲ開始シ居レルハ台中一中ノミナリ）但シ一般台湾人ノ暴行ノ動機ハ日本人ニ対スル民族的反感トイフヨリハ寧ロ従来ノ圧制者ニ対スル怨恨ヲ終戦ニ際スル混乱ニ乗シテ晴ラサントスル報復ノ念ニ出デ此ノタメ暴行ノ対象ハ必ズシモ日本人ノミニ限ラズ附ニ台湾本島人ニモ及セラレノミナラズ、又此ノ治安ノ悪化ニ対シ食糧価格ノ高騰ニヨル生活困難ガ拍車ヲカケタルコトモ実ニシテ例ヘバ製糖会社附近ニ居住スル貧民群ガ米価高騰ノタメ徒党ヲ組ミ顔ニ墨ヲ塗リ拳銃ヲ擬シテ日本人営業家ヲ襲ヒ財貨ヲ掠奪セル事件屡々起リ

外務省

終戦后治安ノ維持ニ当リタル直後暫クノ期間中国側ノ要求ニヨリ日本憲兵一万名ガ応援セル外、同憲兵モ漸次威厳ヲ失ヒタル後ハ専ラ中国側ニ留用サレタル日本警察官ナリ。十一月中旬中日軍ガ進駐セルモ中日軍ト本島人トノ折合悪ク必要ノ干渉ヲ見ルコトナカリシ所ナリ（中日軍ト本島人トノ折合悪キハ全島ノ一般的現象ニシテ右ハ進駐軍ヨリ見テ視為サレシハ本島人ノ意識ニ因ルモノナリト）

終戦后商品豊富ニ市場ニ出現セルモ物価昂騰シ殊ニ米ノ如キハ異常昂騰シ貿易局ニ於テ砂糖ヲ中日東北ヘ輸出シ見返リトシテ米ノ輸入ヲ講セシモ船舶不足ノタメ之ガ効果ヲ発揮シ得ズ米一斗約五百円ニ達セリ（通貨ハ依然台銀券ガ流通シ居レリ）

邦人ハ旧年十二月二十五日迄ハ官職ヲ維持シ居タルモ同日以後留用特殊技術者及其ノ家人ヲ除ク外ハ重要ナル部署ニ在ル者ヲ除キ官公吏、大会社々員等ハ一斉ニ失職シ、又同時期頃ヨリ個人商店等モ個人的都合ニ依リ接収セ

4

遂ニ収入杜絶スル者漸次増加シ一部ハ上海ニ於ケルカ如ク飲食店等ヲ営ムモノモ多クハ専ラ家財ノ売却ニ依リ生計ヲ樹テ物価高ト相俟ツテ窮乏スル者モ相当現ハレタルハ之等窮乏者ニ対シテハ日僑互助会ニ依ル救済及早急送還ノ措置アリ、尚日本人自治組織トシテハ天津居留民団等ヲ母体トスル日僑管理委員会ヲ設立セル種々活動シ居レリ、

有力者中ニハ残留希望者若干アリタルモ一般ニ子供ノ教育上ヨリ殆ンド全部帰国ヲ希望シ居ルガ如シ、尚残留希望者トシテハ若干ノ[illegible]用語者或ハ二十年以上ノ居住者タル条件ヲ掲ゲテ居レリ

引揚ニ際シ携帯許可セラレル物ノ種類次ノ如シ

現金千円、服ノ夏冬各三、布団二、毛布二、時計一、万年筆一、オーバー一、レインコート一、靴三、シャツ三、サルマタ三、其他適当量ノ食糧品、雑貨

尚制限ナカリシモ債券ハ凡テ没収セラレタリ

以上

尚本件ニ付別途名簿中報告洩レノ警察官ノ分ニ追報ス

署長 鈴木政一郎 外十八名

外務省

報告三号　　　　昭二十一、三、八　　同人

三月六日発電通り三月四日名瀬発同十二日鹿児島ニ入港セル艦ニテ
台中日本人会為送還事務及留守宅三〇三名（男一二八　女一七五、大小人ノ区別ハ時間
ナク調査不能）内ハ職務関係ニテ入院セル者一（乃木孝藤井喜一）及石垣島ノ
在留帰還希望者八〇名（男大人四二 小人一〇　女大人三二 小人六）暁口ニテ高島丸宿舎ニ一泊
上出発セリ

石垣島状況左ノ通
八重山島ハ終戦後ハ軍政府長官ハ「ファーバー」中佐ノ麾下ニ在リ、凡テ
軍政府指示ノ下ニ行政ヲ執行ヲ担当シツツアル所、右ヲ構成セル官吏ハ大部分
島民ヨリ選出セル居リ
食糧ニ窮シテハ大島ノ如キニテ生産カナク且手持食糧僅カナルニハ非ズ、昨年
島民ノ九五％近マラリヤニ罹病シ漁業者殆ンド手ヲ休セルタメ幽霧

甚タシク、加之目下迄宮古島ヨリノ移入絶無ニシテ辛ジテ宮古島ヨリハ[illegible]
制ニテ芋等ヲ輸移入シ居ルモ之モ極[illegible]ニテ島民ハ収穫期ニ至ラザ
ル芋ヲ掘出シ食シ居ル状態ナリ
尚一月米口糧ガ入リ華店又米ノ支給ヲ受ケタルモ物価ハ依然
米一升六七十円、芋一斤五円六円昨年十月二十五日以来ニ騰貴シ
タル今ハ陳情金ヨリノ外ニ是ヲ不可能ナルタメ購入困難ナリ
尚本土帰還希望者ハ各々個人的ニ帰国証明書ノ下附ヲ受ケ帰
還シ得ル由ニテ乃帰ルニ当リテハ荷物ハ二ケニ制限セラレアリ
以上

外務省

報告要旨　　昭二一、三、二一

鹿児島派遣員　奥山官補

中川大陸課長殿

昨九日附在台邦人部長宛電報ノ通三月八日基隆ヨリ樫ニ搭セリ、乗船者ハ新竹ノ要人遺族及留守家族三六七名（男一四四、女二二三、小人九六）及廃人五名引率者猪股（　）ニシテ同日上陸高島屋旅館ニ入レリ

新竹ノ概況ハ台湾報告第二号ニテ申進セル台中状況ト略同様ニシテ右ハ台湾全島ニ当嵌ルモノト云ヒ得ヘシ

唯台湾日僑管理委員会ノ性格ニ付前記報告ニ於テハ邦人ノ自治組織トセラレタルモ今次引揚者ノ言ニ依レハ若ハ邦人ヲ会長トナスモ構成委員ハ中国人半々ニシテ寧ロ自治組織ニアラスシテ上海ノ日僑管理所ト自治命令下ヲ執務シタル如キモノニテ邦人引揚事業ハ同委員会ニ於テ処理シ居

ル模様ナリ。

尚今后台湾邦人引揚状況ニ関シテハ特別ノ情報ナキ限リ電報ニテ計数等ヲ報告スルノ外重復的文書報告ハ之ヲ省略スルコト致度

外務省

總、南方保存

昭和二十一年三月

外地概況調査

管理局總務部

外地概況調査

目次

三、豫算關係

A、本年度ノ豫算的緊急措置

B、二十一年度豫算

四、終戰後各外地ニ關シ閣議決定ヲ經タル事項並「マ」司令部ノ指令項目

五、各外地ニ於テ終戰時及終戰後採リタル措置

六、各外地關係ノ議會答辯資料

七、戰前ニ於ケル朝鮮人、台湾人處遇問題關係書類

八、各外地ノ經済的對日寄與（常識的結論ヲ得ルコト）

九、各外地關係主要外廓団体

一〇、内地在住各外地關係有力者調（主トシテ勅任級以上）

臺湾関係

目次

七、戰前ニ於ケル臺灣人處遇問題關係書類（別冊）
八、臺灣ノ經濟的對日寄與
九、臺灣關係主要外廓團體
一〇、内地在住臺灣關係有力者調

一、終戦時ニ於ケル行政機構一覧表

- 總督官房
  - 秘書官室
  - 人事課
  - 文書課
  - 審議室
  - 地方監察課
  - 情報課
  - 統計課
  - 東京出張所
- 文教局
  - 庶務係
  - 教学課
  - 援護課
  - 台湾神社臨時造営事務局（一）
  - 国民精神研究所（一）
  - 博物館（一）
  - 工業技術練習生養成所（一）
- 財務局
  - 庶務係
  - 主計課
  - 税務課
  - 金融課
  - 会計課
  - 営繕課
  - 獣疫血清製造所（一）
  - 水産物検査所（七）
  - 植物検査所（一）―分所（六）―派出所（四）
  - 種苗養成所（三）

八

- 鉱工局
  - 總務係
  - 国民動員課
  - 工業課
  - 鉱務課
  - 電力課
  - 土木課
- 農商局
  - 庶務係
  - 農務課
  - 耕地課
  - 山林課
  - 水産課
  - 商政課
  - 高粱種苗養成所（三）
  - 茶業伝習所
  - 養蚕所（二）―出張所（三）
  - 肥料検査所（二）―出張所（五）
  - 産業館
  - 経済事務所（三）
  - 貿易〃（二）
  - 棉作指導所（三）
  - 種馬所（二）
  - 種畜牧場（三）
  - 蓖麻種子育成所（二）
  - 拓土道場（二）
  - 薬用作物種苗養成所（二）
  - 蔬菜採種場（二）
  - 熱地農業技術練成所（三）
  - 食糧部
    - 總務課
    - 米穀課
    - 食品課
    - 食糧事務所（八）―出張所（一三）

八〇

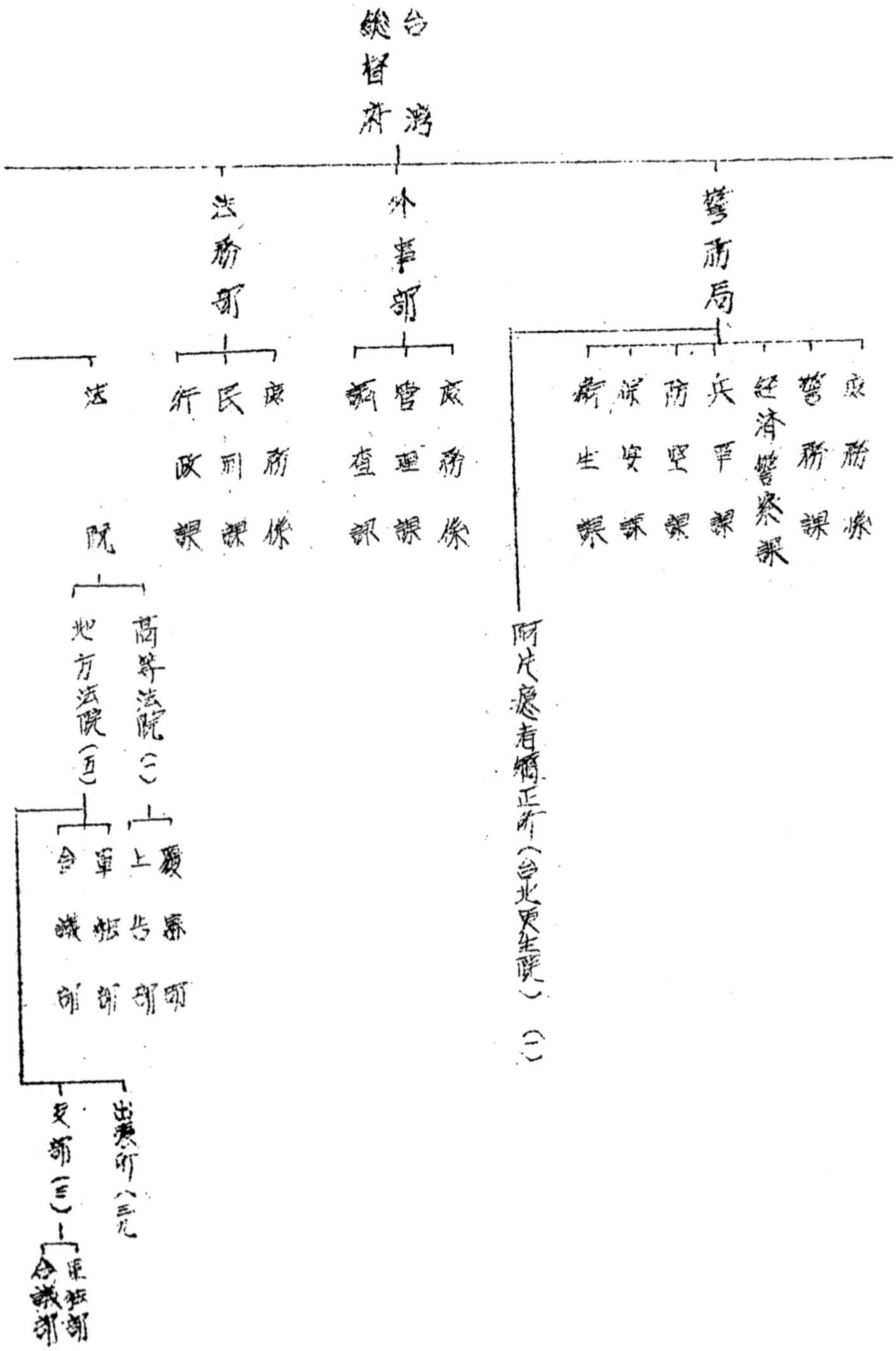

台湾総督府
法務部
外事部
警務局
法院
庶務係
民刑課
行政課
庶務係
管理課
審査課
庶務係
警務課
経済警察課
兵事課
防空課
保安課
衛生課
高等法院(三)
地方法院(五)
覆審部
上告部
単独部
合議部
出張所(三九)
支部(三)
単独部
合議部
阿片癮者矯正所(台北更生院)(三)

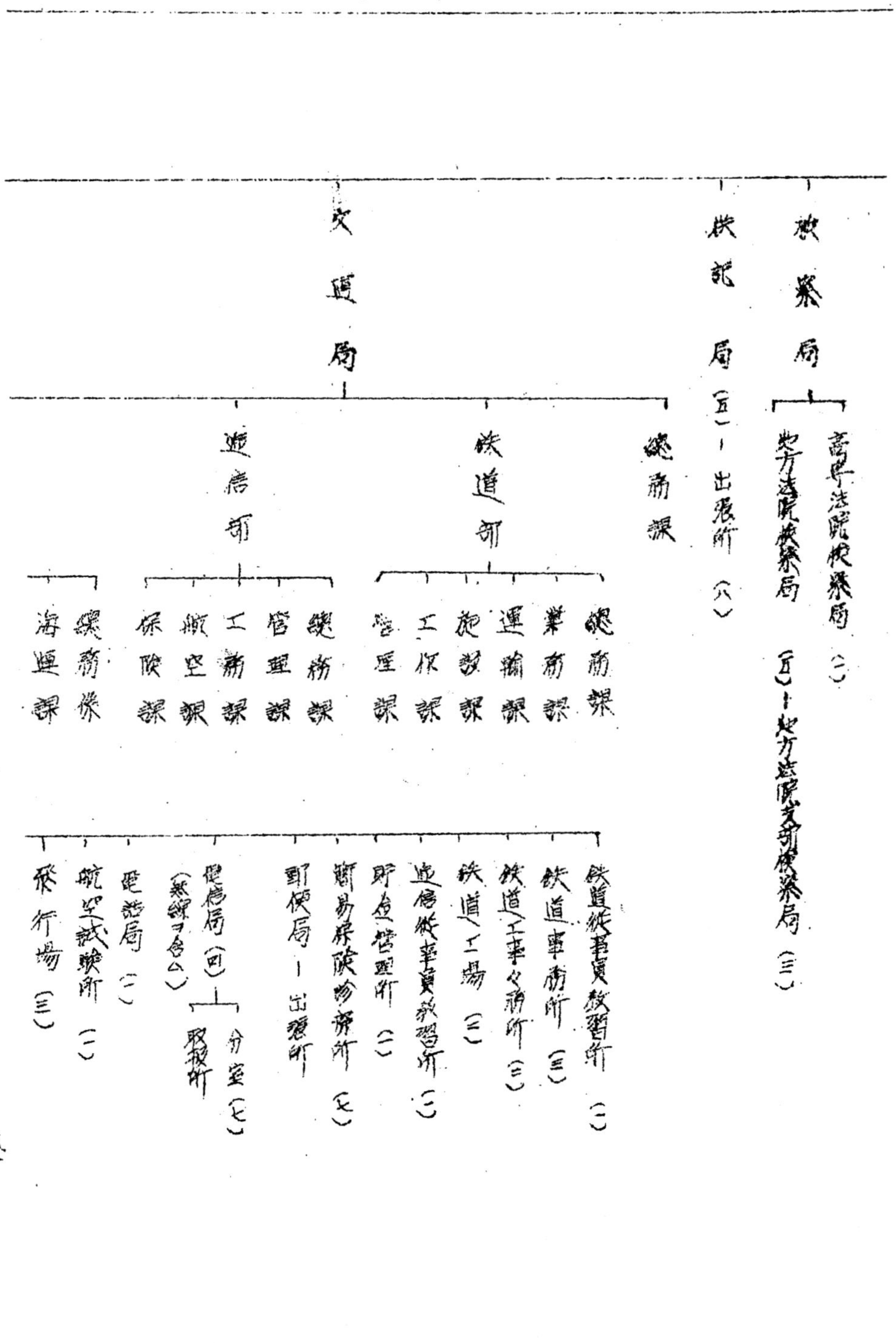

検察局
高等法院検察局（一）
地方法院検察局（五）―地方法院支部検察局（三）
鉄記局（五）―出張所（八）
交通局
総務課
鉄道部
総務課
業務課
運輸課
施設課
工作課
監理課
逓信部
総務課
管理課
工務課
航空課
保険課
総務係
海運課
鉄道従事員教習所（一）
鉄道事務所（三）
鉄道工事々務所（三）
鉄道工場（三）
逓信従事員教習所（一）
貯金管理所（一）
簡易保険診療所（七）
郵便局―出張所
電信局（四）（無線ヲ含ム）
分室（七）
取扱所
電話局（一）
航空試験所（一）
飛行場（三）

九一

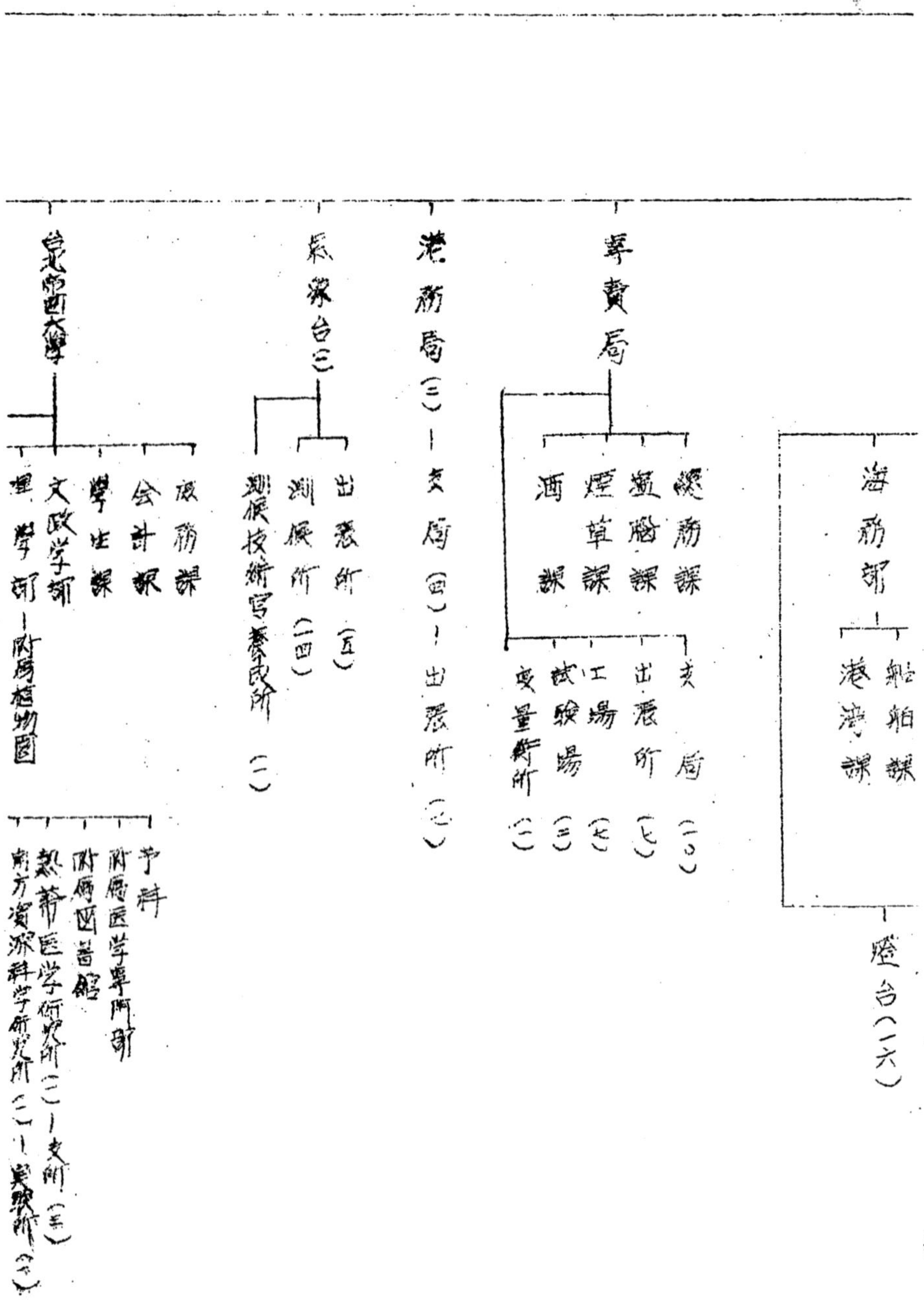
海務部
船舶課
港湾課
燈台（一六）
専売局
総務課
塩脳課
煙草課
酒課
支局（一〇）
出張所（七）
工場（七）
試験場（三）
度量衡所（一）
港務局（三）
支局（四）
出張所（七）
気象台（三）
出張所（五）
測候所（一四）
測候技術官養成所（一）
台北帝国大学
庶務課
会計課
学生課
文政学部
理学部
附属植物園
予科
附属医学専門部
附属図書館
熱帯医学研究所（三）
支所（三）
南方資源科学研究所（二）
実験所（一）

- 農学部－附属農場
- 医学部－附属病院
- 工業部
- 南方人文研究所（三）

所属官署

- 台北経済専門学校（三）
- 台南工業専門学校（二）
- 台中農林専門学校（三）
- 台北高等学校（二）－臨時教員養成所（三）
- 青年師範学校（三）
- 師範学校（三）－附属国民学校（七）
- 図書館（府立二）
- 少年教護院（三）（成徳学院）
- 医院（一二）－分院（二）
- 結核療養所（三）（松山療養所）
- 癩療養所（三）（楽生院）

- 精神病院（二）（養神院）
- 監獄（刑務所）（四）― 分監（支所）（四）
  （少年刑務所ヲ含ム）
- 農業試験所
  - 園芸試験支所（一）
  - 茶業 〃（一）
  - 紅茶 〃（一）
  - 農業 〃（一）
  - 畜産 〃（二）
  - 熱帯園芸 〃（一）
  - 〃 農業 〃（一）
- 林業試験所（一）― 支所（四）
- 工業試験所（二）
- 糖業試験所（二）
- 天然瓦斯研究所（二）
- 水産試験所（二）― 支所（二）
- 警察官及司獄官練習所（一）

青年特別中央錬成所（二）

官幣大社台湾神社

官幣中社台南〃

国幣小社（二）

州

知事官房

総務部

産業部

警察部

警察署（一五）

消防署（四）

税務出張所

農事試験場

水産〃

種畜場

市役所

公立国民学校—分教場

公立幼稚園

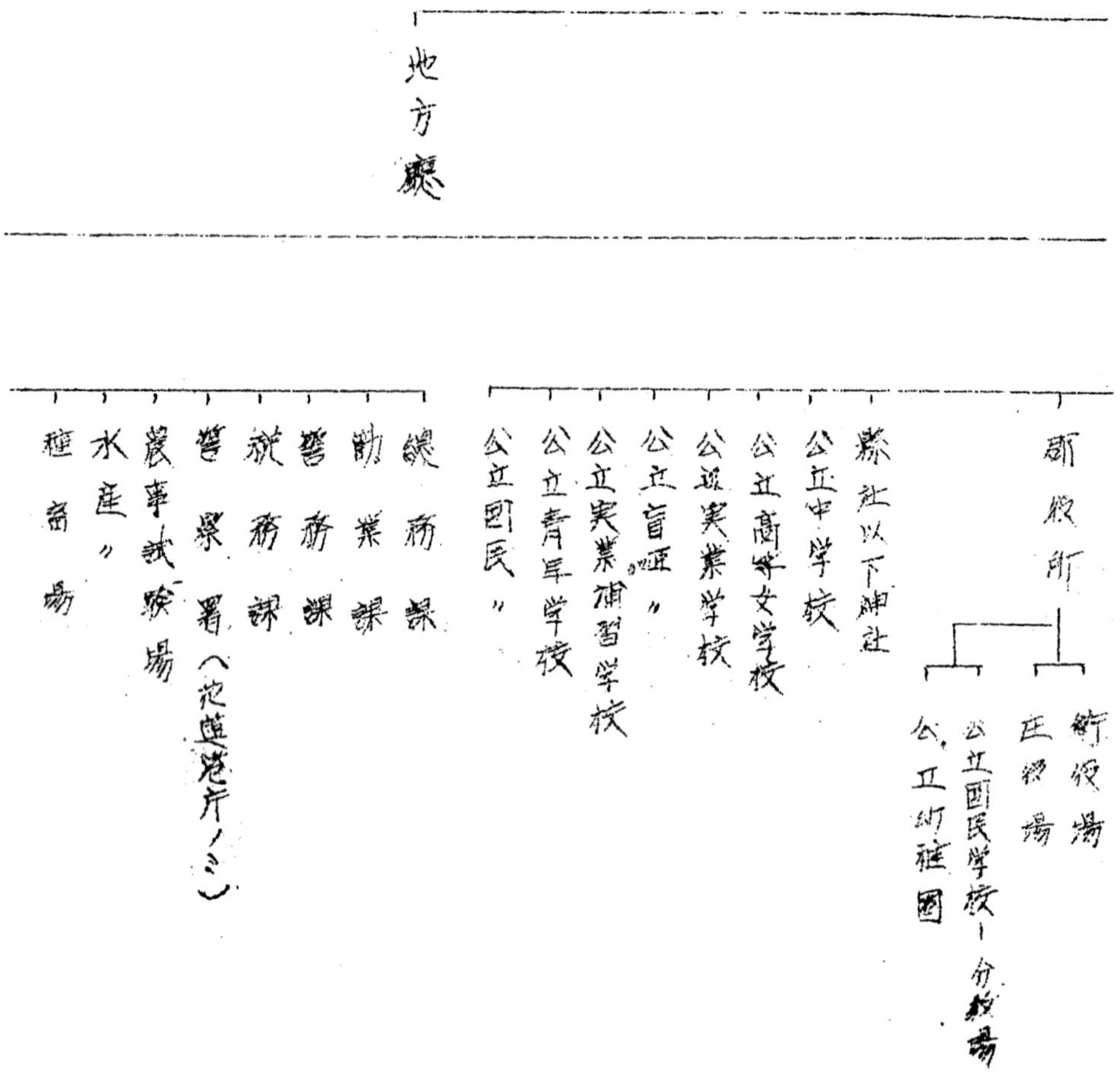
地方廳
郡役所
街役場
庄役場
公立国民学校
分教場
公立幼稚園
縣社以下神社
公立中学校
公立高等女学校
公立実業学校
公立盲唖〃
公立実業補習学校
公立青年学校
公立国民〃
總務課
勧業課
警務課
税務課
警察署（花蓮港庁ノミ）
農事試験場
水産〃
種畜場

九六

- 総
  - 市役所（花蓮港ノミ）
    - 公立国民学校ー分教場
    - 公立幼稚園
  - 郡役所
    - 街役場
    - 庄〃
    - （澎湖庁ヲ除ク）
      - 公立国民学校ー分教場
      - 公立幼稚園
  - 支庁（澎湖庁ノミ）
  - 街役場（〃）
  - 庄役場（〃）
  - 縣社以下神社
  - 公立中學校
  - 公立高等女學校
  - 公立実業学校
  - 公立実業補習学校
  - 公立青年学校
  - 公立国民学校ー分教場
  - 公立幼稚園

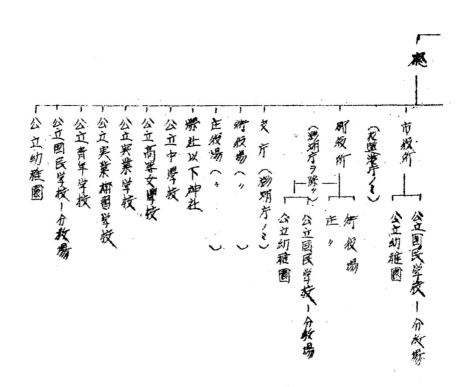

二、職員関係

A 終戦時ニ於ケル官制員数

終戦後内台間ノ連絡杜絶セルト戦時中ニ於ケル台湾総督府東京出張所ノ焼失程於トニ依リ詳細ナル調査資料ナク左ニ昭和二十年九月一日現在ノ調査表ヲ掲グ

(1) 総数

官別	総数	内訳 国庫 総督府	所属官署	州	庁	州庁費 州	庁	市費 市役所	街庄費 街庄役場
勅任官	一一〇	一一	九二	七	―	―	―	―	―
奏任官	二、〇七〇	二四〇	七五四	五五六	一四七	四二三	二七	二三	―
奏任待遇	一五六	六	一〇	一	―	三	―	―	一三六
判任官	二〇、九四九	一、二六〇	四、一七三	四、〇九六	四三六	一〇、一九三	六七八	七四	―
判任待遇	一〇、八八六	五二	九四二	六、三四〇	一、二三〇	二、一七八	五八	―	一二六

九八

	総数	総督府	所属官署	州	庁	州費 州	庁費 庁	市費 市役所	街庄費 街庄役場
吏員	六、一八三	—	—	二	一	一八七	三五	一、〇四六	四、九二二
嘱託	二、四五九	二二三	五九三	四一三	七九	二四五	四八	九三	六六五
雇	三八、三六九	二、二〇四	一四、八二五	二、三一〇	一、〇二七	八、二七二	五一九	二、二三八	七、八三四
事務傭	六、四五七	二七四	二四六	三六四	五一	二九二	三〇	八三	六、〇一七
其他ノ傭	三二、六七二	一、一二九	二三、六五六	五八二	一六六	一、三〇三	二〇一	二、五一七	三、一一三
計	一一七、二三一	五、三八九	四五、二九〇	一四、六三一	三、〇三七	二三、二九六	一、五八六	六、〇六九	一七、九二四

(乙) 内台人別内訳（右側ハ内地人ヲ左側ハ台湾人ヲ示ス）

官別		内台人別総数	内訳 国庫 総督府	内訳 国庫 所属官署	内訳 国庫 州	内訳 国庫 庁	州費 州	庁費 庁	市費 市役所	街庄費 街庄役場
勅任官	内	一〇九	二	九一	七	—	—	—	—	—
	台	一	—	一	—	—	—	—	—	—
奏任官	内	二、〇四三	二三八	七三七	五五二	四七	四一九	二七	二三	—
	台	二七	二	一七	四	—	四	—	—	—

八九

奏任官待遇 内	奏任官待遇 台	判任官 内	判任官 台	判任官待遇 内	判任官待遇 台	吏員 内	吏員 台	嘱託 内	嘱託 台	雇 内	雇 台	事務傭 内	事務傭 台	其他ノ傭 内	其他ノ傭 台	計 内	計 台
一三七	二四	一七、二三六	三、六七三	五、七〇九	五、一七七	九六五	五、二一八	一、五四一	九一八	一一、八八八	二七、四四一	一七八	二、二七九	二、二一四	三〇、四五八	四二、〇一五	七五、二一六
一六		一、一七九	八一	四七	五	〃		二一〇	一三	一、四六〇	七四四	三三	二四一	六一	一、〇六八	三、四二五	二、一五四
二八		三、八五九	三一二	四七五	四六七	〃		五一六	七七	七、二一〇	七、七一五	六二	一八四	一、五七五	二三、〇八一	一四、四三三	三〇、八五七
一一		三、六八七	四〇九	三、八一五	二、四八五	一二		三三五	八八	六二〇	一、六九〇	二八	三三六	三一	五五一	九、〇六八	五五六三
〃		四一七	一九	八六〇	三七〇	一一		六九	一〇	二八二	七四五	六	四五	五七	一一三	一、七三五	一、三〇二
一三		七、四八七	二、七〇六	四一五	一、七六三	九三	九四	二三六	一〇九	一、四三〇	六、八四二	二〇	三七二	一〇三	一、二〇〇	一〇、二〇六	一三、〇九〇
〃		五五五	一二三	一三	四五	六	一九	二四	一四	一四九	三七〇	八	二二	四五	一五六	八三七	七四九
〃		五二	二二	〃		六三八	四〇八	七三	二〇	七〇八	一、五三〇	八	七五	二五五	二、二五七	一、七五七	四、三一二
一一四	二二	〃		八四	四	二三五	四、六九七	七八	五八七	二二九	七、八〇五	一三	一、〇〇四	九一	三、〇三二	七三四	一七、一八九

B、既帰還者数（三月五日現在数）

台湾ヨリ目下引揚中ノモノハ復員軍人ノミニシテ未ダ職員ニシテ引揚ダル者ナク僅カニ復員セル職員及特殊事情ノ為内地在住ヲ余儀ナ

クセラレタル者等左ノ通ナリ（但シ旅券ヨリ台湾総督府東京出張所ニ勤務中ノ職員大二名ヲ除ク）

復員軍人トシテ引揚タルモノ　一

復員セルモノ　一〇一

終戦当時内地ニ在リシモノ　三

終戦后連絡ノ為内地出張ノ儘帰台不能トナリ在京中ノモノ　四

其ノ他　一

(C)　台湾ニ於ケル残留官吏ノ現状

(1)　昭和二十年十月二十四日台湾省行政長官陳儀着台シ十一月一日中央行政機関及台北州、台北市ヲ地方行政機関ニ対テハ十二月八日中国人ヲ長トスル接管委員会ニ依リテ何レモ接収セラレ台湾総督府ニ於テハ鉱工局長、鉄道部長、逓信部長、専売局長ノ徴用

五一

ヲ除キ各局部長以上首脳部ハ罷免セラレ（徴農商局長ハ日僑管 一三
理委員会ニ徴用セラル）課長ニ在リテハ警務局、外事局ノ課長
ヲ除キ全員、事務官ニ在リテハ其ノ殆ンド全員、判任官ニ在リ
テハ其ノ約六割ヲ徴用セラル
地方庁ニ於テハ州ニ在リテハ知事、三部長（但シ台中州警務部長
ヲ除ク）庁ニ在リテハ庁長、四課長ハ顧問トシテ、以下職員ノ
約半数ハ徴用セラレ居リ又郡守及第一線警察官ハ徴用セラレ居
ルモ本邦人街庄長ハ全部罷免セラル
市ニ於テハ市長、助役ハ罷免セラレ課長以下職員ノ大半ハ徴用
セラレ居レリ
而シテ右被徴用職員ハ何レモ決定権ナキハ勿論積極的発言権モ
ナク事務補助者又ハ実行担任者タルニ過ギズ中国側ノ人員整備
ト共ニ爾後続々罷免セラレツヽアル現状ナリ（本年二月下旬台
湾ヨリ帰還者ノ伝フル処ニ依レバ警察官ニ於テハ已ニ極少数ノ

者ヲ除キ罷免セラレタリト）但シ中国側ニ於テ使用セル日系官吏ハ毎月

勅任		一、〇〇〇円
奏任	甲	七五〇
	乙	六五〇
	丙	五五〇
判任	甲	五〇〇（五級俸以上ノ者）
	乙	四〇〇（六級俸以下ノ者）
雇員		三〇〇
傭員		二〇〇

ノ生活手当ヲ支給セラレ諸物価昂騰ノ折柄比較的生活ノ安定ヲ得居ルモ徴用セラレザル日系官吏ハ官吏トシテノ収入ノ途ナク自己所持品ノ売払ヒ、古物商、小運送労務、露店商等ニ依リ辛ジテ生計ヲ営ミ居ル現状ニシテ物価ノ暴騰、本島人ノ対内地人

一三三

売惜ミ、不買等ニ依リ窮乏看過シ難キモノアリ

一四

(2) 中国側ニ徴用セラレ居ル日系官吏ノ中特異ノ存在トシテ財政処企画課所属ノ日系官吏アリ右ハ台湾総督府書記官（財務局主計課長）塩見俊二、事務官中原武夫、青木親二、青柳克己ノ四名ニシテ曩ニ終戦直後総督府ニ臨時設置セラレタル終戦処理事務局企画部企画課ニ所属シ居リタルヲ財政処企画課ニ所属セシメラレタルモノニシテ現在台湾財政経済ノ統計書ノ編纂ニ従事セシメラレツヽアリ

(3) 昭和二十年十二月下旬台湾省政府ハ本邦人ノ処理機関トシテ在台邦人ノ管理、送還事務ヲ執行スル為日僑管理委員会ヲ設ケ民政処長ヲ長トシ中国人官吏九名ヲ以テ構成シ企画運営ス 実行機関トシテ管理、調査、輸送ノ三組ヲ設ケ現在日系勅任官吏ヲ組長、副組長トシ書記官以下二、三十名ヲ以テ実行ニ当ラシメ居ルモ日系官吏ノ発言権ナク委員会ノ決定事項ヲ実施スル担当者

タルニ過ギズ（之ガ運営モ未ダ軌道ニ乗リ居ラザルモ今後組長、副組長ハ中國人官吏ヲ充ツルモノト予想セラル）

日僑管理委員會
（委員長、民政処長）
中國人委員九名

管理組
組長　須田一二三（農商局長）
副組長　赤田毅介（鉱工〃）
組員　鈴木信太郎（官房文書課長）
〃　大西周夫（総督府書記官）

調査組
組長　赤田毅介
組員　満富俊美（鉱工局国民動員課長）
〃　鈴木斗人（警務局警務課長）

輸送組
組長　武部英二（交通局鉄道部長）
組員　藤垣敏治（鉄道局総務課長）
丹津敏行（〃業務課長）

組員　菊竹　七　部（海務部 海運課長）一呉

右以外ニ総督府事務官河村尚平、加藤善久二、木下謙悪、安山達雄、吉岡由吉、池尻理事官、田宮元台北市助役及嘱十数名アリ、

D. 幹部職員ノ消息

終戦時ニ比シ治安状況漸次悪化シ官吏ニ対スル殴打事件等相当発生セルモ主要幹部ニ対スル致命的不祥事件ハ未ダ発生セズ主要幹部ハ比較的平穏ニ過シツヽアリ

(1) 総督府関係

(イ) 総督

昭和二十年十月二十五日台湾省行政長官陳儀ヨリ手交セラレタル命令書第一號ニヨリ総督ノ名称、權限一切ヲ停止セラレ台湾地区日本官兵善後連絡部長ト改称セシメラレ軟禁状態ノミニ当リ台北市内旧軍司令官官邸ニ在住セリ

(四) 總務長官

昭和二十年九月二十日終戰事務連絡ノ為一週間ノ予定ヲ以テ急遽空路上京シ同月二十六日帰台スベキ処同日発セラレタル「日本軍人及官吏ノ内外地間来往禁止」ノ聯合軍指令ニ依リ帰台不能トナリ其ノ後中国側ノ台湾進駐ニ伴ヒ台湾地区接收ノ日本側責任者トシテ中国側当局ノ帰台要請アリテ聯合軍司令部及中国政府ノ許可ヲ得十一月二十日帰台セントシタル当日中国政府ノ飛行禁止命令ニ依ル飛行機飛不能ナリシ為未ダ在京中ニシテ台湾地区日本官兵善後連絡部副部長タリ

(八) 局部長

昭和二十年十一月一日總督府ノ接收ニヨリ罷免セラレタルモ農商局長、鉱工局長、鉄道部長、逓信部長及専売局長ノミハ台湾省政府ニ徴用セラレ事務補助者トシテ出仕シ居リ其ノ他ノ局部長ニ在リテモ何レモ健在ナリ

一〇七

(2) 地方庁

昭和二十年十一月一日及十二月八日接収セラレ州知事、三部長庁長及四課長ハ何レモ顧問トシテ徴用セラレ補助的地位ニ在リ現在ナリ　尚郡守ハ補助者トシテ徴用セラレアルモ街庄長タル邦人ハ何レモ罷免セラレタリ

(3) 市

同ジク昭和二十年十一月二日及十二月八日接収セラレ市長及助役ハ罷免セラル

六、予算関係

(A) 本年度予算的緊急措置

(イ) 外務省所管一般会計第二予備金支出（昭二〇、一一、一閣裁）

地域事務応急処理費　一五〇、〇〇〇円

終戦ニ伴ヒ内台間ノ連絡杜絶シ且中国側ノ接収ニ因リ爾後経費

支出ノ方途ナキニ至レル為台湾総督府東京出張所維持其ノ他ノ経費トシテ自二十一年一月至二十一年三月三ケ月分ヲ外務省所管一般会計第一予備金ヨリ支出ス

(2) 外務省所管一般会計予備金外支出要求

地域事務応急処理費　一八〇、〇〇〇円

退職官員並傭員帰還職員ニ対スル諸給与其ノ他ニ要スル経費トシテ目下予算要求中ナリ（三月六日閣議決定ス）

(B) 二十一年度予算

二十一年度予算要求左ノ通リ

事項	金額
一、引揚職員ノ俸給其ノ他諸手当支給ニ要スル経費	一五一、四一九、〇〇〇円
(イ) 在台期間ニ於ケル引揚職員諸給与ニ関スル経費	五三、五八五、〇〇〇
(ロ) 引揚後ニ於ケル引揚職員諸給与ニ ノ	九七、八三四、〇〇〇

一〇九

二、内地出先諸機関ノ統合改組ニ要スル経費　二〇　七六四、〇〇〇円

(イ)　過剰人員ノ整理ニ要スル経費　四一、〇〇〇

(ロ)　台湾関係残務整理事務所運営ニ要スル経費　七二三、〇〇〇

三、返還人員ニ対スル諸手当支給ニ要スル経費　三一、八二三、〇〇〇

四、台湾ニ於ケル官兵連絡部ノ運営ニ要スル経費　九四〇、〇〇〇

計　一八四、九四六、〇〇〇

四、終戦後ノ外地ニ関シ閣議決定ヲ経タル事項並ニ「マ」司令部ノ指令事項

(イ)　閣議決定ヲ経タル事項

（件名）　外地（含樺太）官庁職員等ノ措置ニ関スル件　二一、一、二

外務省
内務省

終戦ニ伴ヒ外地（含樺太以下同ジ）官庁官制ハ之ヲ廃止スベキモ差当リ

外地在勤ノ官吏（含待遇官吏以下同ジ）並外地官庁所属ノ嘱託員、雇員傭人及工員ニ付左ノ措置ヲ講ズルモノトス

一、身分

(一) 外地在勤ノ官吏ニシテ左ニ該当スルモノハ引続キ在官セシムルコト

(イ) 聯合国ヨリ其ノ行政ニ協力スルコトヲ要請セラレタル為現地ニ残留セシムル者

(ロ) 外地官庁ノ残務処理等ノ為現地ニ残留セシムル者

(ハ) 聯合国ニ依リ抑留セラレタル者又ハ交通至難等ノ事由ニ由リ内地ニ引揚グルコト能ハザル者

(ニ) 内地ニ引揚ゲタル官吏ニシテ内地ニ於テ残務処理ニ従事セシムル者（従来ノ出張所職員等ニシテ引続キ事務ニ従事セシムルノ要アル者ヲ含ム）

(二) 内地ニ引揚ゲタル官吏ニシテ(一)ノ(ニ)ニ該当セザル者ニ付テハ為シ

得ル限リ優秀ナル者ヲ多数各省若クハ各省所管官署又ハ地方団体其ノ他ノ諸団体ニ採用又ハ就職セシムル様努力シ殊ニ之等官公署諸団体ノ新設又ハ増員ニ際シテハ優先的ニ採用又ハ就職セシムル様考慮スルコト

尚直ニ採用困難ナル者ニ付テハ差当リ一定数ヲ限リ各省又ハ各省所管官署ノ兼務トスル等ノ措置ヲ講ズルコト

(三) 内地ニ引揚ゲタル官吏ニシテ(一)ノ(二)ニ該当セザル者内地到着後六ケ月（特別ノ事情アル者ニ付テハ一年）以内ニ他ノ官庁ニ採用シ得ザルトキハ之ヲ退官セシムルコト

(四) 外地在勤ノ官吏ニシテ昭和二十年十一月十三日以後退官スル者ハ今回ノ行政整理ニ由ル退官者ト見做スコト

六、給与及恩給

(一) 外地在勤官吏ノ俸給其ノ他ノ給与並ニ外地地方費ノ負担スル恩給ハ要スレバ一般会計ヨリ之ヲ支弁スルノ方針ヲトルコト

当外地特別会計恩給負担金ノ一般会計ヘノ繰込ハ之ヲ取止ムルコト

(二) 現地ニ残留スル者ノ俸給其ノ他ノ給与ハ其ノ家族ガ内地ニ在ル場合ニ於テハ其ノ家族ニ其ノ他ノ場合ニ於テハ本人ガ引揚ゲタル後必要ナル額ヲ内地ニ於テ支給スルコト、但シ現地ニ於テ支給シ得ル場合ニ於テハ現地ニ於テ之ヲ支給スルコト

(三) (一)ノ(イ)ニ該当スル者ニシテ所在国ヨリ俸給其ノ他ノ給与ヲ受クル者ニ対シテハ其ノ間国庫ヨリ俸給其ノ他ノ給与ノ支給ハ之ヲ停止スルコトヽスルモ其ノ期間ハ恩給法上ノ在職年ニ通算スルコト

(四) 現地ニ残留スル者以外ノ者ノ在勤加俸ハ之ヲ廃止スルコト

(五) 退官セシムル者ノ処遇ニ付テハ内地引揚ニ依ル特殊事情ヲ考慮シ昭和二十年十一月十三日閣議決定行政整理ニ因ル退官退職者ノ処遇ニ関スル件ニ依ル退職特別賜金ニ同件ニ依リ定メラレアル俸給其ノ他ノ給与ノ五月分以内ヲ増額支給スルコト　但内地官庁ニ転職

二三

シタル者ニ付テハ俸給ノ例ニ依ル

二四

(六) 内地ニ引揚ゲタル官吏ニ付テハ赴任ノ際ニ受クベキ旅費額ニ相当スル金額ヲ特別手当トシテ支給スルコト　但シ朝鮮、台湾、関東州、満洲旅費規則ニ依リ退官退職者旅費ヲ受クベキ者ニハ之ヲ支給セザルコト

三、前二項ノ措置ハ外地官庁所属ノ嘱託員、雇員傭人及工員ニ付之ヲ準用スルコト

(備考)

外地地方団体所属ノ職員ニ付テハ本措置ニ準ジ適当ナル措置ヲ考慮スルコト

(ロ)「マ」司令部ノ指令事項

(イ) A付　八二九(一二六 Sep 四五)　付C　一九四五、九、二六

(件名)

北鮮三十八度以南ノ南鮮ヲ除ク帝国外占領地域ヘノ帝国文武官往来ニ関スル件

（要点）

帝国内、帝国外ノ占領地域内ニ在ル文武官ノ往来ハ各地区司令官不同意ニ依リ禁止セラル

(二)

聯合国最高司令部　　一九四五、九、二七

終戦連絡中央事務局宛　覚書

（件名）

引揚邦人携帯金ニ関スル件

（要点）

携帯金額ハ将校……最高五〇〇円、下士官及ビ兵……最高二〇〇円、一般邦人……最高一〇〇〇円ヲ限度トシテ超過分ノ円通貨並ニ他ノ通貨ハ没収、衣類及ビ個人財産（有価証券、財政上ノ證書、金石類ヲ除ク）ノ携帯ハ許可サレル

(三) AG 〇九一、三（三〇 Sep. 四五）ESS　一九四五、九、三〇　一六

（件名）

日本海外ニ於ケル銀行及ビ戦時特別機関ノ閉鎖ニ関スル件

(四) AG 〇九一、三一（一二 Oct. 四五）ESS　一九四五、一〇、一二

（件名）

輸出入統制ニ関スル追加命令

（要点）

携帯金額　将校……五〇〇円、下士官及軍属……二〇〇円、一般邦人……一〇〇〇円。

持帰リ許可セル円通貨中ノ台湾銀行券或ハ朝鮮銀行券ハ上陸港ニ於テ右ト同額ノ日本銀行券ヲ引換フルコト

朝鮮、支那ヘ引揚ゲノ朝鮮人、支那人ニ対シテハ一人ニ付一〇〇〇、円ノ額ヲ超エザル円通貨ノ所持ヲ許可。超過額ハ没収スルコト。

兵舗関追加、

(五) AG 二三〇、一四 (二八 NOV 四五) ESS/L4 一九四五、一一、二八

(件名)

職業政策ニ関スル件

(要点)

朝鮮人、台湾人及支那人ニシテ復員ヲ欲セズ日本ニ留ルコトヲ望ミシ者ニハ就業ニ関シ日本人ト比較シテ同等ノ権利、特権、機会ヲ保証スベシ

(六) AG 〇九一、三一 (二六 NOV 四五) ESS/F1 APO 五〇〇 一九四五、一一、二六

(件名)

日本、朝鮮、台湾、関東州及ビ北支那ニ於テ発行サレタル郵便貯金通帳ニ対スル措置ニ関スル件

(要点)

日本円ニテ預金セラレタル貯金通帳ノ持参帰国ヲ許可ス

(七) AG 〇九一 (二九 JAN 四六) GS 一九四六、一、二九

二七

二八

（件名）

各外地ノ統治並ニ行政権能ノ分離ニ関スル件

（要点）

各外地ニ於ケル統治、行政上ノ権力及ビ同地域内ノ官庁職員、居留人其ノ他一般邦人ニ対スル権力行使若クハ行使企図ノ中止ヲ求ム。

五、台湾ニ於テ終戦時及終戦後採リタル措置

(A) 終戦時

(1) 終戦ト同時ニ総督諭告ヲ発シ治安ノ維持、食糧増産、経済秩序ノ確保ニ付特ニ島民ニ示シ台湾ノ中央地方ヲ通ジ全力ヲ挙ゲテ民心ノ安定ヲ図レリ。

(2) 防衛関係事業ノ停止

(イ) 工場疎開、防空々地帯造成ノ為ノ建物疎開及人員疎開並ニ基隆、台北市民ノ中南部一大移住等台湾戦場態勢ノ急速撤廃ヲ

為シツヽアリシモ終戦ニ伴ヒ之ヲ停止セリ

(ロ) 軍官民一体トナリ台湾要塞化ノ為陣地構築（八労工事）ニ労務動員ヲ為シ得リタルモ終戦ニ伴ヒ工事ヲ中止スルト共ニ徴用労務者ノ解除ヲ為セリ

(3) 民間有力者ノ中国派遣

南京ニ於ケル降服調印ニ際シ軍部ニ於テ台湾軍参謀長、高雄警備府参謀副長ヲ派遣セルニ当リ総督府ヨリ殖産局長、民間人代表トシテ林献堂、許丙、辜振甫ヲ同伴セシメ中国政府ノ台湾統治ニ臨ム態度ノ宥和ニ資スル処アリタリ

(2) 金融関係

終戦ニ伴ヒ金融機関ニ対スル預金引出ノ激化ヲ予想シ之ガ円滑ナル処理ヲ促ス為八月十五日「戦局ノ急変ニ伴フ金融措置ニ関スル件」通牒ヲ発シ民心ノ安定ヲ図レリ之ガ内容ハ

(イ) 預金引出ニ付テハ政府ニ於テ充分考慮シテヰルコト

二八

(ロ) 当面ノ生活資金其ノ他緊急止ムヲ得ザル事情ニ基ク引出ニ就キテハ進ンデ之ガ要求ニ応ズルコト

(ハ) 四囲ノ情勢上止ムヲ得ザル場合ハ本来庶民金融機関タルモノニ限リ引出ノ要求ニ応ズルコト

等ニシテ何レモ手持資金ヲ融通シ可成現地ニ於テ局地的解決ヲ図ル様措置セシメタリ

(ホ) 治安関係

(イ) 警察措置トシテハ八月十五日通牒ヲ発シ左ノ方針ヲ以テ治安維持ニ全力ヲ傾注セリ

一、特ニ軽挙妄動ヲ戒メ沈着冷静民心ヲ刺戟スルガ如キ態度ヲ慎ミ治安ノ維持ニ任ズルコト

二、混乱防止、生活維持ニ重点ヲ置キ取締ヲ為スト共ニ特ニ警戒ヲ厳ニシ事犯ノ発生ヲ防止スルコト

三、内勤事務ヲ極度ニ圧縮シ特別警備隊ノ編成並ニ派出所勤務

二充当シ警邏、巡察、不審訊問等ニ従事セシムルコト

四、各種情報特ニ思想動向、経済治安ニ関スル情報ノ積極的蒐集ト之ガ敏速ナル通報連絡ヲナスコト

五、本島独立ヲ策スル気運動向ニ付テハ厳ニ之ガ監察ヲ為シ断乎鎮圧スルコト

四、八月十八日重ネテ「戦局ノ急激ニ伴フ島民生活ノ保持ニ関スル件」通牒ヲ発シ専ラ島民生活ノ維持ニ努ム　之ガ内容ハ

一、島民生活ノ維持ニ必要ナル、糧食ノ他生活必需物資ノ供出確保並ニ配給ニ付テハ円滑ナル推進ヲ期スル様主務系統ニ協力スルト共ニ之ガ為特ニ民心ヲ刺戟スルガ如キ措置ハ極力之ヲ避ケルコト

二、島民生活ニ必要ナル物資ノ生産ニ就テハ於、[illegible]リ各職域ニ精進セシムル如ク指導スルコト

三、島民生活ノ安定ニ必要ナル物資ノ生産配給ニ付テハ必ズシ

三

三

モ旧来ノ統制方式ニ拘泥スルコトナク積極的ニ之ガ推進ヲ行フ如ク主務系統ト緊密ナル連絡ヲ保持シ措置スルコト

四、経済事業ニ就テハ特ニ島民生活ヲ脅威スルガ如キ悪質重大ナル事業ノ予防鎮圧ニ眼目ヲ置キ徒ラニ民心ノ離反ヲ誘致スルガ如キ軽微ナル事案摘発ヲ為サザルコト

尚手持事件ニ就テハ迅速ニ簡潔ナル処理ヲ行フコト

(5) 終戦後

終戦後ニ於テモ終戦当時採リタル措置ヲ敷衍実施シ居リタルモ特記スベキ点左ノ如シ

(1) 警察機構ノ強化

急転セル情勢ニ対応スル為九月十日警察機構ノ整備強化ヲ図レリ、即チ総督府警務局及各州警察部ニ警備課、各庁警務課、各庁警務課ニ警備係ヲ新設シ終戦事ニ関聯セル警備ヲ主管シ警察ノ渉外機関タラシメ各州庁ニ特別警備隊ヲ新設又ハ増員シ集団

警察力ノ増強ヲ図リ警備課ニ所属セシメ治安警備力ノ強化ヲ期シタリ

(ヌ) 律令並ニ府令ノ制定

(イ) ポツダム宣言受諾ニ伴フ台湾ニ於ケル終戦事務処理ノ為緊急必要上十月二十四日勅裁ヲ仰ギ律令第七号ヲ制定ス

（参考） 律令第七号

台湾総督ハ中華民国台湾省行政長官ノ発スル命令ニ依ル事項ヲ実施スル為特ニ必要アル場合ニ於テハ台湾総督府令ヲ以テ所要ノ規定ヲ為スコトヲ得

前項ノ規定ニ基キテ発スル台湾総督令ニ違反スル者ハ三年以下ノ懲役若ハ禁錮五千円以下ノ罰金・科料又ハ拘留ニ処ス

附則

本令ハ公布ノ日ヨリ之ヲ施行ス

一三三

(ロ) 律令第七号ニ基キ府令第一三八号「公私有財産処分等ノ制限ニ関スル件」ヲ制定セリ、之ガ内容ハ公有私有ノ動産、不動産及記名式有価証券ニ付八月十五日以後本令施行ノ日迄ニ為シタル売買又ハ移動ニ関シ制限ヲ加ヘ又公債、社債ノ募集ニ付テモ制限ヲ加ヘタルモノナリ

六、台湾ノ経済的対日寄与

領台以来台湾産業上ニ於テ最モ力ヲ注ギソノ成果ヲ見タルモノニ砂糖ノアルコト周知ノ如クナルモ尚戦時ノ要請ニ基キ一大進展ヲ示シタル鉱工業関係ニ就テモ見逃シ得ザルモノアリ

先ヅ糖業ニ就テ見ルニソノ発達ハ明治三、四十年代ノ日本産業開発期ニ於テ促進サレ領台当時ノ幼稚ナル栽培法製糖法ハ未開墾地ノ開拓栽培技術ノ進歩加フルニ新式大規模ナル工業ヘノ転換ヲ以テ一大飛躍ヲ見ルニ至レリ

即チ當初ノ八・九〇万担ニ過ギザル産糖高ハ昭和四年ニハ既ニ内地消費ノ自給自足点ニ達シ同七年ニハ更ニ生産過剰ヲ呈スルニ至レリ。年ニ依リ生産額ニ多少ノ異動アルモ昭和十四年ニ三、六四三、五九九担同十五年一八、八七九、〇五一担ノ生産状況ヲ見ルニ至リ、國内需要ヲ満タスノミカ満洲支那方面ヘノ供給ヲモ果セリ。又之ヲ資金面ヨリ見ルニハ會社四十九工場ニ対スル拂込資本金ハ実ニ二億二千七十万余円ノ巨額ニ達シタリ

次ニ米穀ノ対日供給高ハ輸移入總計ノ四〇％（三、九六二、四九五石）余ニ當リ朝鮮米ノ五八％供給高ニ匹敵セリ

領台前既ニ島内消費ヲ満タシ尚余リアル状態ナリシガ明治三十三年頃ヨリ島内ノ治安漸ク確保サルルト共ニ内地ノ米穀供給ノ不足ニ促サレソノ生産額ハ更ニ著シキ増大ヲ示スニ至リ、大正九年以降ハ第一次大戦中戦後ニ於ケル内地米ノ供給不足、米價暴騰ニ刺戦サレ年二毛作ノ有利点ヲ活用シ産米増殖計画ガ大規模ニ遂行セラレタコ

ト及ビ米價昇騰ノタメ米作ノ著シク有利化スルニ至リタル結果再度ノ急増ヲ示スニ至レリ。即チ明治卅三年ノ生産高二、一五〇、〇二九石ハ昭和十四年ニハ八、三九三、〇四〇石ニ達シタリ。

尚品質ニ就テモ内地種ノ移殖ヲ早クヨリ実施シ、農事試験場等ノ研鑽ノ結果優良ナル品種即チ蓬莱米ナル名稱ノ下ニ内地市場ニ歓迎セラレタリ

鉱業資源ハ多種而カモ豊富ナルニ引換ヘソノ開発時期ノ遅速ニ依リ金、銀、銅、石炭ヲ除キ他ハ概ネ自給自足ノ圏内ニ在リ

金三瓩、銅五、〇〇〇瓲、石炭約三〇万瓩（金額四百五十万円）ノ對内移出ノ外少量ノ石綿、銀等ヲモ供給セリ

工業ハ各種各様ニ亘リ対日寄與額ニ就テモ一律ニ記シガタキモ概ネ左ノ如シ

○　アルミニウム工業

年産一万二千瓩、可成リノ発達ヲ見戦時ニ於ケル航空機製造ニ大ナ

ル寄與ヲ爲シタルコト論ヲ俟タズ

○製塩業

天日塩ニシテソノ品質良好而然低廉ナル爲期待スルコト大ニシテ対日供給実績モ昭和十三年一九二、五六七、一二八屯同十四年中九二、二八九、九〇〇屯（戦前最高出量）ニ上リ、戦時中ハ工業原料トシテ国内曹達工業界ニ貢献スベク更ニ設備拡大以テ増産ヲ進メ約四〇万屯ノ最高生産量ヲ見ルニ至レリ

○醗酵工業

製糖業ニ附随シテ起リタル此ノ工業ノ進展又目ザマシク、先ヅアルコール製造ハ航空機、自動車等ノ燃料タラシムベク豊富ナル原料ヲ以テ官営一民営一四ノ各工場ニテ操業セラレ生産量ハ二七、六六九、五三七升一三、五六八千円ニ上リタリ。

更ニブタノールハ航空機ノ高級燃料用、酵母ハ糧食トシテ夫々重用ヒラレタリ

一九五

○パルプ工業

バガスニヨルパルプハ内地製紙工場ニ供給ス、ソノ無盡蔵ナル原料ニ対シ期待大ナリ、洋紙、ノ新聞巻取紙ヲ製造セル台湾興業ノ製品ハ内地及ビ満洲ニ移出セリ

○製茶業

烏龍茶ハ戦前ハアメリカ合衆国ヘ輸出シ包種茶、紅茶ノ三種ヲ製造シ内地ヘ移出サレタルモノハ主トシテ紅茶ニシテ二、三六五、五四五斤（二、七四八千円）ノ数量ナリ。

○香料工業

樟脳関係工業ニシテ特殊産業トシテ名高ク対内移出量モ相当量ニ上リ樟脳ハ二、七七七、五二四斤（四、〇三〇千円）樟脳油ハ一、〇七四、一八四斤（一、〇六三千円）ヲ供給セリ

○ニッケル工業

国内産出高僅少ナル為著大ナル期待ヲカケラレタルモ予期ノ生産

ヲ得ズ約千瓩ノ供給ヲ見タリ
以上ノ外僅少ナレドモ揮鉱油、カーボンブラック、臭素、セファランチン、纖維類(特ニ麻類、帽子類　五、〇二九、三七五箇、四、八〇一千円)及革等ハ重要資源トシテ歓迎サレタリ
台湾独特ノ青果物ハ早クヨリ國内ノ一般市場ヲ潤シ特ニ芭蕉実二、八一九、三八九(籠)(一六、五一九千円)鳳梨二、九九五、三二五打(一一、二一一千円)ハ供給大ニシテ柑橘モ相當量時節的ニ運輸サレタリ
以上ノ他ニ木材及板トシテ一、六一七、九四六(立方尺)四、七一九千円、籐製品、珊瑚製品、水牛角製品等ハ雑貨トシテ移出サレタリ

九、臺灣總督府外廓團体

団体名称	事業目的	設立年月日	代表者氏名	補助金ノ有無
台湾映画協會	映画機構ヲ綜合統制シ優秀映画ノ配給紹介、文化劇宣伝映画ノ作製「フイルム」ノ配給	昭和一六年九月		
台湾報道写真協会	写真ニ依ル啓発宣伝ヲ為スベク専ラ啓発報道写真ノ作製			
社団法人台湾放送協会	事業中技術ニ関スル以外ノ放送業務	昭和六年二月		
皇民奉公會	島民ノ臣道実践体制ヲ確立シ国防ノ最前線ニ在ル本島ニ負荷セラレタル使命ヲ完遂スベキ為設立ス	昭和一六年四月一九日	総裁 台湾総督 中央本部長 総務長官	
（下部団体トシテ次ノ如キモノアリ）				
(イ)皇民奉公壮年団	壮年層ヲ団体的ニ鍛錬シ共同切磋ニ依リ確固不抜ノ国民的性格ヲ錬成シ、皇民奉公運動ノ推進力タラシム			
(ロ)桔梗倶楽部	未婚女性ノ知識層ヲ団体的ニ訓練シ、新時代ノ日本婦人トシテ資質ヲ向上セシム	昭和一六年七月二八日		
(ハ)産業奉公団	農、工、鉱、水等各産業部面ヲ通ジ臣道実践職域奉公ノ実ヲ挙ゲシム			

(ニ) 商業奉公団	戦時経済下ニ於ケル商業者ノ使命ヲ認識徹底セシメテ国家的配給機関トシテノ新商人道ノ確立ト実践ヲ目指ス			
(ホ) 台湾演劇協会	皇民ニ健全ナル娯楽ヲ提供スル情報ヲ周知シ進ンデ日本精神ノ昂揚ト皇民奉公運動ノ推進ヲ図リ併セテ時局認識ノ徹底ヲ図ルタメ演劇ノ改善向上ヲ図ル	昭和一七年四月		
(ヘ) 台湾紙芝居協会	紙芝居ノ普及発達ヲ図リ以テ国策宣伝ニ皇民奉公運動ノ趣旨徹底ニ資スルト共ニ島民健全娯楽ノ一環ニ寄与ス	昭和一六年九月二七日		
社団法人 台湾教育会	本島教育ノ普及改善	明治三四年三月	総裁 総督 会長 総務長官 副会長 文教局長	学租財団、台湾済美会、台湾奨学会、台湾教化事業奨励会、内外新聞等ヨリ補助金ヲ受ク
社団法人 台湾教育職員互助会	教育職員ノ共済救済	昭和一二年七月八日	会長 文教局長	学租財団ヨリ補助金アリ
台湾学校衛生会	学校衛生ノ改善振興	昭和一三年五月	総裁 総務長官 会長 文教局長	
財団法人 学租財団	台湾ニ於ケル教育ノ普及向上ヲ助成	大正一二年七月九日	本財団ヨリ台湾教育会及台湾教育職員互助会ニ補助金ヲ交付ス	
恩賜財団 台湾済美会	本島ノ社会事業及教育奨励ノ助成ヲ事トス	大正一二年四月	本会ヨリ台湾教育会及台湾社会事業助成会ニ補助金ヲ交付ス	
〃 台湾奨学会	本島児童奨学ノ助成ヲ事トス	大正一三年一月二六日	本会ヨリ台湾教育会ニ補助金ヲ交付ス	

一四一

財団法人 台湾体育協会	島民身体ノ健全精神ノ充実ヲ図ル為体育奨励	大正九年二月		総督府ヨリ財団法人 財団ヘ補助金アリ
恩賜財団 台湾教化事業奨励会	台湾ニ於ケル教化事業奨励ノ思召ヲ奉ズ	大正一四年五月一日	台湾教育会ニ御	御趣旨ヲ交付
久邇宮殿下 御下賜教育奨励金	本島教育術奨励ノ思召ヲ戴ク	大正九年一〇月	〃	
総督記念財団	次ノ如シ			
佐久間財団	奨励、慈善、救恤、表彰	大正七年九月		
安東〃	教育事業	大正七年九月		
田〃	体育奨励	大正一五年二月		
内田〃	体育〃	昭和三年六月		
伊澤〃	同化理睦	昭和三年六月		
青少年団	青少年ヲ打ッテ一丸トシタ強力ナル統合組織体制ヲ樹立シ高度国防国家建設ノタメ、青少年ノ全生活ヲ万民翼賛ノ精神ニ基ク国家奉仕ヲ精一義トスル国民道徳ノ涵養実践ヲ実現ス	昭和一七年五月	総裁 台湾総督 団長 総務長官	
台湾図書館協会	本島図書館事業ノ進展	昭和二年三月	会長 文教局長 副会長 社会課長	

台湾博物館協会	博物館事業ノ助長	昭和八年六月		
台湾教化団体聯合会	社会教化事業ノ促進、教化機関ノ連絡統制	昭和一九年二月一日	総裁 総督 会長 総務長官	国庫補助並寄附金ニ依リ
財団法人台湾社会事業協会	全島ノ社会事業相互ノ聯絡統一及斯業ノ助成振興	昭和一〇年四月	文教局長	昭和五年六月五日社団法人トシテ設立
全台湾方面委員聯盟	方面事業連絡統制	昭和一六年九月二五日	〃	
恩賜財団明治救済会	私設社会事業団体ニ助成 従来直接島内私設社会事業団体ノ助成ヲ実施シ来リタルモ昭和五年度ヨリ右ニ要スル金額ヲ台湾社会事業協会ヘ交付シ本会ノ事業ヲ委託スルコトヽナレリ	大正元年二月六日		
恩賜財団大正救済会	明治救済会ト同一　事業ハ台湾社会事業協会ヘ委託	大正四年一二月七日		
〃昭和救済会	〃ト同一　〃	昭和四年一月三〇日		
〃軍人援護会台湾本部	昭和一三年一〇月三日内閣総理大臣ニ賜ヘル勅語ノ旨ヲ奉戴シ恩賜財団軍人援護会ノ活動ヲ支援斯覚スル為台湾ニ	昭和一五年一月六日	総務長官	助成金年額二万円（本部）

	於ケル戦歿軍人ノ遺族、傷痍軍人及其ノ家族等ニ対スル各種ノ援護事業ヲ行ヒ、政府ノ施設ト相俟ツテ銃後後援ノ実ヲ挙ゲ軍人ヲシテ後顧ノ憂ナカラシムルコト			一三四 総督府ヨリ之ヲ受ク
大日本傷痍軍人会 台湾本部	台湾ニ於ケル傷痍軍人カ相互ニ親睦ヲ敦ウシ修養陶冶ヲ励ミ自力向上ニ努メ其ノ名誉ヲ失ハス皇国ノ為終生奉公ノ誠ヲ致スコトヲ図ル	昭和一三年 八月一三日	本部長 総務長官	
帝国在郷軍人会 台湾聯合支部				
大日本婦人会 台湾本部				
財団法人大日本婦人会 台湾本部軍事援護会				
台湾司法保護 事業聯盟	台湾ニ於ケル司法保護団体ヲ指導助成スルト共ニ本事業ニ対スル一般島民ノ理解ト全面的協力ヲ促ス為保護思想ノ普及徹底	昭和一五年 八月	会長 総務長官	
財団法人 台湾三成協会	司法保護（台南州以外台北、新竹、台中 再生会ノ三箇所経営）	大正一四年 九月	会長 法務部長	

高砂族自助会	公民的訓練ヲ加ヘテ日常生活並ニ公共団体生活ニ慣熟セシメントス	昭和一四年五月	
財団法人博愛会	医療事業ニヨル日支親善	昭和一四年三月一八日	当局ノ指令ヲ総督府ニ補助
〃善隣協会	漢字新聞ヲ経営シ在留本島人ノ指導ト中国民衆ノ宣伝ニ資ス		総督府ヨリ補助金アリ
〃共栄会	日支親善団体ニシテ総督府ノ指導監督ノ下ニ情報蒐集ニ協力セシムト共ニ官庁ノ実施シ得ザル又ハ実施ニ適セザル啓発宣伝工作ヲ実施		〃
〃南方資料館	会館ヲ建設シ南方ニ於ケル人文及自然ニ関スル諸般ノ資料ヲ蒐集整備シテ南方発展及台湾ト南方地域トノ文化及経済提携ノ促進ニ寄与スルニ在リ	昭和一五年五月六日	
台湾婦人八紘会	本会ハ海外ニ進出スヘキ台湾婦人ノ資性ノ錬成及進出婦人ノ共同福祉ヲ増進スルヲ主タル目的トシテ設立セル本島人ノ団体ナリ		補助金ヲ総督府ヨリ受ク
台湾特設防衛公団	大東亜戦争勃発以来南方作戦ノ遂行ニ協力スル為本団ヲ		

一五五

	鋪設南方ニ進出シ各般皇室ノ奉仕業務ニ協力シタ	昭和一五年	中央方面協会（会長 総務長官）地方方面協会（会長 州庁知事）	
台湾水利組合聯合会	水利ノ綜合的利用ヲ図ルニ必要ナル計画並ニ施設、会員ノ施行スル工事ノ測量設計及工事監督ノ受託、会員タル水利組合職員ノ教養及福祉増進ニ関スル施設	昭和一七年三月五日		
台湾住宅営団		昭和一七年一月		
台湾農業会	米穀其他普通作物改良、園芸改良、茶業改良、自給肥料奨励、小作慣行改善、畜産改良、蚕業奨励、農場経営、肥料其他農業用品共同購買、農業倉庫経営、農産物販売斡旋、農業資金貸付、農事小団体ノ指導、篤農家奨励	明治四一年	州市街庄農会ヲ農業会ニ改組	
畜産會	牛、馬、羊、豚ノ飼育改善等ノ技術的方面、畜産物ノ販売斡旋、家畜市場ノ代行等ノ経済的方面ノ指導事業	昭和一三年八月		
水産會	水難救済事業、講習指導、試験研究、魚市場ノ経営其他其目的タル水産業ノ改善発達ニ関スル活動			

一三六

商工経済会	旧商工会議所ヲ戦時中改組セリ			
台湾糖業協議会	台湾糖業ノ新体制具現ノタメノ官民協議機関	昭和一六年四月二六日		
台湾金融協議会	台湾ニ於ケル金融機関相互ノ密接ナル連絡ヲ図リ、内外事態ノ変移ニ即応シ金融運営ノ円滑ヲ期スル為、必要ナル事項ヲ協議スルト共ニ、意見ヲ台湾総督府ニ申シ若ハ総督府ノ諮問ニ答フルコトヲ以テ目的トス	昭和一六年八月二日	会長 台湾銀行頭取	
台湾鉄工業統制会	島内八十余ノ鉄工業者ヲ統合	昭和一六年九月一八日		

一〇、内地在住台湾関係有力者調（主トシテ勅任級以上）（七）

氏名	略歴	住所
伊澤多喜男	長野県出身 明治二〇年一一月生 台湾総督 枢密顧問官	豊島区西巣鴨町二ノ二五一七（大塚 六七三七）

氏名	経歴	住所
川村竹治	秋田県出身　明治四年七月生　台湾総督、司法大臣　満鉄社長　貴族院議員	豊島区目白町二ノ一六四二（牛込　一一五一）
太田政弘	山形県出身　明治三年一〇月生　台湾総督　貴族院議員	渋谷区代々木大山町一〇六〇（四谷　五九七）
南　弘	富山県出身　明治二年一〇月生　台湾総督　逓信大臣　枢密顧問官	〃　栄通二ノ六（渋谷　一一）
中川健蔵	新潟県出身　明治八年七月生　台湾総督　貴族院議員	世田ケ谷区成城町北五〇八（砧　七一一）
小林躋造	広島市出身　明治十年生　前聯合艦隊司令長官　元軍事参議官、台湾総督（昭和二一年九月二日）	〃　深沢町四ノ一七四一（世田ケ谷　三九八二）
長谷川清	福井県出身　明治一六年生　横須賀鎮守府司令官、軍事参議官、台湾総督	渋谷区代々木大山町一〇三二（四谷　一七七〇）
石川定俊	秋田県出身　明治二　年三月生　総督府土木課長　交通局鉄道部長	杉並区和田本町七八五
西沢義徴	高知県出身　明治二一年一二月生　高雄州知事　台湾合同鳳梨常務	世田ケ谷区世田ケ谷一ノ一八〇（世田ケ谷　三六九五）
新元鹿之助		〃　深沢町四ノ一七三三（〃　二七八三）
細井英夫	東京府出身　明治三一年生　総督官房　電力課長	中野区鷺ノ宮二ノ八七六（荻窪　四一七三）

一三八

本間善庫	福島縣出身　明治一八年一〇月生 台湾総督府台南庁長　交通局理事　台湾青果組合長	世田谷区上北沢町三ノ八七七 （松沢　三八三〇）
土井季太郎		杉並区永福町二六八 （松沢　四一〇四）
東郷實	鹿児島縣出身　明治一四年二月生 総督府技師　文部政務次官　衆議院議員	麻布区笄町八 （赤坂　四七七六）
治武ノ治	石川縣出身　明治二二年一〇月生　台湾総督府交通局総長 陸軍司政長官　台湾総督府総務長官	目黒区富士見台一五六一 （荏原　六一〇八）
太田吾一	静岡縣出身　明治二八年七月生 台中州知事　満洲国総務参事	世田谷区下馬町三ノ二三二 （世田谷　三四三一）
尾佐竹堅		淀橋区西大久保一ノ三六五 （四谷　四二二〇）
川村直岡	鹿児島縣出身　明治三五年八月生　台北州知事 台南州警務部長　陸軍司政長官	世田谷区若林町二五 （世田谷　二六〇一）
加福均三	長野縣出身　明治一八年一〇月生　台北帝大教授 台湾肥料監査役　関東州取締役　総務長官	牛込区中町二四 （牛込　二八〇九）
加藤佐賀太郎		渋谷区穏田町一ノ九九 （青山　六三〇〇）
河原田稼吉	福島縣出身　明治一九年一月生 台湾総督府総務長官　内務次官	京橋区相木町三ノ四四 （京橋　一二五〇）

一三八

一四〇

氏名	出身・経歴	住所
高橋守雄	熊本県出身　明治二六年一月生　台湾総督府総務長官	目黒区上目黒一ノ二八（渋谷 二五二六）
竹下豊次	宮崎県出身　明治二〇年二月生　台中州知事　関東州庁長官　参議院議員	世田ヶ谷区玉川田園調布一ノ三五二〇（田園調布 三二三五）
中瀬拙夫	長崎県出身　明治二七年六月生　総督府殖産局長　衆議院議員、糖業聯合会理事長	本郷区駒込神明町三〇八（小石川 五二八五）
内海忠司	京都府出身　明治一七年一二月生　高雄州知事　南日本化学工業常務	豊島区目白町四ノ四三（大塚 六九五三）
宇賀四郎	千葉県出身　明治一四年五月生　総督府専売局長　前・貴族院議員	品川区上大崎三ノ五三五（大崎 一六三）
百瀬太郎	山口県出身　明治二六年四月生　総督府殖産局長	渋谷区大[illegible]町三〇（青山 五〇四五）
山縣三郎	東京府出身　明治二四年一月生　台湾総督府内務局長	世田ヶ谷区下馬町二ノ六二（世田ヶ谷 四三四八）
安武直夫	福岡県出身　明治二〇年六月生　総督府文教局長	杉並区方南町四八七（中野 六〇八五）
梁井淳二	佐賀県出身　〃　〃	目黒区本郷町四一（荏原 三三三五）
松岡一衛	香川県出身　明治二四年一二月生　〃　殖産局長	淀橋区下落合二ノ七六二

二見直三	岩手県出身	明治三〇年一〇月生	台湾総督府　警務局長	世田ヶ谷区玉川奥沢町　三ノ一六三
小山三郎			鉄道部　前任技師	〃　松原町一ノ二　（松沢　三六六八）
後藤文夫	大分県出身	明治一七年三月生	総督府　総務長官・農林大臣・内務大臣	渋谷区金王町二八　（青山　六九九〇）
木下信	長野県出身	明治一七年二月生	総督府　総務長官	大森区田園調布三ノ二〇　（田園調布　二九五）
三宅福馬	新潟県出身	明治二六年三月生	〃　交通局逓信部長	都下　北多摩郡武蔵野町吉祥寺一三二一　（吉祥寺　六二九）
廣田近造	愛知県出身	明治二〇年九月生	〃　財務局長	淀橋区下落合三ノ一七三九　（落合長崎　二四四三）
下村宏	和歌山県出身	明治八年五月生	〃　民政長官　総務長官	大森区田園調布三ノ三ノ二　（田園調布　三四〇〇）
島田昌勢	新潟県出身	明治二七年二月二〇日	〃　文教局長	世田ヶ谷区成城町四〇三　（砧　三三六）
幣原坦	大阪府出身	明治三年九月生	台北帝大総長	目黒区上目黒八ノ五二一　（渋谷　四三〇）
平塚廣義	山形県出身	明治八年九月生	総務長官	〃　中目黒三ノ九四六　（大崎　一八一六）

四一

平山　泰	長野縣出身	明治三三年九月生	台北州知事	豊島区西巣鴨町三ノ八二二（大塚　五一五〇）
人見次郎	京都府〃	〃一二年十二月生	總務長官	四谷区愛住町六五（四谷　四二三〇）
赤司二朗	奈良縣〃	〃一九年生	台湾總督府　總務長官	渋谷区千駄ケ谷四ノ六二三（〃　二四四三）
関屋貞三郎	栃木縣〃	〃八年五月生	〃　参事官　秘書官	麹町区紀尾井町三（九段　三三九〇）
小濱浄鑛	香川縣〃	〃一九年十月生	〃　内務局長	横浜市鶴見区東寺尾町一五七四（鶴見　三六〇五）
阿田　信	滋賀縣〃	〃一八年三月生	〃　財務局長	市川市八幡字菜光戸六二八
吉岡荒造	鹿児島県〃	〃十二年五月生	台北州知事	芦屋市打出中野町四一（芦屋　三〇六〇）
田端幸三郎	和歌山縣〃	〃一九年三月生	台湾總督府　殖産局長	渋谷区穏田三ノ一六四（青山　七一〇七）
内田　隆	東京府〃	〃一三年三月生	〃　〃	八幡市羽衣町　市長公宅
山内逸造	岐阜縣〃	〃二七年五月生	〃　警務局長	

赤堀鉄吉	静岡県出身	明治二三年四月生	新竹州知事	世田ヶ谷区玉川奥沢町二ノ一七六
安藤正次	東京府〃	〃二一年九月生	台北帝大総長	麹町区九段四ノ一五（九段 四三五〇）
佐治孝徳	高知県〃	〃三三年二月生	総督府 専売局長	
齋藤樹	千葉県〃	〃二一年生	〃 総務長官	大森区新井宿二ノ一六九八（大森 六八五〇）
森部隆	福岡県〃	〃二七年五月生	〃 内務局長	杉並区天沼三ノ一五二（荻窪 五二八〇）
本山文平	新潟県〃	〃一五年四月生	〃 警務局長	世田ヶ谷区上北沢三ノ八七七（松沢 二一八二）
末松偕一郎	福岡県〃	〃八年六月生	内務局長	別府市中ノ湯区 市長公舎（別府 一〇七三）
成田一郎	宮城県〃	〃二七年一二月二三日生	〃 総務長官	目黒区富士見台一五六七（荏原 二[illegible]七七）

一四三

昭和二十一年四月二日

新竹州総務部総務課勤務

新竹州属　河野　格 ㊞

臺湾總督府

東京出張所長　西村徳一殿

終戦後ニ於ケル新竹州ノ諸状況概要報告

ニ関スル件

昭和二十年八月十五日以降昭和二十一年二月末日ニ至ル新竹州下ニ於ケル諸状況別紙ノ通ニ有之候條此段及報告候也

(1)

終戰後新竹州状況報告書

一、終戰後接收ニ至ル迄ノ行政諸状況

終戰後新竹州ニ於テハ州部市事務分掌規程ノ改正ヲ行ヒ國民動員課ヲ職業課ニ兵事課ヲ調査課ニ防空課ヲ警備課ニ夫々變更シ分掌事項モ動員、兵事、防空其他戰時行政ニ關スル分掌事項ヲ削除シ郡市街庄モ概ネ右ニ準ズル措置ヲ講ジタリ、米國及中國側軍人軍屬ノ來新ニ際シ其ノ接遇ニ遺憾ナキヲ期スル爲メ臨時渉外部ヲ設置シ部長ニ警戒州部長專任理事官ニ平原總務課長其他專任屬官ヲ配置セリ其後同部ヲ廢止セシ終戰連絡新竹州支部ヲ新ニ設置シ總務部、渉外部ノ二部ニ分チ總務部長ニ福澤州總務部長ヲ渉外部長ニ警戒州部長ヲ夫々任命シ小公理事官平原理事官以下專任屬官ヲ配置スル外各課ヨリ適任者ヲ兼務セシメ終戰事務ノ完璧ヲ期シタリ台湾ヲポツダム宣言ニ基キ中國ニ返還スルコトニ決定發表セラレタル後ト雖モ州ニ於ケル行政事務ハ從前通リ継續シ五十年間ニ亘ル台湾統治ノ最後ノ瞬間ニ至ル迄日本政府官吏トシテ其ノ職務ヲ全フスル様ニトノ知事訓示ヲ体シ疎開ノ急速復帰未決書類簿冊備品ノ整理整頓戦災市街地ノ清掃等ヲ実施シタリ州郡市街庄毎ニ管内状況書ヲ八月十五日現在ニヨリ作成セシメ後日日本政府ノ資料タラシムベク其ノ二部ヲ終戦連絡州支部ニ保管セシメタリ警察力ハ終戦後府州当局ノ民心安定治安強化策ノ指示ニモ不拘漸次弱化ノ傾向ヲ表シ警察官殴打傷害事件各所ニ頻発シ派出所包囲ニヨル寄附金返還強要事件等アリ一面強窃盗ノ横行漸次活潑化シ治安紊乱ノ徴ヲ呈セリ 第一期米ノ供出ニ対シテハ督励班ヲ編成シ終戦後ト雖モ民生ノ安定ノ為メ全力傾注セラレ供出ヲ促進セラレタレドモ其ノ成績良好ナラザルモノアリ農民中ニハ既供出米ノ返還要求ノ為メ各街庄役場ヲ包囲シ街庄長及係員ヲ強迫其ノ目的ヲ達シタルモノアリ然シテ街庄長街庄職員ニシテ辞職ノ為メ殴打傷害ヲ加ヘラレタルモノ枚挙ニ遑アラズ 新屋庄長村田豊ノ如キハ供出米返還ノ責任ヲ痛感シ自殺シタリ 右ノ外市街庄農務、国民動員、兵事関係職員ニシテ住民ノ襲撃ヲ受ケタル事件頻発シ各街庄共関係職員ハ一時避難スルノ已ムナキニ至レリ
納税ニ関シテハ八月二十五日限ノ第一期戸税ハ各街庄共早期完納ノ成績ヲ

(2)

舉ゲタルモ新附市ノミハ空襲及疎開ノ為メ調定事務遅延シ已ムヲ得ズ納期ヲ一ヶ月延期セル結果其ノ成績ハ不良ニシテ接收前ニ至ルモ稍六十%程度ヲ徴收シ得タルニ過ギズ

所得税地租家屋税營業税其他ノ諸税等モ成績不振ニシテ街庄ニ於テノ五十%以上ノ成績ヲ收メ得タルモノ寥々タル憂慮スベキ事態ニ陥リ特ニ十一月二十五日ヲ納期トスル後期分戸税ノ徴收難ヲ予想セラレ歳入徴減ニヨル地方費ノ財政ハ極度ニ逼迫シ加之戰災復興費ノ捻出ニ苦慮シ府財務局ヘ交渉シ時ニ州及市ヲ通ジ二百万円程度ノ一時借入金形式ニヨル借入ヲ認メラレ局面打開ニ努メタルモ街庄ニ対シテハ及バザリシヲ以テ剩余金ヲ有セザル街庄ハ財産処分（積立金、基本財産其他不動産）ニヨル歳入補塡ノ方策ヲ講ズル外措置ナキニ至リ各街庄ヲシテ急速ニ臨時協議会ヲ開催追加予算及更正予算ノ措置ヲナサシメタル所十月中旬中迄指揮所ノ訓令ニ基キ公私有財産ノ移轉禁止セラレタル為メ協議会未開催ノ数街庄ハ極度ニ財政窮乏シ職員諸給與ノ支拂ヲ停止スルノ已ムナキニ至ルモノアリ 斯ノ如クシテ日本政府行政機関ハ漸次行政力低下シ

頻死ノ状態ニ陥リツツアル中国政府ノ行政機関トシテ平常事務ヲ継続シタルモノナリ

二、日本行政機関ノ接収ト接収後ニ於ケル状況

イ、行政機関ノ接収

昭和二十年十一月八日新竹州接管委員会主任委員郭紹宗（東京蔵前高工出身）委員三名幹事二名事務員数名来新直チニ新竹州及新竹市ノ事務接収官公印金銭物品簿冊書類車輛其他一切ノ財産ニ至ル迄細部ニ亘リ引渡ヲ要求セラレタリ所属団体（法的任意団体ノ別ナク）モ同様接収ヲ受ク職員ハ全員接収事務ニ協力方ヲ要請セラレ十二月末迄接管委員会ニ援助セリ接管委員会ニ於テハ来任後直チニ州市郡課長中枢要地位ニアルモノヲ罷免シ同道セル委員ハ各部長ニ幹事ハ課長ニ任命　本島人職員ヲ昇格課長係長ノ事務ヲ取扱ハシメ日本人官吏ハ課員トシテ執務セシメラレタリ但シ警察部各課長及職業、総務、土木、農務ノ各課長ハ日本人官吏ヲ其ノ儘留任セシメラレタリ

州及市ノ行政事務接収ト同時ニ事許約ニ十一月十五日頃ヨリ郡街庄ノ
事務接収開始セラレ十五日附ヲ以テ各郡街庄ニ於ケル地方有力者ヲ
郡守及街庄長ニ任命シ日本人官吏及公吏ト交替セシメタリ　同時ニ
日本人タル学校長モ罷免セラレ本島人教職員ヲ学校長ニ任命セリ
中等学校ニ於テモ同様ノ方法ニヨリ任命替ヲ行ヒ新任者接収補助員
トシテ旧郡守街庄長並学校長ノ事務ヲ取扱ヒタリ　罷免セラレタル官公
吏ハ接収完了迄暫時協力方ヲ要請セラル
十二月二十日頃ニ至リ州知事、曾我州部長、若林産業部長、倉也土木
課長、黒田職業課長、太田農務課長、阿部商工課長、田永経務課
長及判任官以下約三分ノ一程度ノ人員ヲ正式ニ台湾省旧籍員ニ徴
用規程ニ基キ徴用発令セラル　郡ニ於テハ苗栗郡庶務課長、勧
業課長ヲ除キ幹部以上ハ全員不留用トナリ各郡ニテ三名程度ノ下級
日本官吏ヲ残留セシメタルノミナリ　市ニ於テモ課長以上ハ全部徴用セル
此外ノ日本人官公吏ハ約十分ノ一ヲ留用セルノミナリ
留用官吏ハ勅任官ハ諮詢員、奏任官ハ服務員、判任官ハ助理 ⊗
⊗ 員ノ名称ヲ與ヘラレ十一月分ヨリ生活手当ノ支給ヲ受ケタリ　不留用

昔ハ十二月末迄執務接収ニ協力セルモ生活手当、退職賞与等ノ支給全然ナク特ニ衛生ニ於テハ財政ノ関係上本島人職員ヲ半減セルモ尚済退職セシメタルモノニ対シテモ予算計上セシメアルニ不拘規定ニヨル退職給与金、賞与ハ勿論生活手当ノ支給ヲ拒絶シ本島人職員ノ反感ヲ招致セリ

接収後ニ於ケル行政ハ接管委員会主任委員兼知事ノ職権ヲ新竹市長*主任委員兼務市長ノ権限ヲ行使シ各部課各街庄長ハ新任者ヲシテ職務ヲ執行セシメタルモ何レモ職員ニ至ル迄ノ地方行政ニ経験ヲ有スルモノカナク切角協力ノ為メ残留セル日本人官公吏ノ意見ハ之ヲ聴取セズシテ独断専行ノ傾向ニアリタル為メ行政執行ニ齟齬多ク民衆ノ声ニ恐レテ権威アルベキ命令処分ノ変更ヲ敢テ為スカ如キ事例勘カラズ一面接収ト同時ニ公文取扱ヲ中国式ニ改メラレ用語ニ北京漢語ヲ準則トセラレタル為メ行政事務遅々トシテ進マズ且ツ日本政府時代ニ於ケル官公署ノ債務支払ノ停止等ニヨリ民衆ニ迷惑ヲ及ボスニ至レリ

外務省

2、米穀事情及諸物價ノ狀況

終戰後ニ於ケル第一期作米ノ供出狀況ハ接收後ニ至ルモ向上ヲ示サズ六十%程度ニ止リ第二期作米ノ供出ニ影響スル所勘カラザルモノアリ省政府ニヨリ買上價格ノ引上ヲ斷行セシモ供出成績優良者ニ褒賞金ノ交付ヲ發表セラレタルモ第二期作米ニノミ適用セラレ第一期作米ハ旧價格ニテ買上ゲヲ繼續セラレタルヲ以テ何等ノ效ヲ奏セズ横流シ闇賣買盛ンニシテ止ル所ヲ知ラザル狀況ニシテ台北市ノ如キハ十月中ヨリ配給停止ノ実情ニシテ市民ハ闇値ニヨル高価ナル米食ヲ續ケ食糧事情ハ深刻ヲ極メ闇価格ノ引下ヲ叫ビ不完全ナル人民投票ヲ行ヒタル所配給制度ノ撤廢ヲ多數ヲ占メタルヲ以テ之レヲ口実ニ一月上旬ヨリ配給制度ヲ廢止シ政府ノ責任回避的策ニ出テタル結果米價ハ一時低落ノ徴ヲ見セタルモ反撥的ニ暴騰ヲ續ケ一升約四十円（一斤十七、八円程度）トナリタリ　新竹州ハ米產地ニシテ供出米ニヨル配給可能數量ハ九十万斤民ニ對シ二月末迄十分配給シ得ル狀態ニナリシモ省政府ノ方針ナリトテ一月十日ヨリ一齊ニ配給ヲ廢止セル爲メ市民激昂シ接管委員会ニ多數押シ掛ケ来リタル在武装警官及軍ニ依リ総攬セシメラレタリ、統制諸法令ノ廃止ニ伴ヒ諸物價激騰シ食糧各日用雑貨其他諸物資ハ消費市場以外ノ青空市場ニ溢レ其ノ数量モ相當豊富ノ如ク見受ケラレタルモ戦後インフレノ購買力膨脹ニ伴ヒ日毎ニ昂騰ヲ續ケ対岸厦門、汕頭、上海方面ヨリノ諸物資ノ輸入アルニ不拘低下ノ模様更ニナキ情勢ナリ

3. 金融事情

台湾銀行接収ニ伴ヒ日本銀行券及日本銀行背書台湾銀行壱千円券ノ流通ハ十月末日限リ禁止ヲ命ゼラレ壱千円券ハ一ヶ年間其ノ他ノ日銀券ハ一年間ノ据置貯金ニ預入スル事トナリ更ニ國債ハ全部之ヲ台湾銀行ニ保管方ヲ勧業債權ハ日本勧業銀行ニ保管方ヲ夫々命ゼラレタリ、産業組合ノ出資証券ハ其ノ賣買異動ヲ禁ゼラレ其ノ加入脱退ニ基キ証券ニ対スル掛戻ハ之ヲ停止セラレタリ 殊ニ戦時銀行定期預金ノ解約可能ナリシモ之又据置トセラレタリ

~~4. 治安状態~~

(5)

4、治安状態

終戦後日時ヲ経ルニ従ヒ強窃盗ノ横行激シク集団強盗ノ出没勘カラズ日本人本島人ノ別ナク襲撃セラル有様ナルヲ以テ警察力弱化セルニ鑑ミ一般民ハ不得已自治的防犯策ヲ講ジ各隣組毎ニ夜警ヲ実施シタリ白昼ト雖モ留守宅ト見レバ荷車ヲ戴キ来リ家財道具一切ヲ持チ去ル事件勘カラズ更ニ爆撃ニヨル小中破家屋ノ如キハ民衆ニヨリ煉瓦、建具、木材ノ別ナク破壊持去ラレ空襲ニヨル被害以上ノモノアリ一般民ノ中国警官ニ対スル態度ハ揶揄的ニシテ警察ノ威力更ニ無ク治安益々紊乱ノ状態ニ陥リツツアリ

5、蕃情

高砂族ニ対シテハ省政府ノ懐柔策ニヨリ平地ト均等ニ権利ヲ授与スルトノ声明ニヨリ一部ノ者ハ自己ノ文化水準ノ奈辺ニアルヤモ知ラズシテ欣喜雀躍シ居レドモ一般ニハ義務負担ノ増大ヲ懸念シ居ル模様ナリ現在日本人警官ハ其儘留用セラレ居ル為メ一般ニ平穏ナルモ中国人官吏ノ派遣ニ対シテハ之ヲ喜バザル傾向ニアリ将来ノ事態ハ注目ニ値スルモノアリ

6. 三民主義青年團

接收後各地ニ三民主義青年団ノ結成促進セラレ三民主義ノ実践行動、三民主義精神ノ鼓吹ヲ主目的トシ一面警察ニ対スル側面ヨリノ協力ヲ為シ居ルモ團員ノ粗質粗悪ニシテ往々不良團員ニシテ自己ニ警察権ヲ行使スル権能ヲ與ヘラレタルモノヽ如ク民衆ニ対処セルモノアリ、新竹分團ノ如キハ事業経営ノ為メ日本人所有家屋数ケ所ヲ不法接收セントシ一部反対ニ會ヒタルモ之ヲ強行セル事例アル等設立当初ヨリ一般民ノ指彈ヲ受ケ居ルモノヽ如ク特ニ日本人ニ対スル監視的態度ハ不快ノ念ヲ與ヘタリ

7. 接收後ニ於ケル日本人ノ生活状態

官公吏ノ大量罷免會社工場個人商店ニ於ケル日本人使用拒否、一部商業ヲ除ク外商品ノ仕入困難ニヨル商店ノ閉鎖等ニヨリ日本人ノ收入絶無トナリ一面諸物價ノ激騰ニヨリ生活極度ニ困難ヲ加フルニ至リ貯金ノ引出ト所有物ノ賣却ニヨリ辛ウジテ生計ヲ營ミ居ルモノ勘カラズ大多数ノ日本人ハ前職ノ如何ヲ問ハズ生活ノ為メ小運搬、物品委託販賣煙草行商、飲食物行商、振賣等ニ從事シ必死ノ生活ヲ續ケ一時モ

早ク帰國センコトヲ切望シ居レリ　新竹市ニ於テハ戰災市街地ノ請揚作業ヲ實施シタル所　日本人老若男女殺到シ日傭労働ニ從事スルモノ多カリシモ一時的事業ニシテ座食スルモノ可ナリ多シ　特ニ一月中旬以降ハ主食タル米ノ配給廢止ニヨリ生活費ハ一人一ヶ月三百円乃至五百円平均ヲ要スルニ至リ精神的不安ト相俟ツテ言語ニ絶スル生活ヲ續ケ一家心中ヲ為スニ至レルモノアリ

8、日本人及中國政府ニ対スル本島人ノ態度

接收直前ヨリ以後ニ於ケル本島人ノ態度ハ一時悪化シ台湾光復ヲ謳歌シ五十年来ノ奴隷生活ヨリノ解放、軍國主義的压政ヨリノ離脱、自由平等ヲ絶叫シ街頭宣傳ポスターノ貼付、中國軍及陳儀長官歓迎門ノ設置寺廟神ノ祭典行列ニヨル示威行進等ヲ行ヒ即功ノ状態ニ陷レリ　本島人学生生徒ノ日本人学生生徒ニ対スル殴打事件、陸海軍人ニ対スル侮蔑行為、警察官其他公務員殴打傷害事件等各地ニ頻發シタリ　竹東、大渓、桃園、中壢等ハ特ニ日本人ニ対スル压迫激シク内地引揚ヲ希望スルモノアリテ全州下ニ及ブニ至レリ　然レ共一部

外務省

有識者中ニハ中国ノ実力ヲ知悉シ終始日本人ニ対シ同情的態度ヲ持スルモノアリタリ然レ共一般民心ノ悪化ハ一時的反動ニ起因スルモノト思料セラレ日時ヲ経ルニ従ヒ平静ヲ取戻シ一部不良ノ徒及平素ヨリ官憲或ハ日本人ニ対シ反感ヲ抱キ居リシ一部徒輩ノ外ハ寧ロ日本人ニ対シ同情感ヲ有スルモノト認ム

中国政府ノ物価政策ニ対スル無定見ト食糧行政ノ失敗並ニ来台セル官吏ニシテ商人ト結託シ巨利ヲ獲得セル風聞伝ハリ官吏ノ収賄買官等日本政府時代ニ嘗テ見ザリシ腐敗セル実相ニ直面スルト共ニ本島人ニシテ省政府地方政府ノ枢要地位ニ就クモノ極メテ少数ナルト一面中等学校卒業生以上ノ登録制ヲ実施シ官吏登用ヲ口約セルモ事実ニ於テハ官吏定員半数以下ニ切リ下ゲラレテ登用ノ門極メテ狭ク言行一致セザル省政府ノ諸政策ニ対シ民心漸次離反シ内心日本政府時代ヲ追慕スルモノ勘カラズ

9. 日本人財産ノ接収

日本人ノ所有財産ハ売買異動ヲ禁止シ居レル所昭和二十一年二月中旬ニ

至リ日僑財産管理委員會設置セラレ同會ニ於テ日本人所有動産及
不動產一切ノ接收ヲ開始セラレ引揚決定ト同時ニ市ニ於テハ区長郡部
ニ於テハ郷鎮長接收員トナリ　有價証券以外ノ動產不動產ハ接收
員ノ評價ニヨリ調書作成ノ上捺印セシメラレタリ而シテ管理委員会
ニ記印アルモノハ一通ヲ本人ニ手交セラル、事トナリ居ルモ接收員ニヨリテハ
評價適當ナラザルモノ不法ニ徴收セントスルモノ等アリトノ風聞アリタリ

三、台湾省ニ施行セラレタル地方制度ノ概要

イ、縣政府

台湾省ハ昭和二十年十月二十五日設置セラレ其ノ下部組織タル地方
制度ハ全島ヲ十数縣乃至二十数縣ニ分割設置サル、予定ノ下ニ
諸調査進メラレタル模様ニシテ新竹州ハ新竹市、桃園縣（桃園
中壢郡）新竹縣（大溪郡、新竹郡）竹南縣（竹東郡竹南郡）
苗栗縣（苗栗郡、大湖郡）ニ分割予定セラレタルモ之ヲ中止シ
一月十五日全島一齊ニ日本政府時代ノ州庁ノ区域ヲ暫時襲用
セラレ縣政府ヲ夫々設置セラレ縣庁所在地ハ市以外ノ街ニ移転

スル事トナレリ

縣政府ニハ縣長ヲ置キ其ノ下ニ秘書室、民政局、警察局、建設局、總務課科、財政科、教育課科ヲ局ノ下ニ課ヲ科ノ下ニ股ヲ夫々置キ秘書室ニ主任秘書一名、秘書二名、局ニ局長、科、課、股ニ夫々科長、課長、股長ヲ置ク外ニ督學、技正、技士、科員、課員、辦事員、雇員ヲ置キ縣長ハ簡任官、局長、主任秘書、秘書、科長、薦任官、課長、督學、技正ハ薦任官若ハ委任官、股長、科員、課員、技士弁事員ハ委任官ヲ以テ充テラル但シ建設局長ハ簡任官ヲ以テ充テラル場合アリ

民政局ハ地方自治、戸政、社會、衛生、地政、營建水利ノ六課建設局ハ農林水産、工商金融、土木ノ三課警察局ハ行政、司法ノ二課總務科ハ事務、人事、統計ノ三股、財政科ハ財務、税務會計ノ三股教育科ハ學校教育、社會教育ノ二股ニ夫々分課セラル　日本政府機構ト時ニ異レル点ハ理蕃(行政)課ノ大部ハ地方自治課ニ衛生課、調査課(戸口事務)ヲ夫々民政局ニ移管シ警察ノ補助長事務ヲ除外セラレタリ

ヌ、市政府

全島各市ハ省轄市、縣轄市ニ分別シ花蓮港宜蘭二市以外ハ省轄市ニ指定セラレ之ヲ四等級ニ分チ台北市ヲ一等高雄、台中、台南、基隆ヲ二等市、新竹嘉義ヲ三等市、彰化屏東ヲ四等市ニ指定セラル

市政府ニハ市長ノ下ニ秘書室、總務科、民政、財政、教育、建設、工務、警察ノ六局（一等市ノ三）ニ、三等市ハ建設、警察ニ局以外ハ科トス工務局ハ二等市以下ニハ設置セズ四等市ハ警察局以外ハ科トス、室ニハ主任、局科ニハ夫々局長、科長ヲ置キ局下ニ課ヲ置キタルトキハ課長ヲ置キ科員、課員、事務員、雇員ヲ置ク市長ハ簡任官、若ハ薦任官主任秘書、局長、薦任官秘書、科長、主任、課長ハ薦任若シクハ委任官科員、課員事務員ハ委任官トス

市ノ下部組織ハ区級里ニシテ一里ハ百五十戸ヲ原則トス 三十里乃至四十里ヲ以テ区トナス 区ニ区公所ヲ置キ区長、副区長ヲ置ク区民代表會ニ

ヨツテ選擧セラレ市政府ノ監督ヲ受ケ自治事項、政府委任事項ヲ處理ス任期ハ二ケ年トス公所ニ助理員及雇員ヲ置キ事務ニ從事セシメラル、里ニ辦公處ヲ置キ里長、副里長ヲ置ク里民大會ニヨリ選擧セラレ区長ノ指揮監督ヲ受ケ自治事項、委任事項ヲ處理ス、任期ハ二ケ年トス辦公處ニ幹事一名乃至三名ヲ置キ各事務ヲ分掌ス必要アルトキハ專任幹事ヲ置キ得ル事トセリ

3. 区署及街鎮

日本政府機構タル郡及支庁ノ区域ニ区署ヲ設ケ県政府ノ補助機関トス区ハ之ヲ一等区署二等区署三等区署ニ分類シ一等区ハ六街庄以上ヲ有スル郡二等区ハ四街庄乃至五街庄ヲ有スル郡三等区ハ三街庄以下ヲ有スル郡及支庁トセリ区ニ区署ヲ置キ区長ノ下ニ總務、民政、建設ノ三課ヲ置キ各課ニ課長(委任)ヲ置ク課員、辦事員、雇員、若干人ヲ置キ事務ヲ分掌セシム更ニ区ニ警察所ヲ置キ所長ノ外警官、警員若干人ヲ置キ区長ノ指揮監督ヲ受ケ警察事項ヲ處理ス区長ハ之ヲ薦任官ヲ以テ充テラル

街庄ハ其ノ区域ヲ儘 街ハ鎮ニ 庄ハ郷ニ改メラレ法人トセラル
郷鎮ニ郷鎮公所ヲ設置シ郷鎮長、副郷鎮長各一人ヲ置ク
郷鎮長ハ代表会ニヨリ公民中適格者ヲ選挙セラル 任期ハ二ケ年トス 郷鎮長ノ下ニ総務、財務、経済ノ三股ヲ置キ股ニ主任ヲ置ク
外ニ戸籍幹事一人戸籍員若干人ヲ置キ戸籍事務ヲ分掌セシム
郷鎮ノ下部組織ハ郷ノ下ニ村ヲ鎮ノ下ニ里ヲ置キ一村里ハ二百戸ヲ以テ原則トナス 村里ニ村里辦公処ヲ設ケ村里長、副村里長ヲ置ク
郷鎮長ノ指揮監督ヲ受ケ各村里ノ自治事項県政府委任事項ヲ処理ス 村里長及副村里長ハ村里民大会ニ於テ公民中ヨリ選出セラレ任期二ケ年トス 市ト同様幹事一人或ハ二人ヲ置キ各事項ヲ分掌シ居レリ

六、県参議会、市参議会、郷鎮民代表会、村里民大会
区民代表会

県政府ハ、市政府ノ議決機関トシテ県参議会市参議会ヲ設ケ県、市ハ公民ニシテ満二十五歳以上甲種公職候選人トシテ

登録銓衡ニ合格セル一定有資格者中ヨリ一郷鎮一名宛選出セラル　間接選挙トシテ各郷鎮代表会ニ於テ之ヲ行フ尚職業団体毎ニ参議員ヲ会員ノ直接又ハ間接選挙ニヨリ選出ス、農業関係、漁業関係、工業関係、商業関係　教育関係自由職業等ニ分類選出シ　一名乃至三名（団体毎）トセラル市ニ於ケル参議員ノ定数ハ人口十万未満ハ九名トシ三万ヲ増ス毎ニ一名ヲ増加シタルモノヲ以テ定員トス　職業団体ヨリ選出セラル、議員ハ県ニ同ジ

県市参議会ノ職権ハ概ネ左ノ如シ

一、地方自治各事項ノ議決

二、単行規程条例ノ制定

三、予算ノ議決　決算ノ審議

四、県市公債及其他負担ノ議決

五、財産ノ運営及処分

六、県市長ノ提出審議事項議決

七、縣市政ノ興革事項
八、人民請議事項ノ受理
九、法律ニヨリテ賦與セラレタル事項
任期ハ何レモ二ケ年トス
市ニ於ケル区民代表會ハ自治規約ノ審議、区予算ノ議決、決算ノ
審議、公民十人以上ノ建議事項ノ議決　区長ノ選挙及罷免
市参議員ノ選挙及罷免ヲ職権ノ主タルモノトシ人口五千未満ノ区
ハ十二名　五千以上一万未満十五名　一万以上一万五千未満十八名
一万五千以上二万未満二十一名　二万以上二万五千未満二十四名　二万五千
以上　三十名ヲ夫々定員トシ区内ノ里民大會ニ於テ甲種公職候選
人中ヨリ選出セラル
郷鎮民代表會ノ職権ハ区民代表會ニ職権ノ外郷鎮不動産ノ管理
及処理処分、基本財産、積立金額ノ管理及処分　予算外ノ
義務負擔及権利放棄、公債ノ決定、変更利率償還方法ノ
議決　郷鎮長　副郷鎮長　縣参議員ノ選挙及罷免等トス

定員ハ人口ノ割合ニ應ジ市ニ於ケル区ト同様ニシテ里民大會ニ於テノ
選挙セラル
村里民大會ノ職権ハ村里規約ノ議決、村里長ノ提出ニ係ル重要事項
ノ議決公民五人以上ノ提議事項ノ議決 村里長 副村里長 郷鎮
民代表ノ選挙及罷免等ニシテ 二ヶ月一回開催セラル、
6、縣市政會議及縣政府行政會議
縣政会議ハ縣長主任秘書、秘書、局長、科長、課長、股長、区長、縣轄市区長、技正、技士
督学、委員等ヲ以テ組織シ毎月少クトモ一回之ヲ開催シ縣長議長トナリ重要事項ノ討論
審議、施工状況報告及検討ヲ行フ（縣参議会ニ提案スル事項、各規程、紛争案
件特ニ縣長ノ提議スル事項等）
市政会議ハ市長主任秘書、秘書、局長、科長、課長、主任、技術人員、視導人員ヲ
以テ組織シ縣ト同様ノ事項ヲ審議決定ス
縣政府ニ於テハ縣長及縣政府各科長、各局長、各区々長、地方団体長、地方有力者
ニシテ縣長ノ招集セル者ヲ以テ毎年二回縣行政会議ヲ開催シ、縣長ノ提議事項、出
席会員ノ提議事項、地方各団体ノ建議事項等ニ付審議、縣政府ノ促進、全縣協

カノ会議タラシム

6 蕃地行政

高砂族ノ居住地区タル蕃地ハ省政府声明ニヨリ平地合称郷口民学校、派出所等ヲ設置スル方針ノ下ニ研究中ニシテ先ヅ日本政府時代ノ後住民相当多キ入蕃居住セル地区ヨリ郷ヲ設置スベク計画中ナリ

四、其他参考事項

1. 日本人互助会

中国ノ接収ニヨリ日本側ノ諸機関ハ消滅シ日本人ノ救済ニ関シテハ中国ニ於テハ何等考慮ヲ払ハザルヲ以テ軍人遺家族、戦災者援護、疎開復帰ニ要スル住宅ノ斡旋其他社会救済事業ヲ目的トスル団体結成ノ必要ニ迫ラレ新竹市ニ之ガ結成ヲ為スベク民間有力者ニヨリテ計画進メラレ接管委員会主任委員ノ了解ヲ得昭和二十年十二月末非公式ニ日本人互助会ノ結成ヲ見漸次各郡ニテ結成セラレタルモ大渓郡ニ於テハ政治性ヲ有スル策動ト誤解サレ発起人中留置セラレタル者アリテ同郡ノミハ遂ニ未結成トナレリ、同会ハ其ノ資金ヲ日本人ノミヨリ二月中旬迄ニ概ネ十万円程度募集ヲ了セルモノノ如シ、在留

日本人ノ引揚ハ予想外ニ捗上ゲタルモ為同会ハ引揚事務ノ多ク官兵善後連絡部ヲ側面ヨリ援助シ相当ノ実績ヲ挙ゲタルモ資金ノ使途ニ関シ一部日本人中ニハ疑惑ノ念ヲ抱ケル者多カリシ模様ナリ

二、引揚時ノ状況

一般日本人ノ引揚ハ軍人軍属及遺家族ヲ優先的ニ取扱ハル、事トナリ二月中旬ヨリ開始セラレ新竹ニ於テハ先ヅ海軍関係家族出発シ陸軍関係ハ第一回三月一日新竹ヲ出発セリ、小官ハ其ノ第二回ニ編入セラレタルモノナリ、物品ノ携行範囲ハ二月中旬頃発表セラレ携行不能ノ物品ハ売却又ハ寄贈ノ余儀ナキニ至リ売却価格ハ低キモ漸次下落スルニ至リ、日僑管理委員会新竹遣送管理站ナルモノ二月末設置セラレ其ノ許可ヲ受クルニ非レバ乗船乗車ヲ為シ得ザルコトトナレリ 官兵善後連絡部新竹分部ニ於テハ引揚民ヲ一ケ団三百乃至四百名程度ニ区分編成シ之ヲ更ニ組班ニ分チ、団長組長班長ヲ団員中ヨリ委嘱シ其ノ自治的行動ニヨリ引揚ノ完璧ヲ期シタリ、基隆ニ於テハ軍部ノ援助ヲ得テ托送荷物ノ積込ヲ了セリ 出発前官兵善後連絡部新竹分部ノ指示ニヨリ基隆ニ於ケル食用トシテ米一人ニ付五日分一升五合副食費トシテ五日分(三食七円宛)三十五円ノ携行ヲ申請サレ携行セル所基隆ニ於テハ一泊セルノミニシテ乗船セルモノニシテ携行米ハ周毎ニ処理ス軍部ニ引渡シタリ、副食費トシテ携行セル金ハ所持許可ノ一千円ノ外ニシテ基隆ニ到着迄車中ニ於テ副食費ノ提出ヲ要セトセルヲ以テ提出ニ及ハズトノ了達アリ　中国側ニ於テハ携行許可金額以外ハ没収スル故制限外金額ハ日支互衛会又ハ新タニ設立サレタ互助会(全島聯合)ニ寄附方ヲ勧請サレタルカ、周旋セル日支人互衛会職員ニ之ヲ托シタリ、日僑輸送計画ハ出発前新聞紙ニ発表セラレ基隆ニ於ケル滞在中ノ給養及船中ノ給養ハ全部中国側ノ責任ニ於テ之ヲ支(持)シ個人ヨリハ之ヲ徴収セサル旨公表アリタルニ干拘輸送担当機関ヨリ副食費ノ携行ヲ指示セラレタルハ不了解ナリト思料スル向アリ、更ニ新竹出発ノ前々日即チ三月二日突如日支人互衛会ヨリ引揚者一人ニ付百五十円(大人子供ヲ問ハズ)ヲ寄附金トシテ醵出方其筋ヨリノ指示アリタルヲ以テ是非共家族数ニ応シ即刻醵出セヨトノ通知ニ接シ既ニ準備完了セルタメ許可携行金中ヨリ支出スルノ止ムナキモノハ携行物品ヲ売却調達セル者、遺積ニシテ之ヲ負担

外務省

セシモノ、下級官吏ニシテ一千五百円ヲ返却セシモノ等アリテ引揚者ハ相当困却セシ模様ナリ

資料　終戰後臺灣ニ於ケル刑務所收容者ノ處置
ニ關スル件

一、終戰當時ノ刑務所ノ收容狀況

昭和二十年八月十五日ノ終戰當時ニ於ケル臺灣全島刑務所收容者ノ狀況ハ臺北刑務所（花蓮港、宜蘭各支所ヲ含ム）約千四百名、臺中刑務所約五百名臺南刑務所約千名（嘉義、高雄兩支所ヲ含ム）新竹少年刑務所約四百名合計約三千二、三百名（内未決約二百名位）ノ收容者アリ尚外ニ臺北刑務所ヨリ出役中ノ海南島派遣收容者四百名位アリタリ　平時通常ノ狀態下ニアリテハ全島刑務所收容者數ハ平均約四千八百名乃至五千名ナリシモ當時空爆ノ被害ヲ可及的僅少ニ止ムル方策トシテ治安確保ニ支障ナキ限リ再犯ノ虞レナキモノト認メラルル罪質比較的良好ナルモノハ犯情軽キモノ等ニ付假釋放又ハ執行停止ノ處分ヲ為シ收容者ヲ減少セシメ居タルニヨリ收容者數平常ニ比シ少カリシモノナリ

二　終戰後ノ措置

然ルトコロ俄ニ終戰トナルヤポツダム宣言ノ受諾ニヨリ臺灣ハ中華民國ニ復歸セシメラルルモノト觀測セラルルニ至リ更ニ同年九月一日ノ横濱調印次テ何應欽、岡村將軍ノ南京ニ於ケル調印等ノ内容ヨリシテ益々臺灣ノ中國復歸ハ明白トナリタルノミナラス日ナラズシテ中國軍ノ臺灣進駐並前進指揮所カ臺灣ニ設置セラルル模様ナリシ為日本法ニヨリ刑務所收容中ノ受刑者及未決者ヲ如何ニ處置スルヤノ問題ヲ生ジタルガ臺灣カ假令何レノ國ニ歸屬スルトスルモ兎モ角接收未了中ノ過渡期ニ於テハ日本法規ノ效力ヲ認容セラルベク又接收後ト雖モ治安保持ノ為一時的便法トシテ日本法規ノ效力ヲ認メ日本法ニヨリ執行中ノ既決囚ニ付テハ其ノ儘刑ノ執行ヲ命シ未決者ニ付テハ接收國ノ法令ニ相違セザル限リニ於テ更ニ審理ヲ續行セシムルニ至ルベキコトハ大体豫想シ得ルトコロナリシニヨリ原則トシテ刑務所收容者ハ其ノ儘トナシ只管所内ノ平靜ヲ圖ルコトトナシタルカ只臺灣ノ特殊事情ヨリ發生シタル犯罪ナル思想犯（臺灣ノ中華民國復歸ヲ企圖シタルモノニシテ治安維持法ノ適用ヲ受ケタルモノ）（臺灣ニハ共産主義ニヨル受刑

者ナシ）國防保安法違反及軍事関係犯罪（軍
機保護法、軍用資源秘密保護法陸海軍刑
法等）外患罪等ノ適用ヲ受ケタル者ニ付テハ
最早拘禁ノ目的消滅セルモノト解セラルルノミナラ
ス中國側ノ進駐アルトキハ第一着手トシテ此種犯
罪者ノ釋放ヲ命ズルハ必定ナリト豫想セラレ
タルヲ以テ無用ノ拘禁ヲ避クル意味ニ於テ各刑
務所トモ同年九月十四日附ヲ以テ刑事訴訟法第
五百四十六條第七號ニ則リ先ヅ治安維持法関
係ノ既決囚約六十數名ヲ刑ノ執行停止ニヨリ
釋放シ續テ其ノ他ノ國防保安法関係軍事
法規関係及經濟法規違反者等ノ既決囚
約百四五十名ヲ同樣刑ノ執行停止ニヨリ釋放シ
且之種犯罪ノ未決囚モ同時ニ保釋又ハ責付

ニヨリ夫々釋放ヲ爲シ殘餘ハ一般惡質犯罪者ノミト爲シテ戒護ヲ嚴重ニ爲シ接收ヲ待チ居タルカ同年十一月二日至極平穩裡ニ臺灣省高等法院長ノ接收ヲ完了セリ

二 恩赦ニ關スル事項

内地ニ於テハ終戰後恩赦ニ關スル勅令カ公布セラルル由ナリシニヨリ臺灣ニ於テモ其實施準備ヲ進メ居タルトコロ右大赦特赦等ノ勅令ノ公布アリテ臺灣ニ其ノ連絡アリタルトキハ既ニ中國ノ前進指揮所ガ設置セラレ居リ且臺灣省高等法院長モ着任シ居リ總テ中國側ノ指揮ヲ受ケテ諸般ノ行政及司法事務ヲ行フコトトナリ居タル爲右恩赦ニ關スル勅令ノ實施ニ付テハ中國側高等法院長ノ意見ヲ聽カザルヲ得ザルコトトナリタルニヨリ

實施策ヲ提出シテ中國側高等法院長ノ意見ヲ伺ヒタルニ中國側トシテハ恩赦ニ付テハ別ニ考慮スルニヨリ其ノ實施ハ見合セラレ度シトノ旨ノ返答ナリシ為右恩赦ハ實施シ得ザリシモノナリ
然ルニ其ノ後中國側トシテハ何等恩赦ニ相當スル處置ヲ採ラザリシ為恩赦ノ勅令公布アリタルコトヲ洩レ聞キタル收容者達ハ係官ニ對シ不服ヲ述べ各刑務所共幾分怠業状態トナリ所内ノ衆情悪化シ敗戰國民タル日本人戒護者ヲ以テハ收拾困難ナル状態ニアリタルカ本年二月末ニ至リ一部ノ善良ナル收容者ノミヲ假釋放スルニ及ビタリ

四 日本人收容者ノ送還

本年三月中旬頃ニ至リ中國側ハ一般日僑ノ遣

送ト共ニ各刑務所收容中ノ日本人ハ既決未
決共ニ總テ日本國ニ送還スルコトニ方針決定
シタル模様ニテ同月下旬臺灣省高等法院長
ヨリ各刑務所長ニ命シ日本人收容者ハ一應全部
臺北刑務所ニ集中セシメ三月末頃武裝米艦ニ
ヨリ臺北刑務所ヨリ百三十九名（内十七名ハ中國側
法院ノ言渡シタルモノ）ヲ鹿兒島刑務所ニ送リ（鹿
兒島着四月六日）臺北刑務所花蓮港支所ヨリ四
月二十三日二名ヲ同シク鹿兒島刑務所ニ遣送引
續キタリ尚外ニ臺灣省警備總司令部軍法
處ノ言渡ノ既決者十七名ヲ四月上旬米艦ニヨリ
大竹港ニ輸送シ來タリタルニヨリ之ハ不取敢廣島
刑務所ニ收容中ナリ、而シテ右ノ外尚臺灣ノ刑
務所ニ殘留セル日本人收容者小數（第二回送還

ノ際ハ未決取調中ニシテ中國側檢察官又ハ警備總司令部ニ於テ止メ居タルモノ）存スルモノト思料セラルルモ正確ナル數字ハ判明セズ

尚右内地送還受刑者中終戰當時ニ既ニ既決トナリ居タル者ニ付テハ鹿児島刑務所ニ於テ前記ノ恩赦ヲ實施シ夫々減刑ヲ為シ已ニ出所セルモノモ存シ[illegible]外[illegible]ニ刑期全部ヲ終ヘテ出所シタル者モ存スル状況ナリ

五 海南島關係者ノ歸還

又前記海南島派遣ノ臺北刑務所所管ノ收容者ハ全部臺灣人ナリシ為同島接收ノ中國側ニ於テ引継キ日本人職員約四十名ハ本年三月末頃内地ニ送還セラレタリ

六 殘留刑務職員

大部分ノ刑務所職員ハ帰還シタルモ中國側ノ要請ニヨリ台北刑務所長典獄補佐藤正三以下十三名ノ看守長又ハ看守並ニ臺南刑務所技術者（刑務技手）三名残留シ中國側ニ協力シ居レリ

以上

臺灣總督府殘務整理事務所

昭和二十一年四月

臺灣統治終末報告書

臺灣総督府残務整理事務所

吾が國の臺灣統治終局に付きまして顛末を御報告申し上げますことは寔に感慨無量の至りに存じますが四月下旬在臺四十餘萬の軍官民の引揚還送が完了致しました此の機會に終戰後の臺灣の實情殊に接收の經過、在留日本人の動向と其の還送等に付き以下概略御說明申上げ度存じます。

一、終戰直前の島情

終戰前に於きましては當時フイリッピン戰線日に不利となり沖繩亦陷落の余儀なきに至り敵機の來襲次第に激烈となり臺灣周辺の戰機愈々緊迫を告げて參りましたので臺灣戰場化必至の想定の下に總督府に於きましては軍と表裏一体となり飛行場の増設、築城陣地構築等邀擊態勢強化に島民の總力を結集せしめますると共に主要食糧の生産配給の確保に最善を盡す外各種軍需資材及生活必需物資の島内自給を圖り且凡ゆる施策の根底として治安の維持、民心の把握に不斷の配意と警戒を致しました。島民も亦日本人は素より本島人に於きましても官の施策に則應致しまして豫想以上の協力の實を示し空襲の危機に曝されつゝも困苦欠乏に耐へ多数の青年を従軍せしめました外或いは各種軍事施設作業に、輸送に、生産に寄与致して参り幾多の悪條件下宛も戦場態勢の整備強化に軍官民一体となり涙ぐましき努力を傾注し来り相當實績を収めて参った次第であります。

二、終戦直後の島情

八月十五日終戦の大詔を拝しましたことは洵に晴天の霹靂とも申すべく一時は全く呆然自失為す處を知らざる状態でありまして、在留日本人は将来の國運の悲惨なるを想い沈痛悲憤の情押へ難き余り如何なる挙に出ずるや測り難く本島人の帰趨も豫断を許さざるものありと存じまして民心の不安動揺を防ぎ不測の事態を惹起せしめざる様同日總督諭告を發し只皆大詔を奉じ軽挙妄動を慎み軍官を絶對に信頼して冷静生業に励むべき事を諭しました。其後當初憂慮致しました如き突發事件もなく民情に大なる變動を見ず大勢は事茲に至っては已むなし大詔を奉行し如何なる困難も甘受してポツダム宣言の履行に努むるの外なしとの決意を固むるに至り本島人に於ては戰爭終局に依る安堵と明朗の気分が觀取せられた外種々複雜な感情の潜在底流するのを認められましたが、將來の見透し明確ならざることと無傷の日本軍が嚴存致して居りまする關係もありまして表面上は從前と何等異なる處なく一部には寧ろ日本の敗戰を痛み悲しむ者すら散見せられ、平靜の中に推移致しました事は洵に幸ひと存ずる處であります。

爾來總督府に於きましては大詔を奉行致しポツダム宣言の忠實なる履行に遺憾なきを期し他面領臺以來一貫して變らぬ一視同仁の御聖旨に基く統治方針を終局に至る迄完了する爲民心の安定を圖り且文化、產業、經濟其他諸汎の分野に亘り臺灣の現在水準を低下後退せしむる事なく平靜且円滑裡に統治の引継を致しますると共に願はくば過去五十年に亘る辛酸努力の結晶とも謂ふべき在留日本人の權益の保續を圖り更に永年に亘る内臺共存を基礎とし將來の日華親善の先驅たらしめんことを目途とし種々努力致して參りました。亦在留日本人に於きましても終戰直後の本

(3)

島人の平静なる動行に樂觀的な氣分濃厚となり今後の母國の苦難を想ひ亦五十年に築き上げ來った今日の地盤を放擲して本島を去るに忍びず何とかして外交交渉に依り臺灣に於ける日本人權益の容認を得、將來の日華親善合作の實を上げ度しとして本島に殘留を希望する者も多き狀態でありました。

而して終戰後の島情に鑑み旣に存置の要なき各種統制は素より今後行政、執行力減退に伴ひ実施困難であり且島民に重壓感と不満を抱かしむる傾向ある各種統制は寧ろ之を廢止し島民に明朗感を與ふると共に民心の激發を避くることが適當と認め戰時經濟統制を逐次撤廢致したのでありますが食糧管理、物價賃金統制は之が確保極めて困難の狀勢にはありましたが、尚島民生活に激變を與へインフレの奔騰を刺戟するを慮り之を存置せしめたのであります。

九月に入り南京に於ける中國戰區受降調印式行はれ、臺灣の中國復歸確實となり其の時期意外に早きを豫想せらるゝに至り本島人間には漸次日

(4)

本よりの離反傾向表面化し地方第一線官公吏に對する暴行、米穀供出拒否乃至は供出濟米返還要求等の紛争惹起し行政秩序混乱の徴漸く著しく亦此の機に乗ずる不逞無頼の徒の抬頭を見日本人財物の強要強奪隨所に發生する等治安を紊り公安を害する事象續出するに至ったのであります。而して中國軍官の先遣渡臺し本島光復解放を宣傳するに至りまして、此の傾向は次第に激化し十月前進指揮所設置以後は愈々熾烈となり日本官憲の行政執行力急激に弱化し治安は日を追って混乱するに至ったのであります。亦此の行政秩序の破綻、治安の混乱と並行致しまして物價は急激に高騰の一途を辿り社会不安を深刻化し島民生活に重大なる脅威を與へ憂慮すべき悪性インフレの進行を如何とも爲し得ざるに至りましたことは洵に遺憾に堪えぬ所であります。

三、接收の概況

(イ) 横濱に於ける降伏調印式以後の經過に依り臺灣は中國本土と一律に中國戰區として支那總軍司令官を以て帝國代表とせられ中国側と現地

交渉に依る事となり且軍事以外の事項も附随的に同様處理せらるることと明らかとなりましたる處本島官民としては日本領土として五十年を經たる本島が支那本土占領地と一律に處理せらるべきことを虞るると共に本島の實情に通ぜざる支那總軍及在支外交機関に於て本島特殊事情を十分中國側に諒解せしめ得るや否やに付多大の憂慮の念を抱く實情でありましたのに鑑み支那總軍司令官に對し中国との交渉に當り本島の特殊事情を考慮せらるべき事を申入るゝ様打電致す外陸軍省を通し同様の趣旨の連絡を願った次第であります。

(四) 九月九日南京に於ける中國戰區受降式擧行せられ、中國軍官の渡臺の時期、近きこと明らかとなりましたので之に備へ交渉の統一を圖ると共に接遇に遺憾なきを期する為九月二十二日本府に中央の例に倣ひ終戰連絡事務局を設置し爾来同局をして中國側及本島駐在米軍に對する交渉連絡の衝に當らしめた次第であります。

次いで十月五日臺灣省行政長官公署警備總司令部前進指揮所が公署秘

書長葛敬恩氏を主任として設置せられ、同日臺灣省警備總司令部備忘錄（臺軍字第一號）及臺灣省行政長官公署備忘錄（臺政字第一號）を手交せらるると共に同日前進指揮所通告第一号が發せられたのでありますが之に依り

(一) 陳儀長官着任前に在っては本島一切の行政司法事務は臺灣總督以下日本原有各機関に依り現状を維持継續せしむべく、臺灣總督は其の徹底実施方監督の責を負ふべきこと

(二) 臺灣現行の貨幣は引續き流通を允許すること

(三) 教育、産業、交通、通信公共事業は現状を維持し停頓すべからざること

(四) 各種重要施設資材、物資、文献、簿冊は現状を維持し完全なる状態を以て保存すべきこと

(五) 日本人公私有財産の移動、轉賣、處分を禁止すること

の方針が明示せられましたので總督府に於きましては直ちに右命令を

地方廳に轉達し取締指導の萬全を期せしむると共に同備忘録に依り命令せられましたる膨大なる調査報告を全機関を動員し急速に作成提出致さしめたる次第であります。尚日本人公私有財産移動禁止に関しましては法的措置の必要を認めましたので同月十五日不取敢緊急律令として昭和二十年律令第七號（中華民國臺灣省行政長官公署ノ發スル命令ニ依ル事項ヲ實施スル為發スル命令ニ関スル件）及之に基く府令第百三十號（公私有財産處分等ノ制限ニ関スル件）を公布、右緊急律令の事後御裁可を仰いだ次第であります。

而して此の備忘録及通告に依りまして現状維持、行政不停頓方針に依り前進指揮所設置後も引續き本島統治の責任は臺灣總督に負はされ前進指揮所は臺灣總督に對し所要の命令を為すこととし直接本島行政に當らざることとなり中國側よりするときは所謂間接行政の方式を採った譯でありますが素より臺灣總督としても前述の如く五十年統治の結果今日の成果を致しましたる本島の現状を維持し、円滿且整然として之を中国側に引渡し本島統治の終局に際しても有終の美あらしむることこそ当方の念願でありましたので当時既に日本官憲の威信失墜し治安混乱し行政停頓、社會經濟秩序破綻の徴蔽ひ難きものある動向に多大の憂慮を抱きつゝ各機関を指導鞭撻し掉尾の努力を傾注せしめ且總督としても再三聲明を發し中国側の要望する所を明示して島民の自重自粛を促す外中国前進指揮所に對しても各種緊急要務に関し機を失せざる措置を講ずる様申入れを行ひ治安維持、納税義務履行等に関する通告を發せしむる等種々腐心致しましたが既に四圍の情勢全く一變し為に特に効果の見るべきものなかりしは已むを得ざる所と存じます。

(八) 十月二十四日陳儀長官兼警備總司令官着臺、翌二十五日臺北市に於て臺灣地區受降式が擧行せられ日本側よりは安藤總督兼軍司令官が高雄警備府司令長官、臺灣軍参謀長及總督府總務長官代理等を隨へて出席、降伏調印の後陳儀長官兼警備司令官より行政長官公署、警備總司令部命令(署部字第一號)を手交せられたのでありますが同命令は

(一) 行政長官兼警備司令官及其の指定する部隊並に行政官は臺灣膨湖列島地區の日本陸海空軍及其の補助部隊の投降を接受し併せて臺灣膨湖列島の領土、人民、治權、軍政施設及資産を接收すること

(二) 本命令受領後は凡ゆる臺灣總督及第十方面軍司令官等の職權は一律に取消し臺灣地區日本官兵善後連絡部長と改稱して陳儀行政長官兼警備總司令の指揮を受け隷下の行政軍事等一切の機關部隊人員に對し同長官の命令、訓令規定指示を傳達する以外如何なる命令をも發布し得ざるべきこと

(三) 命令を受けたる日より直ちに迅速確實に何時にでも命令を俟って交替し得る如く準備を始むべきこと

を内容とするものでありまして茲に於て臺灣軍の無條件降伏正式に確定すると共に臺灣總督の職權は取消され日本の臺灣統治は終局を告ぐる事となった次第であります。即ち從前の國際慣例より致しまするときは日本領土たる臺灣の割讓は將來締結せらるべき媾和條約に依り正

式に確定せらるべく其の間に於ては中國の保障占領の下間接統治形式に依る軍政施行せらるるに非ずやとの豫想も行はれたのでありますが此の命令に依り國際法上の當否は兎も角として中國の一方的宣言を以って臺灣の領土、人民、治權は十月二十五日を劃し、中國側の接收する處となり本島は中國の版圖に歸し且陳儀長官に依る直接統治を実施せらるることゝなった次第であります。同時に臺灣總督は臺灣地區日本官兵善後連絡部長として行政長官の指揮を受け中國側の命令轉達の機關たるを命ぜられたのでありますが、次いで十月二十八日總督府及所屬機關の接收に關する最高責任者一人も指定すべき旨の命令がありましたので總務長官を指定すると共に本人不在中總務長官代理を代理責任者と指定する旨回答、行政長官公署より折返し總務長官に對しては善後連絡副部長、總務長官代理に對しては同代理副部長とすべき旨の通知あり。爾後行政司法部門の接收に付ては公署より善後連絡部代理副部長宛に中國側の接收責任者及接收日時を指定通告、代理副部長より之を各機関に轉達したる上実施せらるることとなったのであります。

(二) 斯くして行政司法部門の接收は十一月一日より開始せられ總督府及其の直轄機関並に所属團体の接收は十一月二日より開始、同月末迄に略完了、地方廳の接收は十一月八日開始十一月中に概ね完了、一部は十二月に亘り、學校其の他の諸機関亦十二月中旬頃迄に總て完了を見たのであります。接收に際しての中國官吏の態度は概ね穏健且友好的であり略々對等の立場にて接受を行ひ中國側接收方針として接收に臨む態度に付統一的指示ありたるものの如く推察せられました。

亦接收は終戰後相當の余裕があり準備充分に行はれました関係上略々順調に実施せられました。而し乍ら今回の接收に於ては行政事務本位の日本行政機関の事務引継とは著しく異り專ら物的接收に重きを置き懸案事項、緊急要務等重要なる行政事務の引継には殆んど関心を示さぬ事は日本側の意外とする處でありましたが更に施設、物品、金銭の

(12)

接收に付きましても両國會計制度の相違、即ち日本に於ては綜合的會計制度を採るに對し中國に於ては著しく青員的色彩濃厚なる會計制度なることに原因し、種々の誤解、疑惑を生じ惹いては紛議乃至は感情問題を醸しましたる事例もありましたが概ね円滑迅速に更替を了することが出来ました。

（ホ）

次に接收に伴ふ日籍職員の處置に付きましては各部門共若干の例外を除き等しく日籍職員の協力を希望し本府及直轄機関は概ね六割、地方廳は約三、四割の多数の留用を求められました。素より行政の停頓なからしむる為には中國官吏の実情に通ずる迄知識經驗ある日籍職員の協力は欠くべからざるものであることは容易に了解し得る所でありますが、八年抗戰の民族的感情を超え豫想外に多数の日籍職員を留用致しましたことは中國官吏の寛容なる態度と相俟ち日籍官吏にも少なからず感銘を與へた次第であります。

而し乍ら本年二月日僑の集團還送開始せらるるや留用日籍職員は物價

（13）

騰貴に生計を維持し難く次第に窮乏に陥りつゝありました為治安上の不安と相俟ち殆んど大部分本國歸還を希望するに至り中国官吏の引止め慰留にも拘らず強て留用解除を求むるに至りましたが三月下旬中國に於て本島留用日籍職員数官民を合せ七千人、其の家族を合せ二萬八千人の残留を認むることに方針決定せらるるに及び各部門別に割當てられたる員数内に於て眞に不可欠なる最少限度の技術及特殊技能職員のみを保留し大部分の者は留用解除の上歸還せしむることに決定を見た次第であります。

此の間官兵善後連絡部に於きましては中國側の留用方針徹底を欠き局部的には妥當ならざる留用を強要する向もあり亦引續き留用せらるゝ職員の将來不安を緩和除去するの要を認め行政長官公署に對し再三交渉を行ひ日籍職員の留用は本人の希望に依るべく特に中國側に於て留用を要請せらるるは眞に不可欠の技術者及特殊技能者に限らるべきこと、留用者の将来の不安なからしむる為、留用期限及工作目標を明確にし留用者に相應の地位を與へ且技術技能を發揮し得る如く取扱ひ治安の現況に鑑み生命、財産、居住の保障を爲すと共に相應の生活維持に必要なる經濟的處遇を考慮し且将來歸還の際の配船及日本との通信、家族送金を可能ならしむべきこと等の申入を行ひ中國側の概括的公約を得たる次第でありますが、歸國の希望に反し残留を余儀なくせらるる留用職員の労苦と犠牲に付ては同情を禁じ得ざるものがあると存ずる次第であります。

(ヘ) 以上行政司法機関の接收状況を申し述べましたが銀行、會社其の他の民間企業に付きましても官廳接收に續いて概ね十一月下旬頃より監理又は接收に入り臺拓、臺銀、臺電の三國策會社を初め大企業は先づ公署より派遣せられた監理員を以て監理委員會を構成し經営は其の監理下に置かれ現在尚接收工作実施中でありまして接收完了には今後尚若干の日子を要する見込であります。

四、本島人の動向

本島人の動向に付きまして申述べますれば一度中國復歸明かとなり、中國側の解放光復の宣傳展開せられまするや今日の盛況と社會福祉並に島民の文化的經濟的水準の向上を齎らしましたにも拘らず急激に日本より離反するに至るを目の辺り見、在留日本人は等しく異民族統治の困難を今更乍ら索然として痛感致した次第でありますが中國政府の日本人に對する處遇方針を理解せざる一部の者を除き純良且冷靜なる多くの本島人は終戰後今日に至る迄一貫して日本人に對し親愛別離の情を示し居り素朴なる民衆も多く個人的感情としては日本人に對し同情の念を抱き居りたる事が伺はれるのでありまして茲に如何ともし難き民族感情は別として本島統治の御恩澤と道義性は永く心ある島民の胸裏に銘記せられ今後の日華親善に何等かの寄與を爲し得るものと期待し得、臺灣五十年の統治は日本帝國の將來にとり無意義に終らざる事を信じ以て寂寥を慰し居る次第であります。

尚高砂族に於きましては其の素朴純情なる氣持を以て日本の敗戰に同情

せる実情でありまして今次戰爭に於ける犠牲及貢献を想ふ時別離の情を禁じ得ざるものがあり、將來に於ける同族の多幸を祈って已まぬ次第であります。

五、在留日本人の動向

終戰後中國側の對日本人方針を観察致しまするに終戰直後蔣主席は「不以怨酬怨而樂與爲善」と方針を闡明し日本人に對する報復を戒め日本國民に深き感銘を與へたことは記憶に新なる處でありますが本島に於きましても日本帝國主義及軍閥に對する攻撃非難は別として對日本人方針としては此の蔣主席の言を引用し本島人に對しては大國民的寛容と自制とを求め日本人に對しては自粛自戒と中國行政への協力を望んだのであります。一面在留日本人亦官民共に相成るべくは五十年日本領土たりし本島の特殊事情を中國側に容認せしめ永年辛酸努力の結晶たる在留日本人權益の保續を圖り内臺共存の基礎の上に將來日華親善の先驅たらんとの念願の下に強く残留を希望したのであります。

然し乍ら現實の社會状勢は日華双方の基本觀念に反し渡臺早々中國側は本島民心の把握及民族意識の昂揚を圖るに急なるの餘り日本統治の非難解放光復の強調に努めたる爲一部無理解の本島人間に表れる對日本人觀を激成し治安の混乱と相俟って中下層方面に在りましては公然と地方第一線日籍官公吏其他の在留日本人に對し暴行壓迫を加へて舊怨私憤を晴し一部不逞の徒は或は財物を強奪し或は金品を強要するものあり純眞なる青少年層に於てすら一時は闘爭的氣分に依り日本人子弟に暴行を加ふる者あり、これが爲在留日本人は敗戰の慘苦を嘗めつゝ之に抗するに術なく加ふるに終戰以來高騰の一途を辿りたる物價の重壓、家屋の接取、不法收奪に依る住宅難並に在留日本人權益資産は凡て中國に接收の上賠償に充てらるる方針が漸次明確になりたる等の事情に因り漸次當初の留臺希望弱まり遂には在留日本人の殆んど大部分が各種權益及資産に對する愛着を断ち苦難に滿ちたる母國に裸一貫にて新生途を拓かんと決意を固むるに至りましたことは日華双方の爲に眞に遺憾に堪へません。只前述の如く中國政府の日本人に對する根本方針は判然と致して居りますので大局的には今後順次良好の状態に推移するものと信じて居る次第であります。

六、在留日本人の還送及財産處理

在臺日本人の還送に付きましては中國及米國の協議に依り決定しました方針に從ひ昨年十二月下旬より先ず軍の輸送を開始し二月下旬には八萬の軍人遺家族次いで一般居留民の還送を開始し四月下旬を以て總数四十餘萬人の計画輸送を完了致した次第であります。此の場合從来の責任者たる市長、郡守、州知事、廳長並に本府幹部職員は各其の管内居留民の最後尾となつて歸還するの原則を立てゝ參りましたが幸に略々豫定通りに実行せられましたことは當事者として欣快に堪へざる所であります。

而して一般日本人の還送業務の実施に當りましては總督府以下の行政機構は中國に接收せられました為全島的連絡の機能を喪失致しました関係もあり軍の機構を中核と致しまして約一萬人の將兵を殘留せしめ之に

従事せしめました外日本人官民より所要の陣容を補充し軍官民一体となり圓滑なる還送の実施に當らしめたのであります。一般在留日本人の還送は軍の場合と異り集團行動に馴れず且婦女子を雜えて居りますので其の還送に付きましては種々の困難を豫想せられ計画配船に應ずる編成集結が順調に行はれ得るやは頗る憂慮せられた所でありますが幸にして大過なく之が完了致しました事は最も欣幸に存ずる處でありますと共に中國政府及在留米軍の格段の取扱ひ並に最後迄多大の犠牲を拂ひ還送業務に従事致しましたる軍官民に對し深く感謝致して居る次第であります。

還送に伴ふ在留日本人の財産處理に関しましては中國側及米國軍との協議の結果一人當千円、郵便貯金通帳及中國本土より若干緩和せられたる数量の衣類寝具其の他の身廻品の携行を認められたる外は凡て中國側の接收する處となり、接收資産に付きましては中國側の一方的評價に依る私有財産清冊及企業財産清冊と稱する證明書を交付せられた次第であります。

尚還送及財産處理に付きまして在臺米國側は日本に對し終始好意的態度を以て臨み一般的にも終戰後各種の問題に関し在留日本人の庇護者的行動を採り来りました事を特に申添へて置き度いと存じます。

八、結論

以上終戰後還送に至る經過の概略を御報告申述べたる次第でありますが臺灣在留日本人は等しく今次終戰に當り深く宸襟を悩まし奉りましたことを國民として衷心申譯なく存じ凡ゆる苦難に耐え戰後日本再建に最善の誠を致すべく其の心境悲痛の中にも亦希望と意氣に燃えて母國の土を踏んだのでありますが、生活の本據を失ひ、資産權益を放擲して裸一貫となり歸還致したる次第でありまして其の中には尠なからず生活に困窮を告げ社會の落伍者となるものも有り得ることゝ存じ憂慮に堪へぬ所でありまして歸還者の援護に付きまして政府の格別の配慮を懇請致す次第であります。

亦今回中國側の留用命令に依り残留を余儀なくせられました者に付きま

しても今後の島情の推移如何に依りましては如何なる困難に遭遇するやも知れず。洵に同情の念禁じ得ざるものがあります。之等残留日本人の連絡保護指導のため差當り少数の者を選び中國政府監督の下に其の任に當らしむることゝ致した次第でありますが今後之等二萬八千の留臺者の歸還、家族送金及援護に付きましても政府の理解ある措置を切望致す次第であります。

最後に臺灣は日本の版圖より離脱致したのでありますが半世紀に亘る日本との関係は急激に切断し得るものではなく、文化、産業、經濟の各部門に亘り今後に於ても日本との連繋を要するもの少なからず存ずるものと思料せられます。日本と致しましても今後尚臺灣に對する関心を失はず、交易、文化交換等の平和的方法に依り互助互恵の關係を維持し國運再建の一助とし併せて日華提携に寄與する處あらんことを衷心念願して已まぬ次第であります。

議會說明資料

（昭和二十一年五月十三日）

終戰後在臺邦人ノ蒙リタル迫害狀況

臺灣總督府殘務整理事務所

臺灣總督府東京出張所

目次

一、一般狀況

終戰ノ大詔煥發直後臺灣總督府ハ臺灣ガ中華民國ニ復歸スルコトトナル關係上管下ニ重大ナル政治的、社會的並ニ經濟的ノ混亂惹起セラルルコトアルベキニ對處シ正式ニ中華民國政府ノ接收アル迄ハ日本政府ノ責任ニ於テ治安ヲ保持シ經濟秩序ニ大ナル變動ヲ與フルコトナク以テ民生ノ安定ヲ圖ルベク方針ヲ樹テ所要ノ措置ヲ講ジタル爲當初預貯金ノ引出ノ漸增ヲ見タル外仍臺人ヲ通ジ全島概ネ平靜ニ推移シ思想行動ノ面ニモ格別顯著ナル變化ヲ認メラレズ

然ルニ時恰モ米穀事情逼迫ノ生活環境モアリ都市智識階層ヲ中心トスル祖國復歸ヲ謳歌スル「臺灣光復」「山河重光」思想ノ鼓吹、新政府歡迎ノ計畫ハ日ヲ追ヒテ全島ニ浸透シ之ガ反射的效果ハ勢ヒ「日本人排擊」ニ轉化セラレ島民ノ心理性的興奮ヲ愈々激シク地方官公吏就中警察官及產業關係官公

臺灣總督府東京出張所

迄ニ暴行ヲ加フル事案續出シ地方行政ノ運營ヲ著シク困難ナラシムルニ至レリ

此ノ間當方ハ忍ヒ難キヲ忍ヒ隠忍自重事案ヲ極力局地的、偶發的問題トシテ處理シ問題ヲ他ニ波及セシムルコトナキヲ期シタルモ中華民國政府ノ前進指揮所設ケラレ次テ中華民國軍隊ノ進駐ト臺灣省行政長官公署ノ業務開始後モ之ニ對スル應急適切ナル措置ヲ採ラルルコト尠ク白晝公然島都ノ警察官署ヲ襲ヒテ日本人警察官ニ暴行ヲ加ヘ或ハ日本統治時代ニ完結セル經濟、刑事、高等警察事案ヲ取上ケ當時ノ官憲ヲ告訴シ又ハ警察官及一般地方產業關係職員ニ付キ事實ヲ歪曲シテ投書密告シ又ハ金錢ヲ强要シ直接暴行傷害ヲ加フル等不祥事件全島ニ續發セリ特ニ國民黨三民主義青年團ノ活動旺ントナリ外地ニ於ケル臺灣人ノ處遇極メテ不良ナリトノ報道誇大ニ傳ヘラレ引續キ比島戰線ニ於テハ臺灣兵ノ内ヲ喰ヒタリ」トノ臺灣人歸還者ノ談話新聞紙上ニ煽情的ニ發表セラルルニ至リ之カ報復的行動ハ隨所ニ激發スルニ至リ國民學校以上ノ日本人生徒學生ニシテ臺灣人學生ニ依リ暴行脅迫ヲ受クル者頗ル多ク一時登校ニ難ヤ状況ナリキ、又列車、工場、官衙ニ於ケル日本人迫害モ依然繼續シ既往ノ思想外諜事件ノ復仇會ヲ結成スル等ノ組織的活動モ展開セラレタリ

又之等ノ事象ト前後シ農、工、商等經濟面ニ於テモ在臺邦人ハ深刻ナル經濟的迫害ヲ蒙リタルコト後ニ詳述スル如シ

只茲ニ特記スベキコトハ臺灣省行政長官兼警備總司令陳儀上將カ蔣主席ノ「怨ニ報ユルニ德ヲ以テセヨ」トノ方針ヲ常ニ對日本人問題處理ノ基本方針トセラレタルコトニシテ在臺日本人ノ均シク感激セル處ナリ　從ツテ以上述ベタル迫害ノ事案モ一部中國官憲カ之ヲ充分把握シ得ザリシコト多クハ政治的、社會的訓練低調ナル臺灣島民ノ迎合的、衝撃的動向ノ犠牲タルヲ固ク信ズルモノナリ。

二、官公吏ニ對スル迫害ノ状況

(1) 警察官ニ對スル迫害

官公吏中最モ迫害ヲ蒙リタル者ハ地方警察官ナリ、迫害ノ動機ヲ検スルニ私怨ニ出デタルモノ多ク殊ニ経濟統制ニ慣熟セザリシ島民ガ終戦ト共ニ其ノ窮屈感ヨリ解放セラレタリト誤解シ一轉シテ反動的報復ヲ企圖シテ檢擧當時ノ官憲ニ暴行ヲ加ヘ、不當ノ代償的金錢ヲ強要シ又ハ事實ヲ捏造シテ投書密告スル類多ク、更ニ思想外諜事件檢擧ニ對スル報復ヲ企圖シ中ニハ支那事變發生當時ニ遡リ司法處分ノ效果ヲ否定スルノ訴ヲ提起シ日本統治時代當然ノ權限ニ基キ正當ナル法律手續ノ下ニ完結セル事案ニ關シ官憲ヲ謀殺シ、元高等法院長、判官(裁判官)、檢察官(檢事)、司法警察官等多數ヲ告訴シ中國側司法機關ニ於テモ之ヲ受理シ告訴人ニ拘引状ヲ執行セシメ右官憲ヲ逮捕拘禁シ審訊ヲ開始セルガ如キ(本案ハ後陳儀長官ノ指示ニ依リ引揚最終時ニ打切ラレタリ)又ハ官憲ノ家族ヲ人質ト

シテ歸國ヲ阻止セルカ如キ人道上問題トナルベキ事案ヲ惹起セリ
又接收ニ關シ些細ナル物件ノ處理ヲ繞リ理不盡ナル名目ノ下ニ警察官署々長以下各部職員ヲ引致シ暗ニ金錢ヲ要求シテ長期拘留セルカ如キモ相當アリ結局警察ハ終戰後死亡三名逮捕拘禁セラレタル者五十餘名、暴行傷害ヲ受ケタル者二百人以上（何レモ概數推定）ニ達スル犧牲ヲ出セリ

(2) 其ノ他官公吏ノ蒙リタル迫害

警察官ニ亞テ迫害ヲ蒙リタル者ハ郡、市、街庄ニ勤務セル地方官公吏ニシテ就中戰爭中陣地、飛行場等軍作業ニ服セル勞務者竝ニ竹木等ノ資材ヲ提供セル者カ勞償又ハ代金不當ニ格安ナルヲ不服トシ改メテ終戰後ノ物價騰貴ノ基準ニ則應セル代價ヲ支拂フベシト當時之カ斡旋ノ任ニ當レル勞務關係職員ヲ責メ又ハ米穀ノ闇價格ヲ見テ既ニ供出セル米ヲ返還スベシト米穀關係職員ニ迫リ何レモ直接暴行ヲ加ヘ又ハ金錢ヲ强要セル事例多ク其ノ他現業官廳ニ於テハ

日本人職員ノ退陣ヲ迫リ之ヲ排斥セン為虚構ノ事實ニ藉口シテ迫害ヲ加ヘ職務上ノ不正アリト密告投書シ司法處分ニ付セシムル等ノ事案ヲ出シ又學校教員ニ就テモ左ニ類似セル迫害事案アリタリ

以上一般官公吏ニ對スル迫害ハ後難ヲ懼レテ本人ノ外聞知シ難キ場合モ相當多カリシモノト判斷セラルルモ警察官ノ項ニ觸レタル司法官ヲ合スルトキハ逮捕拘禁ヲ受ケタル者二十名以上暴行傷害ヲ蒙リタル者百名ヲ超ユルモノト推定セラル

二、一般邦人ノ蒙リタル迫害

一般邦人ニ就中農工商從事者ノ蒙リタル迫害ハ多ク經済面ニ在ルモ臺灣ハ過去五十餘年ニ亘リ國際法上認メラレタル日本ノ完全ナル領土ナリシ為寧ロ臺灣ヲ墳墓ノ地トシテ生業ヲ營ミ來レル者多ク中ニハ内地ニ何等縁故ヲ有セサル者モ相當數アリ其ノ生活基

盤ノ喪失ハ単ニ経済的利益ノ喪失ニ止マラズ實ニ精神的ニモ深刻ナル打撃タルヲ免レザルモノアリ然レバ終戦後蒙リタル各種ノ迫害ニ對シテモ出来得ル限リ之ヲ忍ヒ留臺ヲ希望スル者相當多ク當初ハ臺灣ノ歴史的特殊性ニ鑑ミ其ノ希望ハ或ル程度容認セラルルモノト判断セラレタル處引揚實施途中ニ於テ全面的ニ之ヲ引揚セシムルトノ方針明カトナリ事業ノ整理等モ殆ンド為ス餘裕ナク證憑書類ノ携行モ意ニ任セズ此ノ間不良島民ノ跳梁モアリテ其ノ蒙リタル損害ハ極メテ甚大ナルモノアリ。

又終戦後逐次日本統治ノ余映薄マルニ伴ヒ道義ノ荒廃、物價ノ著シキ高騰ヲ見、窃盗強盗ハ激増大規模化シ小匪賊ノ形態ヲ示スニ至リ多クハ日本人ヲ對象トシテ行ハレタル為其ノ損害モ僅少ナラズ

加ヘテ中國政府機関ニ於テ正式ニ處理セラルヘキ日本人ノ動産不動産ノ接収ハ脈絡圓滑ヲ缺キ一部ニ中國政府ノ官憲ヲ交ヘ不良ナル島民ハ一般邦人ニ對シ家屋ノ不法明渡要求、所有物品ノ持去處分、

臺灣總督府東京出張所

營業權益ノ讓渡強請、農業生産物ノ持去リ、土地退去ノ要求等ヲ爲スニ至リ邦人ノ生活路ニ營業ガ危殆ニ瀕セルノ事案ハ枚擧ニ暇アラザル狀況ヲ呈セルハ頗ル遺憾トスル所ナリ。

（以上）

一、

「計劃輸送終了後ノ台湾ノ近況報告」

報告者 前台湾総督府(鉱工局工業課勤務) 浦山公明

報告日時 昭和二十一年七月二十一日

報告書作成場所 福島県田村郡常葉町柳久保一〇五

一、序説

小官ハ官吏トシテ徴用(徴用)ヲ受ケ中国政府即チ台湾省行政長官公署工礦処工業科(中国ニ於テハ日本官庁用語ト異ル)ニ勤務中ナリシモ四月十五日在台日本人引揚計劃輸送完了後漸ク六月末特別ナ便船ヲ得 勤力百名便乗シ

博多港ニ上陸セリ。故ニ只今ニ於テハ台湾ヨリ引揚ゲタル日本人中最モ新シキ者ナルヲ以テ一般引揚完了後ノ台湾ノ状況ニ大略報告セントス

但シ此ノ報告書ハ官吏ノ眼ヨリ見タルモノニシテ全般ニ亘リ得ズ又徴用官吏ニハ詳細ナル統計書類何等手ニハ入ラズ故ニ正確ヲ期シ得ズ又努メテ記述ヲ客観化セントスレドモ主観的ナル点多キヲ免レズ。此ノ点豫メ御諒解ノ程ヲ。

記述ハ大略行政、経済、文化ニ分ケ主トシテ日本人トノ関聯ニ於テ述ベントス

二、行政方面

イ、在台日本人ノ状況。台湾ニ於ケル日本人ノ計画輸送ハ四月末日迄ニ一応完了シ其ノ後ハ台湾省行政長官公署ヨリ台湾ニ残留シ政治工作ニ協力スベキモノトシテ留用セラレタル者即チ徴用

二.

者（徴用者ヲ意味ス）又ハ病氣又ハ刑ニ繋リ残留ノ余儀ナキ
故ヲ以テ残留ノ許可アリタル者、又ハ許可ヲ受ケズ無断残留セル
者其ノ他沖縄縣人ノ如ク未ダ本国ノ許可ナク止ムヲ得ズ
残留セル者等合計シテ二万三千人ト称セラル。
是等ノ者ノ生活状況ハ甚シテ「生キテヰル」程度ニ過ギザルモ
沖縄民ノ如ク非常ニ困窮シ乞食同様ナ生活ヲナシ居ル
者モ亦不良ナル者多数アリ。
官廳、会社徴用者ハ割合ニ生活安定セルモ政府ノ出方一ニ
ヨリ如何トモ相成ル故不安ナル点多シ、待遇ハ終戦後昨
年十二月暫処サセタ俸給ニテハ食ヲ得ルニモ足ラザルガ此ノ四月ヨリハ
正式ニ徴用サセタル者ハ待遇向上シ本島人ト同様ナリ　会社員モ
官吏同様ニ取扱フニ至ツタ
先ツ末代トシテ一律ニ高等官判任官雇員、男女間ハズ

月八百五十円ヲ支給シ　月給トシテハ日本最高給ノ本俸ノ
二十三倍ヲ支給スルニ至レリ。物価ハ相当上昇シ米一升四十円
程度ニシテ配給ナシ、野菜燃料等ハ豊富ナル故現在ノ日本
ニ比較スレバ安シ　故ニ此ノ俸給ニテ為ヲ得レバ大略生活ヲ
維持可能ナリ。然ルニ中国政府ニ於テハ官庁ニ於テノ
全ク横ノ連絡ナク俸給ナルモ各官庁独立ニ勝手ニ
支拂フコト多キ故（請負制度類似ナリ）鉄道専売
通信ノ如キ現業官庁ニシテ儲アルモノハ支拂適切ナルモ
其他ノ官庁殊ニ文教ノ如キニ至リテハ支拂ハズ亦ハ減額セ
留用日人ニシテ生活ニ窮スル者若干アル状況ナリ。
官庁会社関係以外ノ徴用者ハ其ノ名儀ダケヲ此ニ残留ヲ
希望シタル者ニシテ概シテ無給ナリ。カヽル名儀ノ徴用者ハ
横ノ連絡ナキ中国政府ナル故各官署勝手ニ之ヲヤリ。

数萬円ニ上ル賄賂ヲ呈上シテ残留セル醫者アリ料理屋ノ女将アリ。又ハ中国人ノ妾トナリ残留セル者アリ宿屋ノ女中アリ種々様々デ此ノ方面ニハ女性ノ残留者多シ。此等ノ者ノ生活状況ハ割合ニ安定シ精神的ニハ兎ニ角物質的ニハ日本統治時代同様楽ナ生活ヲナシツヽアリ。

次ニ病気其他デ止ムヲ得ズ残留シタル者及沖縄人ノ生活ハ特別ナ者ヲ除イテハ極度ニ窮迫シ良キ者ハ売リ喰ヒ露店商ニテ命ヲツナギ中ニハ乞食同様ナ生活ヲスル者モ多数見受ケラレタリ。

次ニ日本人ノ住居ニ関シテ一言セバ徴用者モ含メテ残留者全部集団生活ヲナセルト噂多カリシ故一時ハ吾々モ疑ヒタル状態ナリシモ事実ハ其ノ計劃ナシ。最初ハ正式徴用者ハ特別ナ取扱ヲ受ケ帰還日人ト異リテ軽微其ノ所有ノ動産不動産ヲ接収セズ安ンジテノ中国政府ニ協力スベシトノコトナリシモ、當時日人ノ一般ハ引揚完了スルヤ歸還船舶ノ見込ナカリシヲ見テ殊ニ技術者ノ逃ゲテ歸ルヲ防ギ得ルタメ果然方針ヲ一變シテ正式徴用者ノ財産モ接收シ市政府縣政府ノ所有トナシ、今迄ノ自分ノ家ニ対シテ家賃ヲ支拂テ住居スルニ至ル。家賃ハ建坪一坪ニ付月約五十円程度ニシテ相当高額ナル故残留日人ノ生活モ相当苦シクナル。

日本人ノ經営企業株ニ付テハ最初ハ日本人、經営企業ヲ相当範囲ニ認メテ居タガ日人引揚完了後ハ全ク認メズ優秀ナ技術ヲ有スル醫者ナドモ開業ヲ認メラレズ市、縣政府廳ノ醫師トシテ働クコトニナリ私立病院ナドモ皆公立病院ノ名ヲ冠スルニ至ル有様アル。

次ニ日人ニ関聯シテ述ブベキハ五月上旬施行サレタル戸口清査デアル。コレハ不法日人残留者狩リ」ヲ目的トシテ施行サレタモノナリ

四

此ノ施行細則ハ台湾新生報（モト台湾日々新聞デアル 凡テノ法令ハ此ノ新聞紙上ニ発表セシ日本ニ於ケル官報発表ト同等ノ効力アリ）上ニ発表サレ主トシテ宣告シタルニ台湾人ノ区長及無頼ノ徒ガ先鋒ヲ配シテ実行セシモ程々ノ弊害アリ。正当ナル貿易ヲシテ斯ル者多数ニ不当ト看做サレ累行脅迫ヲ受ケタル者モ多数アル。然シ乍ラ日本人殊ニ復員軍人ノ等ニシテ蕃地ニ入リ高砂族ニ入婿セリト称シテ日本ニ帰還セズニ逃ゲカクレセシ者多数アリ其ノ数約一万ニ上リタリトノ噂アル。

2. 中国人（外省人）台湾人（本省人）日本人ノ関係

四月一般日本人引揚完了後ハ台湾人中国人ノ日本人ニ対スル感情柔和ニ圧迫モ少クナリ治安モ親日的トナリ日本人ニ対スル暴行脅迫不

法監禁ハ金銭物品ノ强要モ其ノ跡ヲ断チタリ。斯ル状態ニ照シ相残ル

各留団ト思惟セラルル点ヲ挙グレバ次ノ如シ。

(イ)貴国法令ヲ遵守シ正当残留日人（市県政府ニ於テ残留證ヲ下附シテ内標ニ

掲ゲサセシヲ常トス）ニ対シ不法ナル行為ヲナサザル様厳罰ニ附スル旨ノ

法令ヲ数回発布セルコト

(ロ)所謂一般還送後ハ日本人ノ財産家勢力家ハ大体（全部）帰還セル

故ニ清算ノ対象トナル日本人ナクナリタルコト

(ハ)次ニ重要ナル問題ハ中国人官吏ト台湾人トノ間ニ甚シキ懸隔アリ

台湾人ハ独立自治ノ思想ヲ有シ事毎ニ政府ト又ハ軍隊ト事

ヲ構ヘ居ルコト。此点ニ関シテ稍々詳細ニ述ブレバ次ノ通リデアル。

台湾ハ中国政権カ確立シ日本人カ全面的ニ後退シタ現在ニ於テ台湾人ハ失望シタ。即チ台湾人ハ日本敗戦直後ニ於テハ台湾祖国ニ還ルト称シテ非常ニ喜ヒ中国政府ノ政治ニ大ニ期待ヲ持ツタノテアルカ中国政府カ確立シタ今日ニ於テモ其ノ期待ハ何等報イラレス台湾人ハ国語不通ノ故ヲ以テ重要ナ地位ヲ占メル役人ニハナレス役人ニナルトシテモ下級官吏又ハ閑職ナノテアル。然ルニ中国人ハ学問モ政治的識見モ無ク理髪屋料理屋指物屋果テハ鍋カマ修繕屋ニ至ル迄ノ者カ高官トナリ台湾人ノ上ニ振リ

客観的ニ見テ世界的文化水準カ遥ニ高イ台湾人カ低イ中国人ニ支配サレル状態トナツタ。

又一方中国ハ台湾ヲ植民地視シテ唯台湾経済ヲ貧困ニスルハカリテ

経済増進ニハ何等役立タズ唯本国当局官吏ノ私腹ヲ肥ヤス
事ノミ考ヘテ居ル様ニ思ハレル台湾人ハ憤激シテ居ル
一方治安ハ乱レ白昼集団強盗ハ公然ト行ハレ殺人スラ行ハレテ
居ルノデアル。殊ニ日本人帰還後ハ台湾人ノ財産家ガ襲撃サレ
私兵ヲ雇入レテ警備セネバナラヌ様ナ状況トナリ悪漢無頼ノ
徒ハ日ニ日ニ勢力ヲ得ルニ反シテ警察官ハ實ニ無力犯罪ノ
検挙率ハ一割ニモ満タヌ有様。其ノ上警察官ガ悪漢ト結托
強盗、窃盗ノ幇助ヲナシ其ノ分ケ前ヲ得テ居ル状況デアル。
又軍隊ハ治安維持ニ貢献スル所ナク普通兵ガ偽憲兵トナリ
資産家ヲ脅迫シテ物品ヲ強奪スルト言フ状況ニテ之ヲ視ルニ実ニ

「外ノ事態ガ起リツツアル。

斯ル斯様ニ反シタ現状ヲ直視セル台湾人ハ日本統治時代ノ過去ヲ反省シ、寧日本ノ統治時代ヲ賞讃シ中国ノ政府ヲ排斥シ事毎ニ中国政府ト衝突シポスターナド貼ッテ公然ト中国政府ヲ攻撃シテ居ル現状デアッタ。然シテ台湾人ガ望ミ居ル所ハ台湾ヲ台湾人自治トシ台湾人ヲ指導者トスル政府ヲ樹立スベク 斯様ニスルニハ台湾人ハ日本ノ統治ニ則シテ居ル様ニ日本式ノ整然タル統治ヲナスコトガ出来ル又日本時代ノ如キ日本人ノ圧迫ナク伸ビノビト模範的政治ガ出来ルト信ジテ居ルノデアル

斯ル台湾人ノ意志ガ表面化セルハ實ニ五月一日ヨリ開催セラレタル

台湾省参議会ハ、台湾省ニ於ケル市県ヨリ
選出サレル市県参議員ヨリ構成サレ各市県参議会ニ於テ
各一名互選選出サレル省参議院議員ヨリ構成サレ基隆、台北
台中、彰化、宜蘭、台南、高雄、花蓮港ノ各市、台北、台中、台南
高雄、台東、花蓮港各県ヨリ一名宛計十五名ヨリ成ル　行政長官公署ノ
諮問機関デアルガ台湾人議員ハ立法権予算議定権等廣範ナル
権利ヲ有スル日本ノ衆議院ノ如キ機関ニ之ヲ昇格セシメント運動シ
テ居ル、四月二十日選挙　五月一日ヨリ二週間ノ会期ヲ予定シテ始ナ
龍口町ノ教育会館ニ次ニ中山堂（公会堂）ニ公開シテ行ハレ台湾
自治運動ノ舞台トシテ専ラ政府ノ弾劾要人ノ攻撃ヲナシ黄

朝琴議長辞職サルヽ迄ハ政府ニ関心セル状態ナリ
此ノ会議ヲ通シテ見テ如何ニ台湾人カ中国政府ノ政策ニ不満デアリ
台湾人ノタメノ台湾構成カ強望シテ来ルカ如実ニ現ハレテ居ル 断ル状勢カ
下ニアテ在留日本人ハ中国人ト台湾人トノ緩衝地帯トナリ台湾人
中国人共ニ日本人ノ気嫌ヲ取ル様ナ状態ニナッテ来ル 即チ四月一般日
本人引揚後ハ日本人ニ対スル感情カ一変シテ良好ニナッテ来ル
然シ一面中国政府ハ之ヲ憂ヒ日本人ト台湾人ノ離間策ヲ取リ種々ノ
法令ヲ出シ又台湾人ノ気嫌ヲ取ルタメニ日本人ノ財産ヲ分配シ分遣ハ
スル如キ方策ヲトルニ至ッタ。
斯ル状態下更ニ中国共産党 藍衣社紀算暗殺団等算入リ台湾ノ

政情ハ混迷ノ極ニ達シ暴動ガ起ル一歩手前ニ至ッテ居ル。故ニ斯ル暴動ニ日本人ガ巻キ込マレルカ 又ハ傍観的態度ヲトリタルニシテモ長イ結果ナルト思惟残留ヲ許サレタ日本人モ非常ニ不安ニナリ特別ナ便船ヲ得テノ逃ゲ出ス者モ多クナッテ居ル有様デアル

3. 當政府ノ在留日本人ニ対スル行政機関

在留日本人ノ監督及輸送事務ヲ司ッタ長官公署ニ日僑管理委員会アリ 各市県政府ニ其ノ下部組織アリ 日本人ノ財産接收事務ヲモ取扱フ 日僑管理委員会ノ日僑世話部ニハ日本人トシテハ連見国孝氏ガ主ニ当ッテ長官公署ノ日僑ニ対スル通牒

運營等ニ当ラシム 他方斯ル組織ニ対シ日僑ノ互助機関ヲ
行政長官公署ノ許可ヲ得テ設立シ日僑ノ困難ヲ見テ来テ居タルガ四月
一般遣送終ツテ後ハ総其算ノ関係上其ノ存立ヲ危ミシタルガ之ヲ結
ハレ塩見俊二氏ガ会長トナリ日僑ノ世話ヲナシテ居ル。

六 在台日本人教育機関

在台日本人子弟ノ教育機関ハ封鎖セシ 子弟ヲ有スル留用日本人等ハ不安
十日ヲ送ツテ居タルガ五月中旬長官公署ヨリ二十万円ノ金ヲ出シテ[illegible]
モトノ三中ノ跡ニ日本人学校ヲ開校スルコトヲ許サレ 和平中学 女
子中学 国民学校ト一緒ニ開校シタ。 通学生ハ全部合計シテ約
一千二百人ヲ数ヘ 中等学校ハ上級学年ノ生徒ガ少ク一二年ノ低学年ガ

大部分ヲ占メ国民学校ニ於テモ略ゞ同様ナ傾向ガアルノダ。

教課目ハ中国指令ニ従テ決定サレタルモ日本語ナド教材内容ニ貴

シテ教授出来得ルハ幸デアリ亦教師モ中国語以外ハ皆日人

ニシテ相当充実シタ教育ヲ施シテ居ル様ニ見受ケラレタ。

此ノ学校ハ中国ガ在留日人ニ示シタ最大ノ厚意トシテ感謝

スベキデアルト思ハル。

以上大略日本人ノ台湾ニ於ル生活ヲ述ベタ如クデアルガ要スルニ日本人ハ

割合ニ良イ生活ヲシテ来ルト言テ過言デハナイ。殊ニ台湾ヨリ何ノ根拠モナク

シテ引揚ゲタ多ク戦災日本本土ニ居ル人々ノ生活苦ニ比較スレバ八寒シテ居ル。台湾

ヨリ引揚ゲタ一般日本人、言ハバ目下生活ニ追ハレテ生カ死カノ岐路ニアル人々

思ヒバ寧ロ在台日本人ハ斯ク迄困窮シテハ居ラナカツタノデアル。
何トナレバ物資豊富ナ台湾デアル故ニ日本ニ於ケル生活ヨリハ豊カデアル。
然シ在台日本人ハ日本トノ音信不十分ナル故ニ祖国日本ノ過去ノ豊カナ
生活ヲ憧憬シ一日モ早ク帰還セントスル希望スル者ノ多イ現状デアル。
此ノ点ニ関シ当局ハ何等カノ処置ヲトルヲ要スト考ヘラル。
六、台湾ノ経済方面ニ就テ
イ、物価
台湾ノ物価ハ終戦後以来高騰ヲ続ケ全般的ニ見レバ
インフレノ進行ハ止ムナク未ダニ上騰過程ニアルト考ヘラル。
然シ物ニヨリテハ下降過程ニアリ 例ヘバ食米ノ如キハソレデアル 食米ハ
三月末ニ一斤ノ五十三円程度迄上昇セルモ南部方面ニ新米生産セルニ

及ニ下降ヲ現ハシ六月末ナル官歸還ノ際ハ一斤十五円

ニ下降シテ居ル 甘蔗ナドモ同様ナリ

農産物 海産物ハ一般ニ下降ノ形ヲ取リ殊ニ海産物ニ至リテハ

日本人歸還後ハ買手ガ殆ンド無ク（需要ナキ故）半分価値ニ下降シテ

居ル 但シ半農産物タル砂糖ハ海外ニ密輸出サレル故ニ却ッテ

騰貴シ終戦直前五十銭位（一斤）ナリシモ六月末ニハ十五円ニ

至ッテ居ル 工産物ハ現在迄日本ヨリ輸入シ居リ終戦後モ引続キ

輸入シテ居ル 上海方面ヨリ支那産アメリカ産ノ商品輸入セルモ若干市

場ニ流通セルモ今迄日本産品ヲ使用シ之ニ馴レテ居ル関係上日本

製品ヲ求ムル者多ク日本産工業日用品薬品等ハ日本ニ

比シ十倍乃至百倍ニ騰貴シテ居ル 薬品ニ於テ尤モ甚シ 例 砒素

剤ノ如キハ数十倍ニ騰貴シ資本家ノ投資ノ対象トナッテ居ル．

性病ニ用ヒラルサルバルサン注射液一本三百円 テラポール 一本百五十円

ニ相成リ台湾人ハ薬品、機械ノ部分品輸入ノ時期ヲ一日千秋ノ思ヒ

デ待ッテ居ルノデアル．

要スルニ台湾ノ自給品ハ騰貴ニ伴ヒ輸入品ハ高イト云フ事ガ分カル．

経済界明ヲ世現シテ本年四月頃ヨリ浙江財閥ガ大資本ヲ以テ

台湾ニ入リ官署役人ト結托シテ商品買占メ不当値段ノ構成

ナシツツアル．台湾人ハ之ニ対抗スルコトヲ得ズシテ一朝ニシテ利自営

円ノ富ヲ失ッタ者モアリ 台湾人ハ浙江財閥ノ進出ヲ怨ミ

極度ニ警戒シテ居ル現状デアル　要スルニ今後ノ経済ハ一応ノ原則ニヨラズ気狂価格デアリ実ニ投機盛ンデアル然ニ業者達ニ生産者ハ去就ニ迷ヒ生産ハ停滞シ物資ハ不足シ貨幣ハ乱発セラレ益々物価上昇ノ傾向ニアルモノデアル

又、生産　日本統治時代ニ隆盛ニテアッタ台湾ノ生産界ハ経済状態ノ異常ナ混乱ト戦争ニヨリ破壊セシ工場ノ復旧ハ未着手ト三民主義ハハキ違ヒヲシタ思想ノ横行ト治安ノ乱レニヨリ何トシテモ見ルベキモノハ単ナル能率生産モ稍旧態ヲ維持シテ居ルニ過ギナイ而シテ最近ノ生産状況ハ日本時代ノ五分ノ一デ漸ク三十万トンニ達スルノミ此ノ状態ヲ以テ見ルモ重工業ノ振ハザルハ当然デアル。故ニ治安問題ハ

一、

工業生産ニ影響スルコト誠ニ大ニシテ白晝工場ヲトラツクヲ乗付ケ各種機械ヲハズシテ運ブ有様ナノデ安心シテ工業生産ニ従事スルコトガ出来ズ、台湾ノ工業ヲ振興セシムルニハ台湾内ニ絶対治安ガ維持出来ルト言フ地帯ヲ設定シ此所ニ工場ヲ設定セネバ不可能デアルト言ウ意見サヘ出テ来ル現状デアル

要スルニ現在ノ所台湾ノ工業発展ノ見通シハツイテ居ラズ 唯 軍需産業ノミガ甚ダシク命脈ヲ維持シテ居ルノデアル

3、交通

台湾交通網特ニ鉄道ハ治安乱レニ従ツテ常軌ヲ逸シ殊ニ甚

イ、鉄道技術者ガ四月引揚ゲテ以来輸送ハ混乱シ台北 高雄

間ノ列車ハ日ニ一本ト云フ状態トナリ交通難ノ上枕木ノ取替
等ノ保線工事不十分ナル故脱線事故多ク加フルニ治安ノ乱レニ
乗シ列車強盗横行シ貨物ヲ単独ニ運搬スルニハ武装
シタル人ヲ乗込マセ然モ鉄道官吏ニ数千円ノ賄賂ヲ支払ハネハ
ナラヌ状態ナリ
鉄道ハ日本式ナル故部分品等ノ入手ナク補修ヲ欠キ鉄道部職員
ハ四苦八苦ノ状態ナリ。
自動車交通モ鉄道ニ準シ部分品等ナク全ク行詰リノ状況
ナリ。故ニ産業発達阻害ハカヽル交通ノ困難ニモ大ニアリト考ヘ
ラル面多シト思惟サル。　通信方面モ同様従業員ハサボタージュニ

ヲナシ為替書留ハ之失スルト云フ状態ニシテ金融経済ニ大ナル支障ヲ来シテ居ル。

六、日本人会社工場ノ接収状況

日本人経営ノ会社工場ハ接収ノ前提トシテ昨年十二月以来本年三月迄ニ中国政府ノ監理トナリ 接収ノ下準備ヲシテ居ルガ六月ニナリ漸クニ三ノ会社工場接収ニナリタルノミニテ未ダ接収ハ完了セズ 監理トハ接収ノ下準備ナリトハ名目ノミニシテ監理官ノ私腹ヲ肥ヤス一手段、段階ニ過ギズ 監理官ハ出納ヲ厳重ニ監督シ私ニ有利ナ支出ノミヲ認メ他ハナカナカ認メズ或ニ斯ル会社工場ニ留用ニナリタル日本人ハ俸給ノ支払ヲ十分ニ受ケズ生法團数十ルモノアリ　接收ハ大略資本金ヲ基本トシテ價格評價ヲ行ヒテ接收スル故ニ資本金ノ騰價ニ當ル迄デ会社財産ヲ賣却シテ監理員自分ノモノトシ資本金ノ價格ニ達スルニ於テ始メテ接收セラルル現状デアル。

故ニ監理員ノ私腹ヲ肥ヤスニ急ニシテ真ノ接收ハ遅々トシテ進マズ一方ニ於テハ一会社工場ニシテ数種ノ營業ヲナスモノニ於テハ横ノ手段ナキ行政長官公署故各方面ノ監理人何人モ派遣セズ監理人デ会社工場ノ監理ヲ単ナル一ノ状態デ此ノ傾向ハ四月日本人一般遣送完了後益々著シクナッテ来テ居ル。

台湾銀行ハ五月二十日正式ニ接收ニナリ　孫文像ヲ印セル百円紙幣

算勝ニ発行セル台湾旧紙幣ト等價ニ交換セシ市場ニ流通セシメ居ル程ニシテ一時流通セル十数種ノ偽造旧台銀券ハ漸ク消シ一時紙幣騒ギハ安定スルニ至リタ。

三、台湾ニ於ケル文化方面

イ、中国法学講習ニツキ　終戦後中国法学習熱ガ一時非常ニ高リシモ其ノ後中国法研究熱ガ非常ニ低下シテ来タ

其ノ原因ハ台湾省治運営ト連関スルモ要ハ中国ノ要人ニシテ正シイ中国法ヲ活シ得ル者少キコト、学問ノ研究殊ニ理化方面ノ研究等明ニ不便ナルコト、大学ノ講義ナドニ用ヒ難キコト等ニ起因シ数多開設セシ国語講習所ハ開店休業ノ状態ナリ。

故ニ台湾ニ於ケル文化人ノ日用語ハ日語多ク中国ノ官吏ニシテ日本ニ留学セル者ト台湾人トノ間ノ言語モ亦日語ニシテ台湾ニ於テ普通語ハ日本語ナリト言フ異様ナ現象ヲ呈シテ居ル
但シ学校方面デハ盛ニ中国語ヲ教ヘ授業ノ主眼ハ中国語学習ニアリト称シテモ良イ

又映画芝居、雑誌、新聞等ニ就テ
映画ハ殆ンド中国映画若クハ外国モノニシテ日本モノハ殆ンドナシ
但シ外国映画ノ字幕解説ハ日本語字幕デアル、芝居演劇ハ終戦後日本人有リ在商ニ企劃セル實演ヲナシ非常ニ人気ヲ博シテ居タガ日本人帰還後ハ台湾人ニシテ之ヲ引継ギ得ル

者カ全ク淋シクナリ台湾人モ感慨無量ノ如シ
新聞雑誌モ中国語版ノモノ大部分ヲ占メ中国語ヲ十分ニ解サザル台湾人ハ日語版ノ残存ヲ希望シ新聞雑誌ニモ必ズ日語ノ解説員ヲ附シテ置ク現状デアル

3. 学校教育ニツイテ

国立台湾大学医学院ハストライキヲ起シ診療ヲ約一ケ月休ミタル珍事件起シ又習ツテ專門学校中等学校国民学校ニ至ル迄ストライキヲ起シ休校シテ居ルモノ多シ
又中等学校ハ專門学校ニ專門学校ハ大学ニ行シモ昇格運動ヲ起シツツアリ、学生ハ台湾ノ陳情団ガ長官公署ノ

ヲ取リ扱ヒテ居リタリ。

學校經營ハ請負式ナル故ニ授業料ノ値上ゲ其ノ他徴收サル生徒數多ク費ハ非常ニ高クナリテ居リ貧困者ハ通學ヲ許スヲ得ズ日本時代ノ義務教育モ姿ヲ消シタリ。

以上台灣ノ文化ヲ通覽スルニ、文化ハ其ノ發達スベキ方向ヲ失ヒ退ノ世界ニアリ。文化水準ハ著シク低下シ文化ニ於テモ日本時代ヲ礼讚スル者多キヲ加ヘテ居ル現狀ナリ。

五、結語

以上大略台灣ノ近況ヲ官吏トシテノ小官ノ眼ニ映ジタル限リニ於テ亂文ニテ記述セルモ未ダ言葉足ラズ記述ノ不十分ナル點多々

アリ、誤解ヲ生ズルコト多キト思惟セラルヽモ御判読ノ栄ヲ得ヽ参考資料ニ相成レバ幸此上ナシト愚考ス

以上台湾ノ近況ヲ概言スレバ、台湾ニ於ケル日本人ハ政治的不安ハアレド物質的ニハ日本ニ引揚ゲタル者ヨリ豊カニ生活シテ居ルコト、台湾ノ経済界ハ不生産的ニシテ不安定混迷ノ中ニアルコト文化ハ低劣ニナリ二十年モ逆戻リシタコト中国人ト台湾人ノ対立ニヨル台湾ノ政治ノ不安定等ニ要言セラルモノト愚考ス

然シ乍ラ小官ノ推定並此ノ混迷時代モ今年一年ト来年ヘヨル段平和状態ニモ静態セル日台通商貿易再開サレルニ至ルベク

安定シ平和郷出ル理実トナルモ遠カラザレト思考ス
要ハ我々台湾人ノ認識也心意ガ平和台湾建設ニ協力努力シ
余剰日本人ガ安心シテ偉大ル台湾ヲ一日モ早ク育成セル様
ニモ希フ次第。

以上

昭和二十年七月末日記述未完

言葉足ラザル点ハ何レ拝眉ノ上申上ゲ説明申上ゲ度ク

一三 ◎文官同待遇者ノ定員ノ臨時特例ニ關スル件

首題ノ件ニ關シ八月十六日下記ノ通勅令公布セラル

勅令第四七四號

各廳ニ必要ナル場合ニ於テハ本令施行後一年ヲ限リ内閣總理大臣ノ定ムル所ニ依リ勅令ニ定ムル定員ニ拘ラス文官又ハ同待遇ノ者ヲ任用スルコトヲ得　但シ文官任用ノ資格ニ關スル規定ノ適用ヲ妨ケス

附則

本令ハ公布ノ日ヨリ之ヲ施行ス

二、本勅令制定ニ關シ内務次官ヨリ下記ノ通リ
通牒アリ

本令制定ノ趣旨ハ時局ノ急變ニ應スル各廳事務ノ増加ニ伴ヒ緊急増員ヲ要スル事情ニ即應セントスルモノニ有之左記事項留意ノ上右趣旨ニ依リ實施相成度

記

一、本令ニ依リ任用セントスルトキハ其ノ理由並ニ今後ニ於ケル増員ヲ希望スル理由ヲ具シ協議ヲナスコト
増員調書二通提出スルコト
調書ハ廳名、(官職別 勅任、奏任、判任ニ分ツ)、現在勅令定員、同上欠員、今回ノ増員、備考ノ五段ニ分チ記入ノコト

前各號ハ緊急ノ場合電報又ハ電話ヲ以テ
爲スモ差支ヘナキコト
一、本令ハ昭和十八年勅令第九五四號占領地行政從事
文官復歸令ニ依ル定員外復歸ノ外ナルコト
一、本令ニ依リ任用セラレタル文官、同待遇者ニ對スル經
費ニ就テハ別途通牒セラルヘキコト

陸海軍所属文官同待遇者其他軍属
等ノ取扱ニ関シ下記ノ通次官會議ニ
於テ決定セラレタル旨内務次官ヨリ
通報アリタリ

既報

陸海軍ノ各官衙及各部隊等ハ大東亜
戦争ノ終結ニヨリ改変、廃廳又ハ解
除セラルルヲ以テ右官衙又ハ部隊等ニ
所属スル文官同待遇者ハ左記ニ依リ
至急之カ配属其他ヲ決定シ之等要
員ノ活用ヲ計ルコト

記

一、文官同待遇者其他軍屬等ハ何レモ現在保有スル身分及資格ニ應シ陸海軍以外ノ各省ノ希望ニ依リ轉官轉職セシムルコト

此ノ際各廳ハ昭和二十年勅令第四七四号文官同待遇者ノ定員ノ臨時特例ニ関スル件ノ運用ニ依リ定員ニ拘ラズ出来得ル限リ該當者ノ受入ヲ考慮スルコト

二、前項ニ依ル受入ニ付テハ該當者ノ既往ハ能力經驗並ニ陸海軍ニ於ケル既往ノ編成組織ヲ其儘活用スル如ク

考慮スルコト

三、各廳所屬文官同待遇者ニシテ南方軍政要員トシテ推薦セルモノニ付テハ速ニ從前ノ所屬廳ニ復歸セシムル手續ヲナルコト

四、各廳所屬ノ文官同待遇者等ニシテ在官又ハ在職ノ儘召集中或ハ從軍中ノ者ハ陸海軍ニ於テ召集解除又ハ從軍解除ニ伴ヒ當然從前ノ所屬廳ニ復歸スルモ此ノ場合同種經歷ノ者ニ比シ不利益ナル取扱ヲナサザル樣考慮スルコト

文官同待遇者等ニシテ入営ノ為休職或ハ退官ノ取扱ヲ受ケタル者ニ付テモ右ニ準ジテ取扱フコト

五、三、一号該当者復帰除隊召集解除又ハ従軍解除後事実上復員ニ至ルマデノ間ノ給与上ノ取扱ニ付テハ二重支給ヲサケルト共ニ軍政要員在職中又ハ入営応召従軍中ニ比シ不利益トナラザル様関係庁ハ陸海軍ト連絡ノ上特別ノ措置ヲ講ズルコト

六、前各項以外ノ着即チ受入未定ノ者ハ陸海軍各官衙或ハ各部隊ノ廃庁或ハ解除ニヨリ当然退官退職ノ取扱ヲ受クルモノトス

終戰處理ニ伴フ在外地邦人權益ノ保持存續
ニ關スル件

首題ノ件ニ關シ別紙管発第一號ヲ以テ内務次官ヨリ總務長官宛通牒有之候條左記要領ニ依リ速ニ資料作製ノ上要領一ノ調査資料ハ九月十五日正午迄、其ノ他ハ九月二十日迄相違ナク文書課長宛五部提出相成度

右通牒ス

記

一、内務次官通牒一ノ資料中事業毎ノ邦人權益現狀調査ハ左ノ要領ニ依ルコト

(1) 前記内務次官通牒一ニ列舉スル產業分類ヲ更ニ業種別ニ細分シ左ノ事項ヲ調査スルコト

(イ) 法人、個人經營ヲ通シ業種別ノ邦人投資額及從

業員数並ニ其ノ産業別累計

(ロ) 法人ニ付テハ業種別ニ規模ヲ明カナラシムル資料

(ハ) 農畜林業ニ関スル資料トシテハ(1)ノ外農業移民数及其ノ耕作面積

(3) 水産業ニ関スル資料トシテハ(1)ノ外漁業移民数及其ノ所有漁船数

(4) (1)乃至(3)ノ外各産業毎ニ邦人権益現状ヲ明確ナラシムルニ適当ナル資料アルトキハ之ヲ附スルコト

(二)内務次官通牒一ノ資料中重要ナル企業体ニ関スル現状調査ハ左ノ要領ニ依ルコト.

(1).本調査ハ五拾万円以上ノ企業体ニ付行フベキモ差当リハ左ニ該当スルモノニ付至急実施スルコト

(イ)特殊法令ニ依リ設立セラレタル会社、営団、金庫等全部

(ロ)軍ノ管理又ハ監督又ハ指定工場全部

(ハ)農畜林業中製糖会社、畜産興業会社

(ニ)工業中台湾興業、台湾パルプ、台湾製塩、南日本塩業

(ホ)鉱業中日本鉱業、台陽鉱業

(ヘ)瓦斯会社

(ト)金融業中 銀行、信託、無尽会社

(ト)交通業中ノ私鉄及自動車会社

(2)内務次官通牒ノ二掲グル調査事項中左ノ事項ハ左ノ要領ニ依ルコト

(イ)資本金　公称及払込資本、資本ノ内台別所有区分、主ナル出資者

(ロ)事業概要　事業地、生産品目、事業投資額、生産設備ノ生産能力、生産実績、原料取得方法、事業收入等。

(ハ)職員及従業員ノ数　内台別区分

(ニ)代表役員名　内台別区分

(三)内務次官通牒ニ依ル各事業毎ノ処理上ノ所見並ニ其ノ根拠乃至理由ニ関スル資料ハ左ノ要領ニ依ルコト

(1)前記(二)ノ(1)ニ掲グル企業体ハ九月一日現在統制会社タリシヤ否ヤニ付作成スルコト

(2)出来得ル限リ具体的ナルベキコト

極秘

管殖第二五一號

昭和二十年八月三十一日

内務次官

臺灣總督府總務長官殿

終戰處理ニ伴フ在外地邦人權益ノ保持存續ニ關スル件

戰爭終結ニ伴ヒ今後ノ善後措置ニ關聯シ在外地邦人權益ヲ出來得ル限リ保持存續ヲ圖ルヲ目途トシ相手國ト折衝上ノ資料トシテ必要ナルニ付左記事項調査ノ上至急係官上京相成樣致度

記

一、邦人権益ノ現状ヲ明確ナラシムル資料

本資料ニ付テハ便宜上農畜林業、水産業、工業、鑛業、電力及瓦斯事業、金融業、商業、交通業、特殊會社及統制會社等ニ大分シ必要ニ應ジ細分ノ上事業毎ニ邦人権益ノ現状ヲ明ラカニスルト共ニ重要ナル企業體（五十萬円以上）ニ付テハ特ニ左ニ掲グル事項ヲ出来ル限リ明確ナラシムルコト

名稱、設立年月日、資本金、本店及支店所在地、

事業目的、事業概要、職員及從業員ノ数、

財産状況、代表役員名、其ノ他

二、各事業毎ニ考察ヲ加ヘ今後存續ノ要否並ニ其ノ形態（現状ノ侭、合辦、相手國法人、技術其ノ他從業員ノ提供等）ニ關スル所見並其ノ根據乃至理由

三、右立論ニ當リテハ左記事項ヲ考慮ノ上相手國ヲシテ充分納得セシムルニ足リ且具体的所見ナルコトヲ要スルコト

(一) 現地民衆ノ福利増進又ハ文化ノ向上ニ寄與スル等現地本位ニ立脚セルモノナルコト

(二) 現地人産業ト出來ル限リ摩擦ヲ避クベ

キ・コト

（三）現地人トノ協同融和ノ具現ヲ目途トスルコト

九・二〇 部局長打合会

二日公布セラレタル一般命令第一號第二條及第七條ニ依リ聯合國陸海軍最高司令官ニ提供スベキ資料調製ニ關シテハ左記ニ依レ度

記

一、第二條イ乃至ト項關係

イ、陸海軍ニテ處理

ロ、陸海軍及貴府ニテ各所掌飛行機ニ付處理（別ニ各機種ニ付ヨウモウ性能表示）

ハ、陸海軍ニテ處理（右ニ同ジ）

二、貴府ニテ処理陸海軍協力
ホ、陸海軍ニテ處理
ヘ、一般港湾ノ資料ノミ貴府ニテ担當
他ハ陸海軍ニテ處理
ト、俘虜ハ陸海軍居留民被抑留者
ハ貴府
三、輸送七（輸送六ハイロハ其ニ対スル表ヘロ）關係
イ、（輸送条 イ項）
(一)陸海軍所属品ノ調査ハ陸海軍
(二)陸海軍所属品以外ハ民間工場（軍需工場又管理工場ノミ）ニ於ケル左ノ

品目ニ付貴府ニ於テ調査スルモノトシ
調査期日ハ八月三十一日現在トス但シ
航空兵器以外ニ在リテハ軍引當ヒキアテ
確實ナルモノ又ハ軍用以外ニ利用
不可能ナルモノニ限リ地域別ニ調査
スルモノトス

イ、製品及半製品（艦艇兵器火藥液体燃料並ニ之等ノ重要素材重要部品）

ロ、艦艇兵器製造ニ要スル直接材料タル非金屬材料―木材及塗料

ハ、火藥及液体燃料製造ニ要スル直接材料タル非金屬材料

ニ、前二號ニ依ル材料ハ概ネ左ノ品種ニ

限ルモノトス（稱呼ハ木材ハ立方米其ノ他ハ噸）
（ロ印ハ後日内譯シ要求セラルル場合シ考慮シ豫メ準備シ置クモノトス）

○普通鋼々材鉄
○特殊鋼々材
○伸銅品~~ト銅ノ鑄物~~鑄鐵物材料
○電球電氣銅鉛亜鉛錫水銀アンチモンアルミニウム地金マグネシウム地金
○アルミニウム輾伸材

○アルミニウム鑄鈑（チウハン）製品

○マグネシウム鑄鈑製品

○塗料木材濃硝酸ベンゾールトルオールメタノールアルコールグリセリン原油生ゴム

ロ（~~三章六~~勅令条口項）

（一）地上水上及~~水~~空中輸送施設及資材ハ陸軍及貴府ニテ処理

（二）通信施設及資材ハ陸海軍及貴府ニテ處理

ハ（~~三章六~~勅令条二項）

（一）民間工場ノ調査範圍ヲ艦艇兵器火薬液体燃料竝ニ之等ノ重要素材及部品ヲ製造スル工場（軍需工場管理工場ノミ）トシ會社工場名所在地生産品及月内生産能力、機械台数（一括）戰災ノ有無及程度（パーセント）ハ各項ヲ調査ス（生産品ハ重要生産品ノミトス生産能力ハ八月十五日ニ於ケル概定生産能力トシ例ヘバ二十五粍機銃月産〇〇挺トスルガ如シ）陳開工場ニ對シテハ操

業ヲ開始セル工場ノミトス）

（二）研究所實驗所試驗所設計見取圖

陸海軍及貴府ニテ處理

三、調製期日及用語

イ、九月二十日迄ニ必着ノ豫定ヲ以テ

詳細資料ヲ作製セラレ度

ロ、資料ハ日本語ニテ調製スルモノトス

九一〇[illegible]

職業輔導竝ニ現地自活計画

方針

内地ヨリ派遣ノ将兵ハ台湾土着ノ主義ニ基キ長期ニ亘ル生活保護ヲ為シ速カニ人的配置ヲ完了ス

要領

一 将校以下最低限ノ生活保護ヲ基準トス之ガ為其ノ主力ヲ労働ト決定ス

二 不敢取各配置ニ就カシメタル後細部ノ調整ヲ実施ス

三 職業輔導

1 勉メテ特技ヲ活用シ得ル如ク斡旋ス

2 家族ノ呼寄セニ就テハ当分考慮セザルモ家族ヲ携行スルモ生活シ得ル如ク逐次考慮ス

3 農夫ハ一人一甲ヲ標準トス

4 職業区分別人員配当表別紙第一、各部隊別職業割当表別紙第二ノ如シ

四　現地自治

1　各部隊組織ヲ以テ農自治ヲナス

2　一人〇.五甲ヲ配當ス

3　生産品ハ甘蔗、落花生等ヲ主トシ畜産等ヲ考慮ス

4　地域ハ主トシテ山脚ニ近キ場所トシ民ヲ壓迫セザル如ク考慮ス

5　土地ノ買收其ノ他ニ關シテハ別示ス

6　各州別、各部隊別割當表別紙第三ノ如シ

7　前號ノ人員ニ對シテハ情勢ノ推移ニ伴ヒ逐次職業ヲ斡旋ス

五　右ノ實施ニ關シテハ主トシテ大綱ヲ軍ニ於テ指示シ各部隊毎ニ關係方面ト折衝スルモ軍ニ於テ之ガ調整並ニ指導ニ任ズ但シ現地自治ハ各州廳ト各兵團（區處部隊長統轄）ト直接交渉ス

六　資材ハ軍ニ於テ斡旋スルノ外各部隊毎ニ收集ス
資材、種苗等ノ配當基準別紙第四ノ如シ

七　右ノ實行ニ伴フ經費ノ一部ハ臨軍費ヲ以テ補助ス

八　地方官民トノ各人、各部隊個々ノ交渉ハ一切之ヲ認メズ

九　軍ノ委員編成表別紙第五ノ如シ

十　台北附近軍直部隊指揮關係別紙第六ノ如シ

十一　細部ハ逐次指示ス

別紙第一

職業區分別人員配當表

職業別	職業區分		配當人員	摘要
農業	製糖會社	農夫其ノ他	四九、〇〇〇名	
		工員	一〇、〇〇〇名	
鑛業	工夫		一〇、〇〇〇名	
工場	工員（含復旧）		二、〇〇〇名	
復旧工事	土建（含都市復興）		一五、〇〇〇名	
林業其ノ他	台電		五、〇〇〇名	
商業	事務員、店員		一、五〇〇名	
交通運輸	鐵道（含私鐵）通信其ノ他		五、〇〇〇名	
	荷役運送		一〇、〇〇〇名	
水産	漁夫		三、〇〇〇名	
合計			一〇一、五〇〇名	

備考　本職業ハ全職業（官公吏ヲ除ク）ヲ意味スルモ明示セザルモノハ適宜

一　考

各欄ノ相當部門ニ含ム
又、各區分ニ於テモ各職種別アリ例ヘバ自動車手ハ各々職業
ニ含ミアルガ如シ
3. 細部ハ軍官民委員間ニ於テ決定ス

各部隊別職業割當表

區分＼部隊		敢	武	劍	命	達	律	雷神	八幡	軍直	破竹	八飛	計
製糖	農夫	2,400	7,100	6,500	5,400	4,600	1,250	1,050	2,500	3,600	900	5,100	40,400
	工員	50	130	130	100	100	25	25	50	100	20	300	1,030
鑛夫		500	1,800	1,300	1,050	800	250	300	500	800	110	800	7,760
工場		100	250	250	200	180	50	50	100	110	40	200	1,580
土建		870	1,800	1,820	1,500	1,300	285	335	600	1,000	250	1,300	10,860
台電		240	600	650	500	370	180	100	240	400	90	450	3,760
商業		70	200	200	150	150	80	20	70	140	30	150	1,200
鐵道通信其ノ他		170	520	470	380	270	90	70	170	1,240	70	360	3,820
荷役運送		450	1,300	1,200	1,200	800	260	300	450	460	160	900	7,660
漁夫		150	450	460	300	300	80	70	150	300	60	350	2,660
合計		4,800	13,650	12,580	10,780	9,090	2,470	2,320	4,830	8,300	1,290	9,990	80,300

（備考）(イ) 軍直部隊ハ夫々敢、誠部隊長ノ指揮下ニ職業輔導ヲナス（本表以外ノ各防衛地区内ニ在ル軍直モ亦該地区兵團長ノ指揮ヲ受ク）(ロ) 軍司令部ハ別ニ示ス

別紙第三

現地自活人員配當表

地區別	總員	内譯 陸軍				海軍
東部	一三、〇〇〇	八幡 二、八〇〇	〇敢 三、三〇〇	軍直 三、二〇〇		三、〇〇〇
台北	五、〇〇〇	雷神 二、九〇〇	軍司 一、〇〇〇			一、〇〇〇
新竹	九、〇〇〇	〇武 八、〇〇〇				一、〇〇〇
台中	一五、六〇〇	武 二、〇〇〇	〇八飛師 五、〇〇〇	七一師 三、〇〇〇	軍直 一、五〇〇	四、〇〇〇
台南	二〇、〇〇〇	七一師 四、三〇〇	〇一二師 六、〇〇〇	律 一、八〇〇	一〇三旅 一、三〇〇	五、九〇〇
高雄	九、六〇〇	〇五〇師 五、五〇〇	一二師 三、〇〇〇			一、一〇〇

註 1. 〇ヲ附セルハ各地区別陸海軍ノ区處部隊トス

2. 本人員中ニハ軍醫其ノ他ノ必要ノ人員ヲ含マシムルモノトス

別表第四

資料・種苗等配當基準

区分	品目	数量
農具	鍬	〇、五甲當一丁
	鐮	同右
	鉈	五甲當一丁
	犂	一〇甲當一合
	鋯	一〇甲當一丁
種苗	甘藷苗	一甲當三〇〇〇〇本

区分	品目	数量
種苗	落花生種子	一甲當二〇〇斤
	蕹菜 〃	一〇坪（一人）當一合
	恭菜 〃	〃 〇、五合
家畜家禽	役牛	一〇〇甲當一頭
	仔豚	一〇甲當一頭
	鵞	〇、五甲當一羽

別紙第五

軍現地自活職業輔導委員編成表

編成	氏名	差出部	任務
委員長			
参			
委員	廣瀬参謀		全般指導
	中村参謀		
	原田参謀		同右補助
	海旱参謀		
	萩山中佐		計画主任
	各部高級部員		、
庶務	佐藤大尉	参	庶務
	下士・兵一	副	
	前田少尉	参（資）	
軍司部	中村中尉	副	現地自活、

謀		下一、兵一	参(資)一	計画指導等
副	職業	小笠原少尉 兵一	参(資) 副	職業
		金石少尉 兵一	参(資) 副	斡旋指導
長	斡導班	下一、兵一		
	資材班	清田中尉	参(資)	資材、種苗
		将二	兵経各一	
		下一、兵一	参(資)	等ノ収集
		兵一	兵	
		下一、兵一	副	斡旋

備考 [illegible]現地自活職業補導等ノ実施ハ其全般ノ計画処理ニ任ズルト共ニ各兵団相互間ノ調整指導等ヲナス

別紙第六

台北附近軍直部隊指揮（區處）關係表

指揮部隊	軍直部隊名
敢	第一野戰築城隊
	獨立工兵第四十二聯隊
	第二十一道路縦隊
	第二十一道路基地隊
	獨立挺身進第一大隊
	船舶工兵第二十八聯隊
	海上輸送第十一大隊
	高射砲第百六十一聯隊
誠	方面軍航空情報隊
	野戰高射砲第八十二大隊
	野戰機関砲第九十三中隊
誠	電信第三十四聯隊
	獨立自動車第二百十三中隊
	〃 第二百十四中隊
	〃 第三百五中隊
	台灣兵器補給廠
	台灣軍貨物廠
	第二十二兵站病馬廠
	台北陸軍兵事部
	台灣俘虜收容所
	台北陸軍病院
律	第七船舶廠

備考

一、本表以外ノ各州下ノ（台北地區及台中州下ノ航空部隊ハ誠ノ指揮下ニ在ル）軍直部隊、航空部隊ハ夫々該地區防衛担任官ノ指揮下ニ入ル

（参考）現地自活地調

州庁別	所在	面積	摘要
台北州	各郡山手	一、六五〇甲	宜蘭郡五〇〇甲、文山郡四〇〇甲、羅東郡五〇〇甲、海山郡三〇〇甲、七星郡二五〇甲、ウライ五〇〇甲、[illegible]二〇〇甲、[illegible]三〇〇甲
	蕃地	一、〇〇〇	
	計	二、六五〇	
新竹州	各郡山手	四、一五〇	右一、二八〇五郡除実査九三〇甲ヨリ八〇甲ヲ減ズ
	蕃地	八五〇	
	計	五、〇〇〇	
台中州	新高郡關姓庄	一、一五〇	一部ハ農業会貸下地
	能高郡下林園	五〇〇	督府農林試験所
	東勢郡大南庄	六〇〇	台湾土地開拓株式会社
	南投郡[illegible]庄	一、〇〇〇	ヨリ貸下六〇〇甲、大屯[illegible]三〇〇甲
	竹山郡	四、〇〇〇	[illegible]三五〇甲、督府農林[illegible]一〇〇甲
	豊原郡后里庄	三五〇	蕃地外補地一、二〇〇甲ノ一部
	蕃地	一、二〇〇	
	計	八、八〇〇	
台南州	自作農園	三、二六六	大園[illegible]一、〇〇〇甲合計[illegible]
	山手各郡	二、七三四	[illegible]五〇〇甲、[illegible]四〇〇甲[illegible]二〇〇甲
	嘉義郡	一、三〇〇	蕃地八〇〇甲、集落七〇〇甲
	新化郡	九〇〇	ナシ 草山附近
	海岸地方	一、五〇〇	
	蕃地	五〇〇	
	計	一、二〇〇	

台南州	自作農園	三、二六六	大園、汶、民雄[illegible]一、〇〇〇甲合[illegible]四〇〇甲[illegible]
	[illegible]谷郡	三、七三四	[illegible]畜場一〇〇甲、[illegible]四〇〇甲[illegible]
	嘉義郡	一、三〇〇	番[illegible]〇〇甲・集落[illegible]〇〇甲
	新化郡	九〇〇	
	海岸地方	一、五〇〇	
	番地	五〇〇	イヒキ 草山附近
	計	一一、二〇〇	
高雄州	旗山郡	八九二	高雄州[illegible]二〇〇甲[illegible]五部[illegible]
	〃番地	一、七三六	[illegible]三五〇[illegible]一八〇甲[illegible]
	潮州郡	六八二	[illegible]三九〇[illegible]一八〇甲[illegible]一〇〇甲
	〃番地	二九〇	山平内[illegible]一八〇甲[illegible]農場[illegible]〇〇甲
	恒春郡	一、〇〇〇	カワルス ライ社 三十甲
	鳳山郡鳥松庄	三〇〇	[illegible]背後地
	計	五、八〇〇	合間[illegible]ハイ[illegible]農場
台東廳	各郡	二、五〇〇	[illegible]調査五五〇甲[illegible]
花蓮港廳	各郡	二、五〇〇	〃 一、五〇〇甲 [illegible]
合計		二八四五〇	

備考 一、現住民トノ摩擦相剋ヲ避ケル為力メテ集團セル官有地ヲ選定スルモノトス

二、右表ノ外飛行場用地中今後農耕地トシテ利用シ得ヘキモノ若干アリテ一人当五分トシ大約七〇、〇〇〇[illegible]ニ帰農收容シ得ルモノトス [illegible]兵團又ハ部隊ハ州廳ト連絡ノ上右土地ノ取得ヲナスモノトス

委員接遇案

一、接遇委員

委員長　総務長官

委　員　各局部長、陸海参謀副長

幹　事　関係各課長

二、接遇事務分担

総務係─庶務〃〃沈管理事官
　　　└会計〃〃仝　　係長外事部長

設営係─営繕　営繕課長
　　　└調度　会計課長　係長　財務局長

臺灣總督府

接遇係
- 接待　秘書官、文政課長、文書課長
- 通譯　警務課長　森田翻訳官　種村〃　係長　外事部長
- 交通　会計課長、石油係長　自動車課長

食品係
- 食品　食品課長、水産課長　農務課長　係長　農商局長
- 薪炭　山林課長

嗜好品係
- 酒　酒課長
- 煙草　煙草課長　係長　専賣局長

警衛係　警務課長　保安課長　係長　警務局長

医療係　衛生課長　係長　警務局長

日本標準規格　B列4番　257×364m.m

三、會議場、宿泊所及倶樂部ノ選定
(イ)會議場　市公会堂又ハ博物館
(ロ)宿泊所　總督官邸、大稻埕旅館又ハ帝大ヲ
改修使用
(ハ)倶樂部　台北鉄道ホテル、江山樓、蓬萊閣、梅屋敷及
草山貴賓館別館、衆樂園

四、早急ニ準備スヘキ事項並ニ物品
國旗、寝台、寝具、蚊帳、洗面器タオル、石鹸
風呂、便器、鏡取付スリッパ、冷藏庫、金庫
（キャビネット）扇風機、食器（洋、華）薪炭
メリケン粉、パン粉、食油、ソース、醤油、酢、砂糖
味噌、塩、バター、カレー粉、胡椒、缶詰類、米、コーヒー

角砂糖、紅茶、緑茶、鰹節、ラッカセ、蓄音機、
レコード、麻雀、トランプ、酒、煙草、鍋、釜、炊事
道具式　タバコセット
自動車（不取敢十台）接待婦（ダンサーヲ含ム）

五、通訳ノ選定

（イ）英語　石崎経専教授、津村経専教授
　　　　　鈴木経専教授　傳田北商教諭
　　　　　森田翻訳官
（ロ）華語　種村翻訳官　香坂経専教授
　　　　　外事部陳嘱託　他ニ本島人二名
（ハ）右ノ外適宜補助通訳ヲ選定ス

極秘

中央要望事項　（総務長官携行）

第一、外交交渉ノ段取ニ関スル事項

一、休戦協定及講和條約締結ノ時期（保障占領及領土割譲ノ時期）ニ関スル見透如何

第二、保障占領ニ関聯スル事項

一、保障占領ニ関聯シ特ニ左ノ事項ヲ要望ス（[illegible]）

(一) 進駐区域ハ可成之ヲ限定スルコト

(二) 進駐ノ兵力ハ必要最少限度ニ止メ且素質優良ノ兵ニ限ルコト

(三) 進駐國ハ一國ニ限ラルルコト

(四) 領土割譲迄ハ臺灣總督統治ヲ維持スルコト

(五) 特ニ左ノ点ノ保障ヲ得ベキコト

(1) 治安維持ハ日本憲兵及警察官ヲシテ之ニ當ラシムルコト

(2) 金融ノ平静ヲ保ツ為現存金融機関ヲシテ円滑ニ

[illegible]

其ノ機能ヲ営マシムルト共ニ急激ナル変動ヲ惹起セシメザル様特ニ留意セラルベキコト

(3) 對岸ノ物價事情ニ鑑ミ本島ニ於ケル貿易統制及爲替管理ヲ持續セラルベキコト

(4) 民生安定ノ根幹トシテノ主要食糧ノ確保ニ付テハ本府從來ノ方策ヲ是認スルト共ニ食糧事情ノ変動ヲ惹起セシメザル様特ニ留意セラルベキコト

(5) 内臺間及島内交通通信連絡ノ實施ヲ認メラルベキコト

(6) 民心安定ヲ圖ル爲邦字新聞ノ發行及日本語放送(内臺中継放送ヲ含ム)ヲ認メラルベキコト

(7) 進駐軍ノ駐屯ニ必要ナル物資及設備ノ供給ハ臺灣總督ノ責任ニ於テ實施スルコト

二、在留内地人ニ對スル指導方針。

在臺内地人ニ對スル指導方針トシテハ保障占領期間並ニ領土割讓後ニ於ケル權益及保護ガ保障セラレ生活ヲ維持シ得ルニ於テハ内地人ノ食糧事情等ヲ考慮シテ可能ナル限リ殘留ヲ勸奬セントス。已ムヲ得ザル場合ニ於テハ中華民國國籍ヲ取得シテ自治殘留スルノ覺悟ヲ固メシメントス。

右ニ關スル中央ノ見解如何

三、在臺要人ノ保護

(イ)本島人其ノ他ニ對シ日本ニ協力シタル廉ヲ以テ特ニ壓迫又ハ苛酷ナル措置ヲ爲サシメザル樣交涉セラレ度キコト

(ロ)在島内地人要人ノ身柄拘留等ノコトナカラシムルコト

四、内臺連絡交通路ノ開閉

臺灣ノ終戰處理及一部在留邦人引揚ノ完遂上速ニ内臺間連絡航路及航空路ノ開閉ヲ要望ス

現況ノ下ニ於ケル配船ノ見込、時期等ニ関スル中央ノ見透如何

第三、領土割譲ニ伴フ事項

一、島民ノ国籍帰属

在留内地人ニ付テハ出来得レバ二重国籍ノ取得ヲ可能ナラシムベク之ガ不可能ナレバ個人ノ意思ニ依リ中華民国ノ国籍ヲ取得スルノ自由ヲ認メシムルト共ニ本島人及高砂族ニ付テハ個人ノ意思ニ依リ日本国籍ヲ保留スルノ自由ヲ認メシムルコト

二、在留日本人ノ権益保障

在留日本人ノ権益トシテ左ノ事項ノ保障ヲ要望ス

(イ) 居住移転ノ自由ヲ認ムルコト

(ロ) 営業及投資ノ自由ヲ認ムルコト

(ハ) 私有財産権特ニ土地其ノ他ノ不動産所有権ヲ認容保護セラルベキコト　不動産所有権ヲ認メラレザル場合ニ於テハ少クトモ現ニ在留日本人ノ有スル不動産ニ付永代借地権ヲ認メシムルコト

(ニ) 内臺交通通信連絡ノ確保ヲ認メラルベキコト

(ホ) 在留日本人ノ教育施設ノ實施及宗教ノ自由ヲ認メラルルコト

(ヘ) 日本人ニ対シ特ニ不利ナル納税義務ヲ課セラレザルコト

右ニ関スル中央ノ見透如何

三、高砂族ノ保護

①高砂族ノ權益及慣習ヲ尊重シ其ノ特性ニ鑑ミ②之ガ指導并育成ニ習熟セル日本人警察官ヲ活用シ少数民族タル高砂族ノ保護ニ遺憾ナカラシムル様交渉セラレ度キコト

在島行政ニ長ジタル者ヲ活用、

四、日本人官公吏ノ活用

内地人官公吏特ニ現業官廳職員及技術者及本島人官公吏ヲ努メテ引継キ活用スル如ク交渉セラレ度キコト

鉄道ノ如キ会社ニテ可、技術ヲ買ヘ

讓キ

列セバ[illegible]ヤ

運営ノ者ノ[illegible]

⓪現陣法令ヲ動カスモノ鉄道ヲ御セシムルコト[illegible]

五、交通通信ノ混乱防止、

第四、總督府部内官廳及公共團體・外廓團體處理ニ關スル事項

一、特別會計ノ處理（總督府特別會計）、各種特別會計

(イ) 領土割讓ニ伴フ特別會計ノ處理ヲ爲ス場合相當ノ赤字ヲ生ズル見込ナルモ之ヲ一般會計豫算ニ於テ補塡セシ度中央ノ方針如何

(ロ) 年度中途ニ於テ領土割讓ヲ見又ハ保障占領期間予算實行ヲ制限セラルルカ如キ場合ニ於テ左ノ考慮ヲ拂ハレ度キモ如何

（府特別會計收支ノ點ヲ考フ故）

(1) 總督府附屬團體（共濟組合等）營團、政府出資國策會社等ニ對シ赤字補塡ヲ要スル場合ノ財源ハ内地一般會計ニ依存シ得ルヤ

尚各部局關係ノ統制會社ヤリ多數ノ救濟金ヲ要ス

(2) 豫算外契約ニ依ル營團又ハ會社等ニ對スル損失又ハ社債元利ノ補償、保證責任ハ内地一般會計ニ引繼キ得ベキヤ

（石炭統制會社／營團）
等來ル精算ニヨリ出スベキモノ

(ハ) 臨時軍事費繰入ニ付テハ本島ニ於ケル終戦處理、多数官廳官衙職員ノ處理、在留内地人ノ處理等ノ為多額ノ経費ヲ必要トシ他面、税、官業收入、其ノ他ノ收入ノ相當減收ヲ見込マザルヲ得ザル實情ニ鑑ミ之ガ全滅又ハ減額ヲ望マシキモ如何
繰入ヲ要ストセバ其ノ繰入時期如何

(ニ) 左ノ場合如何ニ處理スベキヤ

(1) 剰余金支出ノ事務的暇ナキ場合ニ於ケル確定債務ノ決済ハ如何ニスベキヤ

(2) 專賣代金延納ノ擔保(國債)ノ處理ハ如何ニスベキヤ

鉄道部写

二、官公衙職員ノ處理

本島接收ニ伴ヒ多数ノ官公衙職員廢官廢職トナリ生活ニ窮スル者ヲ生ズルヲ以テ之ガ處理對策ニ依テハ万全ヲ盡スノ要アリ特ニ左ノ事項ニ付ハ中央ノ特殊ノ配慮ヲ煩度

（一）退職ニ當リ將來ノ生活ノ保障ノ意味ヲ加味シ特別手當ヲ考慮セラルベキコト

（三八二）台湾官公吏ノ内地轉任ヲ考慮セラルベキコト

恩給ノ支給ニ關シテハ之ガ裁定ヲ台湾總督ニ委任セラレ請求書添付書類前歷調書等ヲ可及的ニ簡略シ地方費負担恩給ヲ國庫負担ト改ムル等特別ノ取扱措置ヲ講ゼラレ度キコト

（一四七）

（イ）共済組合員ノ取扱ニ關シテハ

組合解散ニ伴ヒ年金ヲ受ケ又ハ受

[illegible]

クベキ者ニ對シテハ年金十年分ニ相當スル額ヲ支給スルコト

(ロ) 組合財産ノ損償ニ付テハ政府ニ於テ欠損額ヲ補償スルコト

(ハ) 組合解散ニ伴フ給付支給ニ關シ組合資産ニ不足ヲ生ジタルトキハ政府ニ於テ補償スルコト

三、公共團体ノ處理

(一) 地方公共團体ハ財産及負債ヲ包括的ニ承継ガルルモノナリヤ、而ラズバ償還未済高約五千万圓ヲ有シ之ヲ財産処分ニ依リ且不足分ハ政府ノ肩替リヲ以テ償還スルノ要アリ

中央ノ見解如何

(二) 農業會、水産業團体、商工經済會、水利組合等ノ公共組合ハ接收ノ際包括承継

サルルモノナリヤ然ラズトセバ(一)同様ノ處置シ採ルノ要アリ中央ノ見解如何

一、[illegible]

○[illegible]

四、外郭團体ノ處理、

三ト同様ノ問題アリ

五、本府關係残務處理機關ノ設置

本府廃廳後台灣關係残務處理並台灣在留内地人安定ニ關スル事務ニ當ラシムル為中央ニ臨時ニ残務處理機關ヲ設置セラレ度

○今般本校生徒ノ父兄ニ対シ左ノ三件ヲ依頼ス

一、授業ハ十分ニ受ケシムル事

二、[illegible]

三、[illegible]

中央要望事項

第一、外交交渉ノ段取ニ関スル事項

一、休戦協定及媾和條約締結ノ時期（保障占領及領土割讓ノ時期）ニ関スル見透如何

第二、保障占領ニ関聯スル事項

一、保障占領ニ関シテハ臺灣總督府ヲシテ自主的ニ円滑ナル引継ヲ實施セシムルコトヲ建前トシ特ニ左ノ事項ヲ要望ス

(一)進駐区域ハ可成之ヲ限定スルコト

(二)進駐兵力ハ必要最少限度ニ止メラルベキコト

(三)領土割讓迄ハ臺灣總督統治ヲ維持スルコト

(四)特ニ左ノ点ノ保障ヲ得ベキコト

(1)治安維持ハ日本憲兵及警察官ヲシテ之ニ當ラシムルコト

(2) 金融ノ平靜ヲ保ツ為現存金融機関ヲシテ円滑ニ其ノ機能ヲ営マシムルト共ニ急激ナル変動ヲ惹起セシメザル様特ニ留意セラルベキコト

(3) 對岸ノ物價事情ニ鑑ミ本島ニ於ケル貿易統制及為替管理ヲ持続セラルベキコト

(4) 民政安定ノ根幹トシテノ主要食糧ノ確保ニ付テハ本府従来ノ方策ヲ是認スルト共ニ食糧事情ノ変動ヲ惹起セシメザル様特ニ留意セラルベキコト

(5) 島内交通通信連絡ノ実施ヲ認メラルベキコト

(6) 民心安定ヲ図ル為邦字新聞ノ発行及日本語放送(内台中継放送ヲ含ム)ヲ認メラルベキコト

(五) 進駐軍ノ駐屯ニ必要ナル物資及設備ノ供与ハ其ノ臺湾總督ノ責任ニ於テ実施スルコト

二、在留内地人ニ対スル指導方針

在留内地人ニ対スル指導ニ当リテハ内地ノ食糧事情等ヲ考慮シ且将来ニ亘ル本島ノ日本権益ヲ保全スル為可能ナル限リ残留ヲ勧奨セントスル方針ナルヲ以テ中央ニ於テハ保障占領期間並ニ領土割譲後ニ於ケル在留内地人ノ権益及保護ノ保障ニ付充分ナル考慮ヲ払ヒ対外交渉ニ当ラレ度キコト

三、在台要人及本島人ノ保護

(イ)本島人其ノ他ニ対シ日本ニ協力シタル廉ヲ以テ特ニ圧迫又ハ苛酷ノ措置ヲ為サシメザル様交渉セラレ度キコト

(ロ)在台内地人要人ノ身柄抑留等ノコトナカラシムルコト

四、内台連絡交通路ノ再開及電信電話通信ノ疏通

圓滑化

(イ)臺灣ノ終戰處理及一部在留邦人引揚ノ完遂上速ニ内台(間)連絡航路及航空路ノ再開ヲ要望ス

(ロ)内台間電信電話通信状況ハ現在渋滞勝ナル状況ニ在ルヲ以テ之ガ疏通ノ圓滑化ニ付特ニ配意セラレ度ク且送金電報ノ疏通ハ内台間郵便中絶ノ状態ニアリ加之本島割讓ヲ確定セル事態ニ於テハ在留内地人ノ殆ド要望スル處ナルヲ以テ特ニ之ガ圓滑ナル處理ヲ要望ス

第三、領土割譲ニ伴フ事項

領土割譲ニ當リ在留日本人ノ權益保護ヲ保障スルト共ニ本島民心ノ動搖及経済秩序ノ混乱ヲ防止シ文化、産業、交通ノ現在水準ヲ維持シ以テ整然タル統治ノ授受ヲ爲シ更ニ将來ニ於ケル本島ノ健全ナル發展ト日支共存共栄ノ實ヲ擧ゲシムル爲中央ニ於テハ五十年統治ノ成果タル本島ノ現況ニ付充分ナル認識理解ノ下今後ノ對外交渉ニ際シ特ニ左ノ事項ノ實現ニ付格別ノ考慮ヲ拂ハルベキコトヲ要望ス

一、國籍ノ歸屬

(イ)在留日本人ノ權益及保護ノ保障ニ付格別ノ努力ヲ拂ハルベキモ若シ日本人トシテハ将來本島ニ於ケル生活ヲ維持シ能ハザル最悪ノ場合ニ於テハ本島ニ定

着セル在留内地人ノ為其ノ意思ニ依リ民國國籍ヲ取得スルノ自由ヲ認メラルベキコト

(ロ) 本島人及高砂族ノ皇民化ノ實情ニ鑑ミ言語、生活全ク日本化シ飽ク迄モ日本國籍ニ止マルヲ欲スル者ノ為個人ノ意思ニ依リ日本國籍ヲ保留スルノ自由ヲ認メラルベキコト

二、本島統治引渡ニ関スル要望

(イ) 内臺一如ノ聖旨ヲ奉戴スル五十年ノ拮据経営迄ニ内臺一體ノ努力ニ依リ顕著ナル内臺融和ノ實ヲ擧ゲ文化産業ノ進展ヲ擧ゲ来リタル現實ヲ尊重シ將来ニ亘リ愈々日支共存共栄ノ理會ノ下ニ臺灣ノ發展向上ヲ期セラルベキコト

(ロ) 金融ノ平靜及島民生活ノ安定ヲ圖ル為幣制

昭和十一年四月[illegible]

(ハ) 内臺一體ノ努力ニ依ル本島産業經濟ノ發達ノ現状ヲ基盤トシ之ガ振興及活用ニ付特別ノ考慮ヲ拂ハルベキコト

(ニ) 本島ノ地方自治發達ノ現状ヲ尊重セラルベキコト

(ホ) 本島ノ文化水準ヲ維持スルト共ニ在留日本人ノ存在ノ事項ヲ考慮セラルベキコト

(ト) 日本語普及ノ現況ニ鑑ミ邦字新聞、雑誌ノ發行、日本語放送（出來得レバ内地放送中繼送出）ヲ認メラルベキコト

(チ) 教育ニ関スル島民ノ関心ヲ認識シ教育普及ノ現状ヲ持續セラルベキコト

(ヘ) 長期ニ亘ル戰爭並ニ戰災ノ影響ニ鑑ミ島民援護事業ヲ繼續セラルベキコト

(ト) 少数民族タル高砂族ノ権益及慣習ヲ尊重シ之ガ保護ニ関シ格別ノ考慮ヲ拂ハルベキコト高砂族ノ特性ニ鑑ミ之ガ指導ニ慣熟セル日本人警察官ヲ引續キ活用セラルベキコト

(チ) 本島ノ實情ヲ知悉シ行政ニ習熟セル在島日本人特ニ技術者ヲ出來得ル限リ引續キ活用セラルベキコト

三、在留日本人ノ権益保障

(一) 在留日本人ノ権益トシテ左ノ事項ノ保障ヲ要望ス

(イ) 居住移轉ノ自由ヲ認ムルコト

(ロ) 營業及投資ノ自由ヲ認ムルコト

(ハ) 私有財産権特ニ土地其ノ他ノ不動産所有権ヲ認、容保護セラルベキコト不動産所有権ヲ認メラレザル場合ニ於テハ少クトモ現ニ在留日本人ノ有スル不動産ニ付永

代借畢地權ヲ認メシムルコト

(二)在留日本人ノ權益及保護ノ保障ニ遺憾ナカラシムル爲臺灣ニ於ケル現地外交機関トシテ臺北市ニ總領事館、州廳所在地ニ領事館ヲ置キ其ノ陣容ヲ相當ノ規模トスルト共ニ臺灣ノ實情ニ慣熟シ在留日本人ノ指導保護ニ適當ナル者ヲ起用セラルベキコト

四、鐵道及通信業務ノ確保

鉄道及通信業務ノ円滑ナル運営ハ文化産業経済ノ根底タルノミナラズ戰災復興及民心安定ニ至大ノ関係ヲ有スルモノナルニ鑑ミ之等業務ノ混乱停頓ヲ惹起セシメザル爲本島鐵道及通信機構ヲ急激ニ変革スルコトナク且ツ其ノ経営及技術ニ熟達セル内臺從業員ヲ引續キ活用セラルベキコト

第四、總督府部内官廳及公共團體、外廓團體處理ニ関スル事項

一、臺灣總督府特別會計ノ處理

(イ) 領土割讓ニ伴フ特別會計ノ處理ヲ爲ス場合相當ノ赤字ヲ生ズル見込ナルモ之ヲ一般會計豫算ニ於テ補塡セラレ度

中央ノ方針如何

(ロ) 總督府附屬團體（共濟組合等）營團、政府出資國策會社等ニ對シ赤字補塡ヲ要スル場合ノ財源ハ内地一般會計ニ依存シ得ルヤ

(ハ) 豫算外契約ニ依ル營團又ハ會社等ニ對スル損失又ハ社債元利ノ補償、保證責任ハ内地一般會計ニ引継ギ得ベキヤ

(ニ) 臨時軍事費繰入ニ付テハ本島ニ於ケル終戦處理、多数官廳官衙職員ノ處理、在留内地人ノ處理等ノ爲多額ノ経費ヲ必要トシ他面税、官業收入其ノ他ノ收入ノ相當減收ヲ見込マザルヲ得ザル實情ニ鑑ミ之ガ全減又ハ減額ヲ望マシキモ如何
繰入ヲ要ストセバ其ノ繰入時期如何

(ホ) 左ノ場合如何ニ處理スベキヤ

(1) 剰余金支出ノ事務的暇ナキ場合ニ於ケル確定債務ノ決済ハ如何ニスベキヤ

(2) 專賣局代金延納ノ擔保(國債)ノ處理ハ如何ニスベキヤ

二、官公衙職員ノ處理

本島接收ニ伴ヒ多数ノ官公衙職員廢官廢職トナリ

生活ニ窮スル者ヲ生ズルヲ以テ之ガ處理對策ニ付テハ萬全ヲ盡スノ要アリ、特ニ左ノ事項ニ付中央ノ特段ノ配慮ヲ煩ハシ度キコト

(一) 退職ニ當リ將來ノ生活ノ保障ノ意味ヲ加味シ特別手當ヲ考慮セラルベキコト

(二) 臺灣官公吏ノ内地転任ヲ考慮セラルベキコト

(三) 恩給ノ支給ニ關シテハ之ガ裁定ヲ臺灣總督ニ委任セラレ請求書添付書類前歴證明書等ヲ可及的ニ簡略ニシ地方費負担恩給ヲ國家負担ト改ムル等特別ノ取扱措置ヲ講ゼラレ度キコト

(四) 共済組合員ノ取扱ニ関シテハ

(イ) 組合解散ニ伴ヒ年金ヲ受ケ又ハ受クベキ者ニ対シテハ年金十年分ニ相當スル額ヲ支給スルコト

(ロ)組合財産ノ換價ニ付テハ政府ニ於テ欠損額ヲ補償スルコト

(ハ)組合解散ニ伴フ給付支給ニ關シ組合資産ニ不足ヲ生ゼシメタルトキハ政府ニ於テ補償スルコト

三、公共團體ノ處理

(一)地方公共團體ハ財産及負債ヲ包括的ニ引継ガルルモノナリヤ　而ラズバ償還未済約五千万円ヲ有シ之ヲ財産処分ニ依リ且不足分ハ政府ノ肩替リヲ以テ償還スルノ要アリ

中央ノ見解如何

(二)農業會、水産業團體、商工経済會、水利組合等公共組合ハ接收ノ際包括承継サルルモノナリヤ　然ラズトセバ(一)同様ノ處置ヲ採ルノ要アリ　中央ノ見解如何

四、外廓團體ノ處理

三ト同様ノ問題アリ

五、本府関係残務處理機関ノ設置

本府廢廳後臺灣関係残務處理班ニ臺灣在留内地人安定ニ関スル事務ニ當ラシムル爲中央ニ臨時ニ残務處理機関ヲ設置セラレ度

美濃全紙罫紙

臺灣總督府

警保局警務発甲第一二五號

昭和二十年九月二十九日

内務省警保局長

各廳府縣長官殿
各地方總監府第一部長殿

軍復員ニ依リ召集解除トナリタル外地（樺太ヲ除ク）巡査ノ内地巡査採用方ニ関スル件通牒

外地各廳巡査ニシテ内地部隊ニ應召中今般軍復員ニ依リ召集解除ト相成リタル者原廳ヘノ歸任不能ナル爲内地巡査ヲ志望シ來レル場合ハ現下ノ事情ヨリシテ

所属廳ニ對スル連絡等不可能ト思料セラルルニ付キ出向手續アリタルモノト看做シ其ノ廳府縣巡査ニ任命スルモ差支ナキニ付御了知相成度

追而

今後原本属廳ニ對シ連絡可能トナリタル場合ハ速ニ其ノ旨通報相成様致度

一、朝鮮總督府、台湾總督府及樺太廳廢止ニ関スル件

（管理局案）

(イ) 朝鮮、台湾及樺太ノ現状ニ鑑ミ適當ナル時期ニ於テ朝鮮總督府官制、台湾總督府官制及樺太廳官制並ニ其ノ附屬諸官制ヲ廢止スルモノトス

(ロ) 朝鮮、台湾及樺太ニ夫々終戰事務處理ニ関スル現地機関ヲ設置ス

註 樺太ニ付テハ直チニ設置スルコト困難ナル實情ニアルヲ以テ適當ナル時期ヲ待ツコト

(ハ) (イ)ノ官制廢止ニ伴ヒ関係官吏ハ當然退官トナルベキモ經過的措置トシテ左ノ如キ規程ヲ設クルコトトス

(一) 事務上ノ必要ニ基キ内務大臣ノ指定スル者ニ付テハ臨時從來ノ官ヲ置カレタルモノトシ當分ノ間官吏タル身分ヲ保有セ

シムルコト

(一) 内務大臣ハ前項ノ者ヲシテ終戰事務處理現地機關ノ事務ニ從事セシメ又ハ之ニ對シ聯合軍側ノ行政ニ協力スベキコトヲ命ズルコトヲ得ルコト

(三) 聯合軍側ノ行政ニ協力スベキコトヲ命ゼラレタルモノニ對シテハ俸給ヲ支給セザルコト

(二) 退官者ニ對シテハ恩給法ニ依ルモノノ外其ノ俸給月額ニ在職年數ヲ乘ジタル金額ニ相當スル退職給與金ヲ支給スル等可及的優遇方法ヲ講ジ内地人タル退官者ニシテ優秀ナルモノニ付テハ努メテ内地各官廳ニ之ヲ收容シ得ルガ如キ處置ヲ採ルコトトシ之ガ為所屬各廳ニ於テ履歷書貳通ヲ作成シ内務省ニ送付スルモノトス

二　朝鮮、台湾及樺太ニ於ケル法令ニ関スル件

(イ) 朝鮮、台湾及樺太ニ施行スルコトヲ目的トシテ制定セラレタル法律及内外地関係ノ事項ヲ規定シタル法律ハ之ヲ廃止スルモノトス

(ロ) 内外地ニ亘リ施行セラレアル法律中外地ニ関スル規定ヲ削除スルモノトス。

(ハ) 朝鮮、台湾又ハ樺太ニ施行スル法律ヲ定メタル勅令中、讀替規定ヲ含ムモノ及朝鮮、台湾若ハ樺太ニ施行スルコトヲ目的トシテ制定セラレタル勅令ハ之ヲ廃止スルモノトス

(ニ) 内外地共ニ施行セラレアル勅令及省令中朝鮮、台湾又ハ樺太ニ関係アル規定ヲ削除スルモノトス

(ホ) 制令、律令ハ総督府ノ廃止ニ伴ヒ當然其ノ效力ヲ失フモノトス但シ之ニ代ハルベキ諸法令ノ發布ヲ必要トスルニ付特ニ聯合國ト打合セヲ必要トスルモノトス

（警察部長止メノ場合）

一、今般ノ整理ハ行政整理トス

(一) 退職手当支給方針

1. 勤続賜金

諸給与（本俸ノ外諸加俸、戦時勤勉手当、勤続手当、家族手当及臨時手当ヲ（含ム））ノ二ヶ月額ニ勤続年数ヲ乗シタルモノ

2. 転職賜金

勤続賜金ト同額ヲ支給ス　但シ諸給与ノ八ヶ月分ヲ超過スルモノハ八ヶ月ニ止メ四ヶ月ニ満タサルモノハ四ヶ月トス

3. 休職者ニ付テハ普通ノ休職給ノ外、休職特別手当（月俸ノ半額）ヲ給ス（閣令ハ未公布ナルモ勅令ハ既ニ八月十六日公布）

休職給与ヲ受ケタルモノニ対シテハ転職賜金ヲ給セス

ヲ控除ス

二、従量ニ対シテハ右ノ外団体等ヨリノ手当ヲ加ヘ平均三十銭ヲ給セントス（最高額ハ七十銭位トナル見込）

留守家族部長以下幹部、部補ニ対スル団体ヨリノ分ハ地方官ニ一任ス

三、右ニ要スル経費ハ（第二）予備金ニ依ルベク目下大蔵省ト折衝中

昭和二十年律令第七号ノ規定ニ基キ公私有財産ノ処分等ノ制限ニ関スル件

左ノ通定ム

昭和二十年十月十五日

台湾総督 安藤利吉

府令第一三八号

第一条 公有又ハ私有ノ不動産（鉱業ニ関スル権利及船舶ヲ含ム以下之ニ同ジ）又ハ動産ハ現在ノ商工業其ノ他ノ経済運行並ニ生活維持ノ為必要ナル場合ヲ除クノ外当分ノ間売買又ハ移譲ヲ為スコトヲ得ズ但シ特別ノ事由ニ依リ台湾総督ノ許可ヲ受ケタル場合ハ此ノ限リニ在ラズ

第二条 公有又ハ私有ノ不動産及記名式有価証券ノ一切ノ売買又ハ移動ニ付テハ簿冊ヲ備置キ物件名、処分又ハ移動ノ年月日、相手方、事由其ノ他ノ内容、数量及価格ヲ記載シ台湾総督又ハ州知事若ハ庁長必要アリト認ムルトキハ当該官吏ヲシテ前項ノ簿冊ヲ検査セシメ又ハ之ヲ提出セシムルコトヲ得

前項ノ規定ニヨリ当該官吏ヲシテ簿冊ヲ検査セシムル場合ニ於テハ別記様式ノ証票ヲ携帯セシムベシ

第三條 公債又ハ社債ノ募集ハ当分ノ間之ヲ為スコトヲ得ズ但シ特別ノ事由ニ依リ種類、金額、募集方法及事由ヲ具シ台湾総督ノ許可ヲ受ケタル場合ハ此ノ限リニ在ラズ

附則

本令ハ公布ノ日ヨリ之ヲ施行ス 昭和二十年八月十五日以後本令施行ノ日迄ニ為シタル公有又ハ私有ノ不動産、記名式有価証券ノ一切売買又移動ニ付テハ第二條ノ規定ヲ準用ス

別記様式ハ省略

律令第七号

台湾総督ハ中華民国台湾省行政長官ノ発スル命令ニ依ル事項ヲ実施スル為特ニ必要アル場合ニ於テハ台湾総督府令ニ違反スル者ハ三年以下ノ懲役若ハ禁錮、五千円以下ノ罰金、科料又ハ拘留ニ処ス

附則

本令ハ公布ノ日ヨリ之ヲ施行ス

(写)

電報写　長官宛　須田長官代理

本府各局部接收ノ件

昨夕電通ヘ十月廿日附葛敬恩長名ノ中国側接收員派遣通報ニ基キ、本府各部局ハ統テ十一月一日午前九時接收セラレ一応交替ヲ了シタリ

(接收状況)

- 官房
  - 文書課、秘書課 → 法制委員会
  - 情報課 → 宣伝委員会
  - 地方自治課 ― 民政処
- 文教局
  - 教学課 → 教育処
  - 援護課 → 教育処
- 財務局 → 財政処、会計処
- 鉱工局 ― 鉱工処
- 農商局 → 農林処
- 食糧部 → 農林処
  - 商政課 → 財政処
- 警務局 → 警務処
  - 衛生課 → 民政処
- 法務部 → 法制委員会
- 交通局 ― 交通処
- 専売局 ― 台湾省専売局
- 高等法院 ― 中国側法院
- 其他
  - 図書館、博物館、気象台、農業試験所
  - 林業試験所、
  - 台湾新報社
  - 台湾放送局
  - 同盟及内地新聞社支局

大日本帝国政府

東府ノ内 官房秘書官、人事課及法令審議以外ノ文書ハ未接収ナリ

接収内容、官印職員簿冊、備品其他ノ財産、

局員ニ付テハ各局部課共課長（交通局ハ部長ヲ含ム）以下全員ヲ接収シ原則トシテ従来ノ如ク執務セシメ、局長ニ付テハ鉱工局長ガ鉱工処長ト同格ナルテ執務ヲ命ゼラレタル外ハ全部一応解職シタルコトトシテノ内規ナルモノ如シ、但シ行政公署ニ於テハ必要アル場合ハ随時重要案件ニ付協力ヲ求メアル、由、

連人第七號

昭和二十一年三月五日

臺灣地區日本官兵善後連絡部

人事課長代理鈴木信太郎

各官衙長殿

日本人官公吏ニシテ臺灣ニ殘留スル者ノ身分取扱ニ關スル件

首記ノ件左記要綱ニ依リ取扱フコトニ相成候条留意者ニ無漏示達相成度依命

右通牒ス

記

留台者取扱要綱

一、台湾ニ残留スル者ヲ次ノ通リ三区分シ第一号別表ニ依リ身分ヲ取扱フモノトス
甲、中國ニ留用セラレタル者
乙、台湾ニ於テ残務調理ニ従事スル者
丙、前二項ノ何レニモ該当セザルモ台湾ニ残留スル者

二、前項ニ依リ台湾ニ残留スルコトニ決定シタル者ハ第二號様式ノ留台申告書ヲ必ズ東京出張所宛提出スルモノトス

三、留用ヲ解除セラレ内地ニ帰還ノ者ハ履歴書添附別表第三號様式ノ留用解除届ヲ東京出張所宛提出スルモノトス
留用ヲ解除セラレタル後直ニ台湾ニ残留スル者ハ履歴書添付

四、

本留用解除届及退職願ヲ東京出張所宛提出スルモノトス

台湾ニ於ケル残務整理ヲ了シ内地ニ帰還ノ者ハ速ニ東

京出張所ニ出頭スルモノトス、

台湾ニ於ケル残務整理ヲ了シタル後台湾ニ残留スル者ハ

履歴書添付退職願ヲ東京出張所ニ提出スルモノトス

（第一號 別紙）

留台者身分上取扱區分表

種別	甲（中國ニ留用セラレタル者） A（家族在台灣）	甲 B（家族在內地）	乙（台灣ニ於テ殘務整理ニ從事スル者） A（家族在台灣）	乙 B（家族在內地）	丙（甲乙該當者以外ノ台灣ニ殘留スル者） A（家族在台灣）	丙 B（家族在內地）
昭和二十年年末賞與 年度末賞與	本人歸國後支給	家族ニ支給	本人歸國後支給	家族ニ支給	本人歸國後支給	家族ニ支給
本俸 在勤加俸 其他ノ諸給與	不支給		同上	同上	同上（但シ還送計畫完了ノ月マデ）	同上（但シ還送計畫完了ノ月マデ）
昇格 進等 昇給	引續施行スル見込		引續施行		進等昇給ハ退職發令マデ施行	
敍位 敍勳	同上		同上		同上	
行政整理	留用解除ノ六月後但シ歸國便船ノ關係ヲ參酌ス		台灣ニ於ケル殘務整理完了ノ六月後但シ歸國便船ノ關係ヲ參酌ス尚本人歸國後ノ本府殘務整理狀況ニ依ル		還送計畫完了ノ月	
退職特別賜金（手當）	本人歸國後支給	家族ニ支給			本人歸國後支給	家族ニ支給
特別手當（歸鄉旅費ニ準スルモノ）	同上	本人行政整理ヲ受ケタル後家族ニ支給			本人歸國後支給	本人行政整理ヲ受ケタル後家族ニ支給
恩給在職年通算	一、在職期間 二、留用期間ハ外地在勤加算		一、在職期間 二、殘務整理ノ爲ノ留台期間ハ外地在勤加算		一、退官職ノ月マデ在職年及外地在勤加算	
備考						

（第二號様式）

留台申告書

元勤務所	
官職	
氏名	

履歴證明番號	官長衙印

日本官吏関係

官（職）名	
現官等	等　昭和　年　月　日発令
現俸給	級　昭和　年　月　日発令
現位階	從正　位　昭和　年　月　日発令
現勲等	勲　等　昭和　年　月　日発令

中國留用関係

留用服務職別	
薪俸	月額　圓　始給年月　昭和　年　月
生活津貼	月額　圓　始給年月　昭和　年　月

残務整理ニ従事スル勤務所	
台湾ニ於ケル家族ノ住所	(連絡先詳記ノ事)
留用年月日	
留用勤務所	
台湾ニ於ケル現住所	

右及申告候也

昭和　年　月　日

官職名　㊞

東京都麹町区霞ケ関内務省内
台湾総督府出張所長殿

注意事項

一、中国ニ留用並ニ残務調理ニ従事スル期間ハ日本ノ官吏関係ハ消滅セザルモノニ付申告ノ正確ニヨリ爾後ノ身分上ノ取扱ニ過誤ナキヲ期スルコト

二、台湾ニ残留スル者家族ノミヲ内地ニ帰還セシムル場合ハ本申告書ノ外ニ官公吏家族帰国申告書(官公吏帰国申告書利用)ヲ提出シ家族ノミ帰還シタルコトヲ明確ニスルコト

三、中国ニ留用セラレタル者又ハ残務調理ノ為メニ台湾ニ残留スル者以外ノモノニシテ台湾ニ残留スル者ハ日僑還送計画完了後(還送計画完了ヲ予測シ得ル際ハ其ノ以前)履歴書添付退職願ヲ東京出張所宛提出スルモノトス

（第三號様式）

履歴證明番號	官衙長印

留用解除届

元勤務所	
官職	
氏名	

元留用勤務所	留用解除年月日	引續留用ノ有無		
	昭和　年　月　日	有	留用解除後ノ職業	
		無	離台年月日	昭和　年　月　日

薪俸ノ最終受給年月	特殊津貼ノ最終受給年月	台湾ニ於ケル住所	内地上陸港 上陸年月日
昭和　年　月マデ	昭和　年　月マデ		

右御届候也

年　月　日

官職名　㊞

東京都麹町區霞ヶ關内務省内

臺灣總督府出張所長殿

昭和二十一年三月十五日

臺灣總督　安藤利吉

殿

臺灣總督府關係引揚職員ノ措置ニ關スル件

首題ノ件ニ關シ別紙ノ通各廳ニ對シ依頼致居候條右御含ミノ上何分ノ御盡力賜リ度

右及懇願候也

昭和　年三月廿五日

臺灣總督　安藤利吉

殿

臺灣總督府關係引揚職員ノ終戰措置ニ關スル件

終戰ニ伴フ外地職員一般ノ身分給與等ノ取扱ニ關シテハ一月二十二日別紙(一)「外地官廳職員等ノ措置ニ関スル件」ノ閣議決定ヲ見タル次第ニテ本總督府トシテハ別紙(二)ノ通リ措置致シ度候處臺灣總督府関係職員ハ(一部中國側ニ徴用セラレ居ル者モ續々徴用ヲ解除セラレツツアリ)極メテ僅少ノ所持金品ヲ以テ窮迫セル不安ナル日常ヲ送リツツアリ特ニ其ノ身分関係ニ付テハ極度ニ不安焦燥ヲ感ジ居ル現状ナルニ鑑ミ各廳ニ於テモ諸種困難ナル事情可有之モ窮状御賢察ノ上之ガ轉官等ノ措置ニ付キ格段ノ御配慮ヲ賜

リ度
右及懇願候也
追テ人名簿ハ近ク可及送付候條申添候

（別紙一）

外地（含樺太）官廳職員等ノ措置ニ関スル件（昭二一、一、三一閣議決定）

外務省
内務省
大蔵省

終戰ニ伴ヒ外地（含樺太以下同ジ）官廳官制ハ之ヲ廃止スベキモ差當リ外地在勤ノ官吏（含待遇官吏以下同ジ）並外地官廳所属ノ囑託員、雇員、傭人及工員ニ付左ノ措置ヲ講ズルモノトス

一　身分

（一）外地在勤官吏ニシテ左ニ該当スルモノハ引續キ在官セシムルコト

（イ）聯合國ヨリ其ノ行政ニ協力スルコトヲ要請セラレタル為現地ニ残留セシムル者

（ロ）外地官廳ノ残務處理等ノ為現地ニ残留セシムル者

（ハ）聯合國ニヨリ抑留セラレタル者又ハ交通至難等ノ事由ニ由リ内地

ニ引揚グルコト能ハザル者

(二) 内地ニ引揚ゲタル官吏ニシテ内地ニ於テ残務処理ニ従事セシムル者(従来ノ出張所職員等ニシテ引續キ事務ニ従事セシムルノ要アル者ヲ含ム)

(二) 内地ニ引揚ゲタル官吏ニシテ(一)ノ(二)ニ該当セザルモノニ付テハ為シ得ル限リ優秀ナル者ヲ多数各省若ハ各省所管官署又ハ地方團体其ノ他ノ諸團体ニ轉職又ハ就職セシムル様努力シ殊ニ之等官公署諸團体ノ新設又ハ増員ニ際シテ優先的ニ轉職又ハ就職セシムル様考慮スルコト

尚直ニ轉職困難ナル者ニ付テハ差当リ一定数ヲ限リ各省又ハ各省所管官署ノ兼務トスル等ノ措置ヲ講ズルコト

(三) 内地ニ引揚ゲタル官吏ニシテ(一)ノ(二)ニ該当セザル者内地ニ到着後六ケ月(特別ノ事情アル者ニ付テハ一年)以内ニ他ノ官廳ニ轉職シ得ザルトキハ之ヲ退官セシムルコト

(四) 外地在勤ノ官吏ニシテ昭和二十年十一月十三日以後退官スル者ハ今回ノ行政整理ニ因ル退官者ト見做スコト

二　給與及恩給

(一) 外地在勤官吏ノ俸給其ノ他ノ給與竝外地地方費ノ負擔スル恩給ハ要スレバ一般會計ヨリ之ヲ支辨スルノ方針ヲトルコト、尚外地特別會計恩給負擔金ノ一般會計ヘノ繰入レハ之ヲ取止ムルコト

(二) 現地ニ殘留スル者ノ俸給其ノ他ノ給與ハ其ノ家族ガ内地ニ在ル場合ニ於テハ其ノ家族ニ、其ノ他ノ場合ニ於テハ本人ガ引揚ゲタル後必要ナル額ヲ内地ニ於テ支給スルコト但シ現地ニ於テ支給シ得ル場合ニ於テハ現地ニ於テ之ヲ支給スルコト

(三) (一)ノ(イ)ニ該當スル者ニシテ聯合國ヨリ俸給其ノ他ノ給與ヲ受クル者ニ對シテハ其ノ間國庫ヨリ俸給其ノ他ノ給與ノ支給ハ之ヲ停止スルコトトスルモ其ノ期間ハ恩給法上ノ在職年ニ通算スルコト

(四) 現地ニ殘留スル者以外ノ在勤加俸ハ之ヲ廢止スルコト

(五) 退官セシムル者ノ處遇ニ付テハ内地引揚ニ依ル特殊事情ヲ考慮昭和二十年十一月十三日閣議決定行政整ニ因ル被整理者ノ處遇ニ關スル件ニ依ル退職特別賜金ニ同件ニ定メラレアル俸給其ノ他ノ給與ノ五月分

以内ヲ増加支給スルコト但シ内地官廳ニ轉職シタル者ニ付テハ従前ノ例ニ依ル

（六）　内地ニ引揚ゲタル官吏ニ付テハ赴任ノ際ニ受クベキ旅費額ニ相當スル金額ヲ特別手當トシテ支給スルコト但シ南洋群島、關東州、滿洲旅費規則ニ依リ退官退職者旅費ヲ受クベキ者ニハ之ヲ支給セザルコト

三　前二項ノ措置ハ外地官廳所屬ノ囑託員、雇員、傭人及工員ニ付之ヲ準用スルコト

（備　考）

外地地方團体所屬ノ職員ニ付テハ本措置ニ準ジ適當ナル措置ヲ考慮スルコト

（別紙二）

臺灣總督府職員ノ轉官職及整理ニ關スル措置

一　臺灣總督府關係内地人職員ノ總数ハ約四萬二千人（囑託雇傭員等約一万五千八百人ヲ含ム）ニシテ現在既内地ニ在ル者約二百三十人ナル處、現地ニ残留スル職員ノ引揚モ漸ク見込立チ三月末日迄ニハ其ノ約四割即チ約一萬七千人ノ歸還ヲ見ルベク其ノ他ノ者モ引續キ歸還シ來ル見込ナリ而シテ引揚歸還見込總数ハ現地ノ事情漸次残留困難化スル情勢ニ鑑ミ増加ノ傾向アリテ全内地人職員ノ九割即チ約三萬七千八百人（囑託雇傭員等約一萬四千二百三十人ヲ含ム）ナリ

二　右引揚職員ノ措置ニ就テハ今回ノ内地ニ於ケル行政整理ノ關係等ヲモ考慮シ特ニ内地ヨリ整理率ヲ高メ概ネ六割程度ヲ整理シ残餘ノ四割即チ

約一萬五千百二十人（内囑託雇傭員等約五千六百九十人ヲ含ム）ヲ優秀分子トシテ各省又ハ各省所管官署ニ轉官職セシメ之ガ活用ヲ圖ルコトトシ直チニ轉官職困難ナル者ハ總督府ノ身分、給與ノ儘各省又ハ各省所管官署ニ兼務セシメ新規増員又ハ缺員補充ノ際與フ限リ優先的ニ轉換セシムルコトトシ差當リ内地到着後六ケ月内ニ轉換ヲ了セザルトキハ更ニ六ケ月兼務ヲ延長シ可及的一ケ年以内ニ之ヲ消化スルコトトス

参考

一、臺灣總督府関係内地人職員数

官公吏 勅任	官公吏 奏任	官公吏 判任	官公吏 計	嘱託雇傭人	計	帰還見込者 官公吏	帰還見込者 嘱託雇傭員	帰還見込者 計
一〇九	二、一七五（内待遇 三三二）	二三、九一〇（内待遇 五、七〇九 吏員 九六五）	二六、一九四	一五、八二一	四二、〇一五	二三五七五	一四、二二〇	三七七九五

二、帰還見込者措置

区分	帰還見込者	整理者	転官職者
官公吏	二三、五七五	一四、一四五	九、四三〇
嘱託雇傭員	一四、二二〇	八、五三二	五、六八八
計	三七、七九五	二二、六七七	一五、一一八

備考

帰還見込者ノ六割ヲ整理スルモノトシテ算出セリ

區分	勅任	奏任	同待遇	判任	同待遇	吏員	嘱託	雇	事務傭	其他ノ傭	計
内地人	一〇九	二、〇四三	一三二	一七、二三六	五、七〇九	九六五	一、五四一	一一、八八八	一七八	二、二一四	四二、〇一五
本島人	一	二七	二四	三、六七三	五、一七七	五、二一八	九一八	二七、四四一	二、二七九	三〇、四五八	七五、二一六
計	一一〇	二、〇七〇	一五六	二〇、九〇九	一〇、八八六	六、一八三	二、四五九	三九、三二九	二、四五七	三二、六七二	一一七、二三一

台湾に於ける有給吏員恩給に関する資料

一、制度の大要

台湾に於ける州、市、街庄の有給吏員は昭和十年四月一日臺湾州制、臺湾市制及臺湾街庄制実施当時より一時金である退職給与金及遺族扶助料を受けて居た処昭和十六年律令第一号、同第二号及同第三号で臺湾州制、臺湾市制及臺湾街庄制の一部改正があり同年四月一日より新に年金である退隠料及一時金である死亡給与金が追加支給されて今日に至つてゐる。

六、恩給受給者の概数並に金額

区分	裁定済 人員	裁定済 金額	新資格者 人員	新資格者 金額	計 人員	計 金額
退隠料	四五	二一、六〇〇	九五	四五、六〇〇	一四〇	六七、二〇〇
退職給与金	六六	三三、〇〇〇	四七七	二三八、五〇〇	五四三	二七一、五〇〇

備考
一、裁定済の退職給与金は未だ払になつてゐるもの、概数
二、退隠料は年額を掲記す

外地関係恩給（台湾総督府）

1. 外地関係恩給制度の概要を承り度し

恩給法の適用を受けて居る。尚台湾総督及州知事庁長の裁定する恩給は左の通り

台湾総督 ― 警察監獄職員の内刑務所の看守

州知事及庁長 ― 警察監獄職員（看守を除く）

待遇職員（地方待遇職員令に依る職員のみ）

教育職員

2. 外地関係で既に恩給を受けて居る者の数はどの位か

別表の通り

3. 恩給権を有しながら終戦後の事情で未だ裁定手続を了していない者はどの位あるか

別表の通り

地方費負担、
ハ大部分ガ新制度ニ移行ノ
進歩。全部
現地方係通帳交付ニ依ル別交 全部
ヨリ交付 一時恩給

4、恩給証書を持ちながら終戦後事務によ給を受け得ない者が多数あるがこれはどう言ふわけか

国庫負担の恩給については現住所や支給局の変更の手続が未了の為の者もあるが、裁定になった恩給証書は本人の手に渡るも支給通知が本人に渡る迄の事務連絡の間に直会不能となった為恩給を受けられない者が相当ある、

地方費負担に係るものは郵便の都合で請求書が地方庁に到着しない為が大部分である

5、内地引揚の際証書を取上げられたとか其の他の事情で証書を持たない者に対する措置

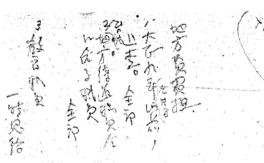

外務省

如何

引揚の際中国側官憲に取上げられた者は無いと思ふが、戦災や離乱中に亡失した者は多少ありと思ふ、又郵便の関係で本人の手に渡らなかつた者も相当あると思はれる。

この内、恩給局裁定の者に付ては恩給局に対し再下付の申請を為さしむることとし、台湾の裁定の者は裁定官庁が決まつた上で其の官庁に対し再交付の申請をする様指導する。

6、終戦後に於ける外地関係恩給の支給状況承り度し、

国庫負担の者に付ては十月支払のものは支給

したやうなが其の後は支給が出来なくて停止して
ゐる。地方費負担の者に付ては請求書に基いて
十月頃まで支給したが其の後は地方費も中国
側に於て接収された為支給停止となった。尚内地
在住者は郵便の都合等終戦前の支給に付いて
も支給を受けられなかった者が多い。
又終戦後外地関係支給者に対しては何等
かの支給上の応急措置を講じたが
前項の如く支給不能の状態になるので
内地帰還した上で支給するの外はなく、連絡
の付く者に付ては内地帰国後住所や寄居
の変更をする様指導した。尚地方費支弁
のものに對しては支給済みの趣旨を書いた證明

外務省

書を交付するやう措置して将来の支障（出来ぬ）
誤なきを期することとしたが郵便関係で本人の
手に渡らぬ者も多いと思ふ。
8. 内地引揚後恩給の裁定或は支給に関する
手続がわからぬ為困つて居る者が多いと思はれるが これ等手続を徹底させる必要はないか
是非必要である 且周知の方法としては新聞
広告か居住の役場組合があるが基本的経営の関係もあり
日本側は実施して居ない。本人より問合せある
者に対し措置して居る程度なり。手続は内地
全般の問題は在外公館の推進を参考とせられ度
9. 参考事項
(1) 恩給台帳や関係書類は一切中国側に

接收せられた為而能へは地方費負担の恩給料で台帳の写しを作製持参した（但し三廠の分は複製不能となつた）。尚現在職員の履歴書は謄本を作り持ち帰つたので右合計二百八十七部に係る恩給の裁定は確実を期せられると思ふ。

(2) 台湾の地方公共団体たる州、市、街、庄の有給吏員に対し恩給制度があるが、公共団体の財産も接收せられたので支給不能となつて居る、この者に対する救済策を考慮つして貰い度い

外務省

朕は、外地官署所属職員の身分に關する勅令を裁可し、ここにこれを公布せしめる。

御名御璽

昭和　　年　　月　　日

内閣總理大臣

外務大臣

大藏大臣

勅令第　　　　號

この勅令施行の際現に外地に在る官署所屬の職員（樺太廳所屬の職員を含む）たる者は、外務大臣の特に指定する者を除いては、内地（樺太を除く以下これに同じ）外に在る者については内地に歸還（出張又は休暇のため内地に在る場合を含む以下これに同じ）した後、任用後引き續き内地に在る者については任用後、一箇月の期間が滿了する日（この勅令施行の際現に内地に在る者で、内地に歸還した後一箇月以上を經過してゐるもの及び任用後引き續き内地に在つて一箇月以上を經過してゐるものについては、この勅令施行の日）に、退官又は退職する。

前項に規定する職員に對する俸給その他の給與は、本俸を除いては、外務大臣が大藏大臣と協議して定めるところにより、その一部を支給しないこととすることができる。

附　則

この勅令は、昭和二十一年五月三十一日から、これを施行する

理　由

外地官署所屬の職員で、内地に歸還した者等の身分について規定を設ける必要があるからである。

朕は、外地官署職員の身分に關する勅令を裁可して、ここにこれを公布せしめる。

御名御璽

昭和　　年　　月　　日

内閣總理大臣

外務大臣

外務省

勅令第　　號

この勅令施行の際に、現に外地官廳（樺太を含める以下同じ）所屬の職員（休職を命ぜられて引續き外地に在つた者又は、應召中の者が外地において召集解除を命ぜられ、未だ所屬官廳に復歸しなかつた者を含める）であつて、内地に引揚げた者については、特に外務大臣が指定する者を除き、其の者の内地引揚後一月の期間が滿了する日を以て、自然退官又は退職とする。

この勅令施行前に、旣に内地に引揚げた者（休職を命ぜられて内地に引揚げた者又は、應召中の者が内地若しくは外地以外の地において召集解除を命ぜられ、現に内地に在る者を含める）で、特に外務大臣が指定する者を除き、その者の内地引揚後（赴任を命ぜられ、未だ任地に到達しなかつた者については、其の命令があつた後）一月の期間が滿了した者については、本令施行の日を以て、自然退官又は退職とする。

外務省

この勅令に規定する職員中裁判所の職員等で、身分上別段の定めある者については、各々の定めにかかはらず、前各項によつて、この際退職を命ぜられたものとする。
この勅令に規定する職員に對する俸給及給與は、本俸を除き、外務大臣が大藏大臣と協議して定めるところによつて、その一部を支給しないことができる。

附　則

この勅令は、昭和二十一年五月三十一日より、これを施行する。

外務省

主管ハ会計課
形式ハ両大臣
法制
追加、
外務大臣ノ指定
スル者トノ内容ヲ定
トスル

昭和二十一年五月　日勅令第　號

第二項の規定に依り外地官署所属

の職員に對する俸給其の他の給與

はこれを左の通定める

昭和二十一年五月　日

外務大臣

外務省

五二七

外地官署所屬の職員に對する俸給給與支給の件

一、國費支辨の官吏に對する俸給給與は別表を基準として支給する。但し本俸は全額を支給する。

二、地方費支辨の官吏に對する俸給給與は特別手當（歸國旅費）を除き別表の二分の一に相當する額を基準として支給する。但し特別手當は別表[illegible]

[illegible]

三、國費支辨の囑託員、雇員、傭人及工員に對し俸給給與は國費支辨の官吏に準じて支給する。

外務省

四、地方貧支部の職員で官吏の身分を有しない者に
對しては[illegible]を参百圓を打切り支給する

別表による

外務省

具体的に書込ム、

（別表）

科目	支給額
本俸	支給ス、
在勤俸	昭和二十年十二月迄支給することを得
勤続手当	昭和二十一年三月迄支給することを得
勤勉手当	昭和二十年十二月迄支給することを得
家族手当	支給スルことを得
物価手当	以上に扶養家族を有する者に限り月額五拾圓を支給することを得
臨時手当	以上に扶養家族を有する者に限り以上勤務者に對し [illegible]ニ基準トシテ一箇月分を支給することを得
特別手当（帰国旅費）	本人に對し貳百圓家族一人に付百圓を支給することを得
退職賜金	昭和行政整理に依る勤続賜金の四分ノ三相当額を支給することを得
賞与	支給セズ
特別賜金給	支給セズ

外務省

外地（含樺太以下同シ）職員ノ處遇ニ關スル件
措置要綱案

（外務省）
昭二一、五、五

標記ノ件ニ關シ外務大臣ハ左ノ如ク措置スルモノトス

第一 本令施行ノ際現ニ外地官廳所屬官吏（含待遇官吏以下同シ）タル者ニシテ本令施行前ニ内地ニ引揚ケタル者ノ中外務大臣ノ指定スル者ヲ除クノ外其ノ者ノ引揚後（赴任ヲ命セラレ未タ任地ニ到着セザル者ニ付テハ其ノ命令アリタル後）一月ノ期間滿了セル者ニ付テハ本令施行ノ日ヲ以テ當然退官者トスルコト但シ引揚後一月ニ滿タサル者ニ付テハ一月ノ期間滿了ノ日ヲ以テ當然退官者トスルコト

第二 本令施行ノ際現ニ外地官廳所屬官吏タル者ニシテ本令施行後ニ内地ニ引揚ケタル者ニ付テハ外務大臣ノ指定スル者ヲ除クノ

外務省

外其ノ者ノ引揚後一月ノ期間満了ノ日ヲ以テ當然退官者トスルコト

第三 外務大臣ノ指定スル者トハ内地ニ引揚ケタル官吏ニシテ内地ニ於テ残務整理事務ニ從事セシムル者（從來ノ出張職員ニシテ引續キ事務ニ從事セシムルノ要アル者ヲ含ム）ヲ謂フコト

「註」前各項ノ引揚日ハ上陸日ヲ指スモノトスルコト

第四 第一項乃至第三項ニ掲クル者ニ支給スル俸給及給與ニ付テハ本俸ヲ除キ主務大臣ノ定ムル所ニ依リ其ノ一部ヲ支給セサルコトヲ得ルコト

第五 主務大臣ハ俸給及給與ニ付キ左ノ通定ムルコト

(一) 臨時家族手當、勤續手當、物價手當、臨時手當（但シ臨時手當及物價手當ハ内地ニ扶養家族ヲ有スルモノノミニ限ル）ニ付テハ正規ニ計算シタル額ノ一部ヲ支給セサルコトヲ得ルコト

(二)現地殘留職員ニ對スル在勤加俸ハ之ヲ支給セサルコトヲ得ルコト

(三)退職賜金ハ本俸月額ノ二倍相當額ニ在勤年數ノ二分ノ一ヲ乘シタル金額ヲ支給スルコト

(四)引揚旅費ハ之ヲ打切リ支給スルコト

備考(一)外地官廳所屬ノ職員ニシテ國ノ雇傭セル囑託員、雇員、傭人及工員ノ身分及給與ニ付テハ本要綱ニ準シ主務大臣ノ定ムル所ニ依ルコト

(二)地方費支辨職員ニシテ官吏タル身分ヲ有スル者ニ付テハ國費支辨職員ニ支給スヘキ額ノ半額ヲ支給スルコト

(三)地方費支辨職員ニシテ官吏タル身分ヲ有セサル者ニ付テハ一人當リ三百圓ヲ限リ打切リ支給スルモノトスルコト

外務省

南方課長

法律第　　號

この~~勅令~~法律施行の際現に朝鮮總督府判事又は臺灣總督判官たる者は、外務大臣の特に指定する者を除いては內地外に在る者については內地に歸還（出張又は休暇のため內地に在る場合を含む以下これに同じ）した後、任用後引き續き內地に在る者については任用後、一箇月の期間が滿了する日（この~~勅令~~法律施行の際現に內地に在る者で、內地に歸還した後一箇月以下を經過してあるもの及び任用後引き續き內地に在つて一箇月以下を經過してあるものについては、この~~勅令~~法律施行の日）に、本人の意思に從ひ退官又は退職する。本人の意思を知る事が出來ない場合は退官させる。

前項に規定する者に對する俸給その他の給與は、本俸を除いては、外務大臣が大藏大臣と協議して定めるところにより、その一部を支給しないことができる。

外務省

附則

この法律は、公布の日よりこれを施行する。

外務省

理　由

朝鮮総督府判事又は台湾総督府判官で、内地に転還した者等の身分について、規定を設ける必要があるからである。

外務省

六ノ八
人事課長
所長
ヲ通シテ
主ヲ

写

内地ニ於テ復員セル本府職員処理方針

一、復員者ノ中退職ノ意思ヲ有スル者ハ出張所ニ於テ所属官衙ニ連絡ノ上手續ヲ行フコト

此ノ場合義務年限アル者ニ付テハ之ヲ免除スルコト

退職ノ證明ヲ要スル者ニ対シテハ出張所ニ於テ之ヲ與フルコト

俸給等諸給與ニ付テハ出張所之ヲ本府ニ連絡シ本府ヨリ直接送金スルコト

義務貯金ハ愛国貯金等ニ付テモ右ニ仝シ

二、退職ノ意思ヲ有セザルモノニ付テハ渡台可能ナル時期迄待機セシムルコト

但シ右ニ対シテモ可及的ニ轉職ヲ慫慂スルコト

三、内地ニ於テ復員セル者ニ付 復員月日、現住所、

臺灣總督府交通局

官職、氏名、退職意思ノ有無等ヲ記載セル名簿
ヲ出張所ニ於テ作製スルコト
四、内地ニ出張又ハ転地療養中ニ終戦トナリタル為帰
任不能トナリタル者ニ付テハ前各項ニ準シ取扱フコト、
五、現ニ内地ニ在ル本府関係警察官（巡査）ニ付テハ
希望ニヨリ内地警察官ニ採用ノ方途ヲ講スルコト
（本件内務省諒解ズミ）

各廳高等官ニ對スル昭和二十年末賞与支給方針ニ
關スル件

終戦後ノ諸物價ノ騰貴並一般生活状況ニ鑑ミ各廳ハ左記
方針ニ從リ昭和二十年末賞与ヲ支給スルモノトス

記

一、各省及所属部局ノ職員ニ對スル昭和二十年末賞與ハ基本
給（年俸月割額、月俸給、給料又ハ手当月額）ト戦
時勤勉手当及臨時家族手当（別居スル家族ニ對スル増加支
給ノ分ヲ除ク）ノ合算額ヲ基準トシ概ネ昨年末支給率
ニ依リ支給スルコト

二、前項ノ場合ニ於テモ高等官ノ支給率ハ右基準月額ノ
最高七十割ヲ超エザル限度ニ止ムルコト

三、第一項ノ基準月額ノ取扱ハ昭和二十年末限ノモノトシ爾後
ノ賞与支給期ノ取扱ノ例トナサザルコト

大日本帝國政府

昭和二十年末賞与ニ関スル件　（内務省）

一、給与割合ハ左ノ通トス

1 基本給（年俸月割額、月俸給、給料又ハ手当）ト戦時勤勉手当及臨時家族（別居スル家族ニ対スル増加支給ノ分ヲ除ク）ノ合算額ヲ基準トシ奏任官ハ七十割、判任官以下ハ八十割トス

2 年俸月割額又ハ月給百五十円未満ノ者ニ更ニ特別賞与五割ヲ加給スルモノトス

転官勤務者ノ年末賞与ハ前年十二月ヨリ本年十一月迄ノ基準ニ勤務月数ニ應シ支給率ヲ決定ノ上支給スルモノトス

註

一、非常勤ナラザルモノニ在リテハ其ノ支給率ヲ相当減額スルコト

二、應召者ニ対スル給与割合ハ常勤者ノ半額トス

（國定規格B5 一八二×二五七粍）

東・製 一一三七

大日本帝國政府

コト

(三) 勤務成績特ニ優秀ナル判任官ニ對スル支給率

九十割迄増給シ得ルコト

(四) 女子勤務者ニ對スル支給率ハ傭人ヲ除キ大体七

十五割ヲ限度トスルコト

二 長期ニ亘リ勤務セザル者ニ對シテ支給セザルコト

(以下省略)

(國定規格B5 一八二×二五七粍)

東・政 一一三七

一般至急電報

昭二一、四、二四
四、二二、一二〇〇 発
〃 二二、一四二〇 着
〃 〃 一六〇〇 受
〃 二三、一二一〇 異
4

宛 次官

總参電第一二四号

支那派遣軍総参謀長（南京）

臺總電第二〇六号轉電

一、在台軍民輸送支障ナク四月二十二日全部離台ス
但シ民側急性傳染病患者二名附添六〇名基隆陸軍病院基幹衛生勤務者五〇名ハ米側ノ指示ニヨリ二十六日頃出港ノＶ九六ニテ沖縄経由帰還ノ予定

三、昨年十二月下旬以来輸送セル陸海軍一六三五四一名 民二八六〇〇〇名（第一項但書人員ヲ含ム）トス

四、沖縄方面帰還者ハ過般来中米側ノ手ニ依リ輸送復帰セシムルコトニ定メラレ右人員中ニ含ミアラス
但シ先島方面ハ大部ニ完了、奄美大島ノ（軍民共）及沖縄本島方面（軍人ノミ）ハ目下

外務省

護送中ナリ

五、戦犯関係者還民報ノ如ク安藤大将以下八五名ニシテ内安藤大将以下五二名（内参謀長田少佐ハ近日出発）ハ上海ニ至リ石本中将以下旅団長、聯隊長級三三名ハ中国側戦犯トシテ台北ニ在リ、以上ノ外人見中将自決セラル、拘留者ハ陸軍側中尉三浦増三以下一二名、海軍側少尉形野春重一名、民側上滝利雄以下一一名トス

六、徴用者ハ軍側ニモ民側家族ヲ含ミ一七一〇〇名トス

七、各種患者ハ全部護送終了セルモ軍曹高岡洋三以下七名ハ癩病ニシテ帰還不許可ナリ、之ハ召集解除シ現地医療機関ニ依託、他ハ民側「二名不明」患者七五名アリ

八、台籍軍人軍属ノ帰還整理業務及戦犯容疑者並抑留者関係業務ノ為陸軍中佐秋山太郎以下四名（内将校三、軍属一）ノ外第十二軍臨時軍属若干ヲ台北ニ残留ス

在台残留機関ノ南京トノ通信ハ中日側通信ニ委托スルコトニ定マレリ

九、前記戦犯関係者及拘留者ハ支那派遣軍総司令部附ニ、秋山中佐以下残留員ハ復員省附ノ註據司令部附ナリトス）ニ上申ス

当司令部ハ上陸時ニ轉属命課携帯ヲ成ス

一 通面完了 改定 支復、（済）

臺灣引渡後ニ於ケル臺灣製鹽業ヲ
邦人參加經營トシテ確保スル件

一　方針

臺灣ノ圓滿引渡後ニ於テモ邦人ヲシテ極力島内ニ殘留セシムル督府並ニ中央ノ意圖ニ卽應シ他方今後ノ内地アルカリ工業（曹達工業其ノ他食鹽ヲ使用スル一切ノ工業ヲ指ス）ヲ培養シ其ノ原料給源ヲ獲保スル爲メ本島製鹽業ヲ引繼キ邦人モ參加經營シ得ル樣保留セントスルモノニシテ此ノ爲中國側接收委員ニ本島製鹽業ノ眞價ヲ理解セシメ對日輸出ヲ認諾セシムルト共ニ内地大藏省ヲシテ近海鹽（滿洲、天津、青島、臺灣等ノ產鹽ヲ指ス）ノ輸入ニ當リ臺灣鹽ノ輸入モ其ノ計畫中ニ組込マシムル樣折衝セントスルモノナリ

二　要領

イ　對中國側ニ對スル交渉

(一) 中國ニ於テハ由來鹽ノ對外輸出ヲ爲サヽル方針ヲ堅持スルモ（同國内ニ於テハ一屯二百圓見當ノ高率ナル鹽税ヲ課シ居ルニ反シ對外輸出ヲナス爲ニハ一屯一圓乃至二圓見當ノ低率ナル輸出税ヲ課シ得ルニ過ギザルヲ以テ對内政策上局地的ニハ産鹽ノ過剩ヲ來ストモ之ヲ輸出セザル方策ヲ堅持シ寧ロ鹽田整理等ノ方策ニ依リ過剩地帶ノ産鹽ノ生産制限ヲ實施スル建前ヲ採ルモノナリ）本島ノ製鹽業ガ島内殊ニ南部地帶ニ於テ占ムル産業上ノ重要性、海岸地帶住民ノ生業維持上重要ナルコトヲ充分理解セシメ本島ニ於テハ鹽田整理等ノ方策ヲ採ラザル様極力折衝スルコト

(二) 此ノ爲國交回復通商協定ノ締結前ト雖モ「臺灣鹽對日輸出暫定協約」ノ如キモノヲ接收ト同時ニ現地當局ニ於テ先方側ト

協定シ滿洲、青島等ニ先行シテ對日輸出ヲ爲サシムル樣極力折衝スルコト

(三)本島製鹽業ガ先方側ニ委譲スルハ止ムヲ得ザルベキモ此ノ場合ト雖モ日支合辦會社ノ形式ニ於テ邦人ノ斯業參加ヲ許容スルヲ有利トスルコトヲ先方側ニ充分理解セシムルコト

ロ　内地中央部特ニ大藏省ニ對スル交渉

(一)内地ニ於テハ目下「鹽增産本部」ヲ大藏省内ニ設置シ内地各地ニ於テ分散生産ヲ圖リ居ルモ尚當分食料鹽ノミニテモ年額約四十万屯見當ノ不足ヲ來スハ明白ナル事實ナルヲ以テ其ノ輸入ニ當リテハ滿洲、青島、臺灣等ニ給源ヲ求ムル樣按配規整スルコトヲ要請スルコト

(二)今後ノ内地復興ノ爲ニハアルカリ工業ノ存在ハ各種製造工業ノ母体トシテ特ニ重要ナルハ云フ迄モ無キ處ニシテ曹達灰製

造工場（東洋曹達、徳山曹達、宇部曹達、旭硝子ノ四社）電解ニ依ル苛性曹達製造工場（内地各地ニ三十數個工場アリ）ノ存續ヲ圖ルハ勿論戰災ニ依ル破壞ヲ一日モ早ク復舊シ之等製品ノ生産擴充ヲ圖ルヲ要請スルコト――商工省關係

(三)

(二)ノ目的ヲ達成シ得ル時ハソノ結果工業用鹽ノ大量需要（一日支事變前ニ於テハ年額百七十万屯見當）ヲ見ルコト又自明ノコトナルモソノ給源ヲ之亦滿洲、天津、青島、臺灣等ニ按配規整スル樣要請スルコト

(四)

食料鹽、工業鹽共ニ右ノ如クソノ給源ヲ分布規整スルコトハ天候、暴風雨、水害等ニ依ル天災多キ天日製鹽業トシテハ危險分散ノ見地ヨリモ最モ肝要ナルコト並ニ内地ヨリノ雜貨輸出ノ船腹ト之等地帶ヨリノ復荷トシテノ食料鹽、工業鹽、石炭、大豆等ノ大量貨物積取ノ爲ニ要スル船腹トヲ最モ效率的

（第十一號用紙）

ニ運營スル原地ヨリ云フモ鹽ノ給源分布ハ肝要ナルコト

以上

臺灣總督府專賣局

昭和十九年三月栗田商行納

（日本標準規格 B5.182×257m.m）